ספר יהודי

ЕВРЕЙСКАЯ КНИГА

Юлия Винер

КРАСНЫЙ АДАМАНТ

РОМАН

МОСКВА «ТЕКСТ» 2006

УДК 821.161.1
ББК 84(5Изр)
В48

ISBN 5-7516-0517-9

Часть первая
ЧЕРТ ПОПУТАЛ

1

Держу я их в горсти, перебираю, из руки в руку перебрасываю и все думаю — что же мне с этим делать, что называется, ни проглотить, ни выплюнуть. Сижу, сам телевизор слушаю, где какое поселение обстреляли, какого самоубийцу арабского с бомбой поймали, а сам все о своем. Надо же, какую ответственность на себя взвалил, это я-то! Сколько неприятностей, сколько хлопот, сколько нервов! А мне это надо? Больному человеку? Вот уж, что называется, черт попутал.

А так у нас тут в Израиле все плавно развивалось.

Мы уже квартиру собственную приобрели, хоть неновую и маленькую, но в самом центре, на втором этаже и лестница нетяжелая, и все рядом, и магазины, и рынок, и транспорт во все стороны — и тихо. Все даже удивлялись, как это, в центре, а тихо. Очень просто: стены толстые, а наши окна все выходят не на главную улицу, а в тыл, в тихий тупик. Дом старой постройки, что называется, бывший благородный, с высокими потолками и даже с черным ходом, правда, дворика за домом практически нет, так, узкий пролет, заваленный всяким хламом, проходить по нему неприятно, но мне все равно, я вообще редко куда теперь хожу.

Я своей квартирой очень доволен. Да и жизнью, в сущности, всегда был доволен, не было бы счастья, да несчастье помогло, хотя другие думают — бедняга, жалеют меня, а я и не собираюсь их разубеждать, зачем, пусть жалеют, мне же в результате лучше.

И вдруг возникла большая неприятность.

С полгода назад сижу я как-то на своем обычном месте у окна, отбираю, как сейчас помню, светло-розовые лоскуты, покуриваю и в окно иногда гляжу — я люблю смотреть в окно, что там на улице делается, вроде и дома сидишь, и в жизни участвуешь, только в нашем закоулке мало что делается, так, люди ходят, кошки по помойкам шастают, на тротуаре машины стадами, а мне больше и не надо.

И вдруг началась бурная деятельность — в доме напротив, в самом конце тупика, начали ремонтировать нижнее помещение, понятно, грохот, пыль, машины со стройматериалами, бетономешалку подогнали, в конце тупика гладко забетонировали порядочную площадку между тем домом и нашим. Что же это такое будет, думаю. Ладно, думаю, ведь кончится когда-нибудь, перетерпеть можно, и спокойно так думаю, ничего плохого не жду, даже любопытно было смотреть, как строят, — надо сказать, бестолково до смеха.

Однако деньги у хозяев, видно, были, достроили быстро, большие окна с зеркальными стеклами, дверной проем красивой аркой сделали и занавеси бархатные повесили, площадку перед домом обставили горшками с пальмами и всякими растениями — и открыли ресторан. Открыли где-то в марте, и я даже радовался — занятно иногда на людей взглянуть, как они там за стеклом питаются, да и на зелень смотреть приятно, цветочки разные начали цвести, я эти маленькие удовольствия очень ценю. Люди все больше религиозного типа, в ресторан ходили большими группами, с детьми и младенцами в колясках — празднества свои справляли, ну, а мне что, я не против.

А вот как стало совсем тепло, тут и начались мои мучения. Площадку-то не зря бетонировали, прямо у меня под окнами, все эти празднества на ней и пошли. И динамики бухают, аж пол подо мной дрожит, и сами они песни дикими голосами орут, и пляшут, и всё до поздней ночи, ко мне на второй этаж хорошо доносится, от стен отражается, как в трубе. Неприятно мне стало у открытого окна сидеть, пришлось закрывать, хотя и лето.

Сперва думал, ладно, притерплюсь, до осени как-нибудь доживу, зимой посетитель внутрь пойдет, а там, глядишь, разорятся или что.

Однако вижу — спать невозможно. Особенно ночью попозже — вот уже и притихнут, расходиться начнут, уж и заснешь кое-как, а тут официанты начинают столы-стулья внутрь таскать. На столы расходоваться особо не ста-

ли, под скатертью все равно не видно, столы самые деше-
вые, фанерные с железными полыми ножками, поволочет
он такой стол либо стульев штуки четыре сразу, я в постели подскакиваю. И столов они выставляют много, штук
до двадцати, да к ним стулья, а работников всего двое, и
нет чтобы вдвоем аккуратно поднять и отнести, каждый
волочет отдельно, ножками железными по бетонному полу — как автоматные очереди, одна за другой.

Расстреляют меня так, полузаснувшего, ночь к чертовой матери.

Сказал жене — сходи, пригрози, что в полицию пожа-
луемся, как раз закон насчет шума вышел. Жена говорит,
может, не надо в полицию, все-таки мы совсем рядом, а
вдруг они нам что, никакая полиция не поможет... Тут я,
правду сказать, рявкнул на нее, дурой обозвал, трусихой,
толкнул даже в спину, очень уж спать хотелось. А обозвал
зря, совсем она у меня не дура и не трусиха. И говорила,
может, по делу. Но я все равно погнал, иди, говорю, или
ждешь, чтобы я сам пошел? И пойду, если ты на такую
простую вещь не способна. И начал будто бы из постели
выкарабкиваться. Да куда ты, нельзя тебе, да еще ночью,
оделась и пошла. Не добьется, конечно, ничего, она кричать по-здешнему не умеет, попросит вежливо, они от-
брешутся, постоит и пойдет. Жалко даже стало.

2

Мне ее часто бывает жалко. Говорят, это значит — люблю.
Ну, не знаю, какое у нас с ней сейчас «люблю». Раньше,
конечно, было чувство, там уж «люблю» или еще что, но
было, а сейчас не знаю. Постарела — смотреть неинтересно, в бедрах, в груди расширилась, а ноги тонкие стали, в
голом виде я ее давно не наблюдал, ни к чему, а в одежде
нормально, но неинтересно.

Но изругал зря. Жена у меня — дай Бог каждому, особенно если учесть мои обстоятельства. С женой мне, как и
вообще со многим, серьезно повезло, то есть не повезло —
сам выбирал, но мог ведь и ошибиться. Когда молодой
был, диагноз только-только поставили, мать все убива-

лась, либо один останешься, либо подхватишь какую писюху, так она тебя быстро бросит, кто с тобой, кроме матери, захочет возиться. И все эти годы не верила, что Таня при мне останется, а я так нисколько не сомневаюсь.

Начать с девушкой мне тогда ничего не стоило, по внешности сперва ничего не было заметно, только боли. Это сейчас меня согнуло сильно, а так внешность у меня была вполне нормальная, в отца, это сейчас я больше на мать стал походить, может, благодаря общему национальному окружению, но мать у меня тоже была ничего.

Я девушек не обманывал, упоминал, какая у меня болезнь и что будет дальше. Некоторых отпугивало, а некоторых, наоборот, крепче забирало, остроты придавало, что ли. Такой интересный парень и такие мучения, а впереди еще хуже. Хотелось, ясное дело, еще погулять, но я тогда сразу сообразил, что жениться мне надо побыстрее, пока выбор есть, и прочно.

Нравилась мне одна, причем не половинка, как я, а чисто русская. И я ей тоже, и про женитьбу сама заговорила. Однако вышла осечка. Стал я ей как следует про болезнь объяснять, что через десять лет будет да что через двадцать, мол, знай, на что идешь, а она рот мне зажимает, обнимает, милый, милый, с тобой мне ничего не страшно, все равно люблю и хочу. Я уж настроился, даже матери сказал, готовься. Через день приходит, бледненькая такая, милый, родители категорически против за инвалида, отец даже плачет, давай так поживем. Но это уж извини, мне настоящая жена нужна, а не так, хотя досадно было, сильно она мне нравилась, чуть было не поддался. Но я уже и тогда разбирался неплохо, либо со мной живи, либо родителей слушайся, иначе одна нервотрепка.

А у меня в резерве была вторая кандидатка, и тоже чисто русская, эта самая моя Таня.

3

Вот я как раз слышу, ключами звякает, вернулась. А за окном не заметно, чтоб тише стало, как гремели столами, так и гремят. Как я и думал.

— Ну, что они сказали?

— Сказали, постараются. Чтоб не позже двенадцати расходились. И звук, сказали, привернут.

— А про столы?

— Про столы я уж не говорила.

Вот, не хотел я на нее злиться, жалел, что выругал. А как тут удержишься?

— Я тебя, Танюша, зачем посылал?

Молчит, раздевается. Не представляю, кто еще сегодня такие комбинации носит. И где она их берет, неужели из России привозят? И рубашки ночные, хоть бы купила себе какую теперешнюю, может, интереснее было бы с ней лежать.

— Зачем я тебя посылал, а? Свежим воздухом подышать?

Ложится осторожно, всегда следит, чтоб не задеть, не толкнуть, я-то лежу вкривь и вкось, то так, то этак, мне всегда неудобно лежать, ортопедическую кровать надо купить, да мало ли чего надо. Грохот внизу наконец-то затих, спать хочется — сил нет. Но нельзя же так оставить.

— Я к тебе обращаюсь, а ты не отвечаешь. Порядок, по-твоему?

Кладет руку мне на спину, как раз туда, где сегодня особенно болит, она всегда это знает не спрашивая, гладит, массирует, говорит тихонько:

— Давай, Мишенька, спать. Хозяина не было, а с официантами что говорить. Завтра схожу.

Я еще ругаюсь, но лень, а она гладит, гладит, незаметно, и заснул.

И так каждую ночь. Музыку немного прикрутили и расходиться стали чуть раньше, но про ножки железные понимать не желают, и заснуть раньше часу-полвторого все равно невозможно. Но ведь и утром подольше не поспишь! Где-то около восьми все начинается сначала. Эти официанты, может, и ночуют там, в ресторане. Сперва они моют свою площадку из шланга и криком при этом общаются. Тут я еще пытаюсь дремать. И сразу тащат эти проклятые столы-стулья из помещения обратно на площадку, и все волоком. Тут уж я просыпаюсь, как от стрельбы. Чтобы днем поспать, под музыку и пение, вообще говорить нечего.

Я в полицию все-таки позвонил, пожаловался. Что, спрашивают, безобразие какое-нибудь, драки? Нет, говорю, но музыка очень громкая, и потом убирают с грохотом. Музыку, отвечают, до одиннадцати имеют право. Если позже будут, сообщи. А про столы-стулья, про крики, сказали, ты с ними сам по-хорошему договорись. Сам понимаешь, центр, какая уж там тишина. Или, говорят, вставь двойные стекла.

Жизнь моя, до сих пор в общем-то очень благополучная, вся пошла наперекосяк. Тане легче, она за день намотается и спит, а мне сна нужно много, сон для меня одно из главных удовольствий, но при этом очень хрупкий, и не выспаться для меня — гибель.

Я ведь как до сих пор жил? Размеренно. Врачи и там всегда говорили, и здесь говорят, что ровное, спокойное настроение для меня главное лечение. Вот я себе смолоду все в жизни и распланировал. И более-менее все шло по плану, а что не шло — не обращал внимания, и все. Ответственности особой на себя брать не приходилось, опять-таки спасибо болезни, с инвалида какой спрос? Если только он ухитряется кое-как жить и функционировать, уже ахи и умиление — надо же, инвалид, а совсем как человек. Другие некоторые, вроде меня больные, оскорбляются, считают такой подход за унижение, а по мне, так очень удобно, для нервов очень хорошо.

Вот, например, дети. Сделать я их сумел, сына и дочку, а возиться с ними — никто от меня и не ждал, наоборот, только удивляются, как такой больной таких славных, здоровых деток сделал, честь ему и хвала, молодец, не подвел женщину, дал ей, что требуется. Не знают, что болезнь моя это дело ничуть не затрагивает, я и сейчас вполне могу, только в смысле позиции сильное неудобство, но моя приспосабливается.

Да взять хоть и это дело. Здоровому мужику при женщине всегда приходится быть в форме, головной болью не отговоришься, выполнять надо, а не выполнит — некоторые, говорят, очень страдают в смысле самолюбия. А с меня опять же — какой спрос? Как-то получилось, уже спасибо, моя, наоборот, всегда хвалит, говорит, ты у меня молодец.

Я и сам знаю, что молодец. Когда я еще ходил получше и спина попрямее, у меня сколько раз были подружки, я это любил. Одна до сих пор звонит иногда, но ведь к себе домой не приведешь, а ехать к ней мне теперь хлопотно, да и сомневаюсь я уже, у нее ни сноровки Таниной нет, ни привычки. Так что теперь с одной женой приходится, а интересу к ней прежнего нет. Правда, и она последнее время стала как-то скучнее, возраст, что ли, или устает на работе.

Однако иногда все же надо. Так и это мне ресторан проклятый порушил. Тут все-таки сосредоточиться надо, настроиться. Только настроишься, только приладишься, как грянет под окном музыка либо ножки железные по бетону заскрежещут — все как есть пропадает. Спасибо Тане, она мне мучиться не дает, сама наскоро все сделает, облегчение, конечно, есть, но удовольствия мало.

4

И возненавидел я этот ресторан, а особенно этих официантов, как в жизни никого не ненавидел. Другой врагов наших государственных так ненавидеть не способен, как я этих, своих. Хотя тоже не полностью свои оказались. А это чувство для здоровья — нет его вредней, особенно если выхода ему не находится. Даже курить больше стал, совсем ни к чему.

Целый день сижу у окна, все смотрю вниз и все мечтаю, как мне их изничтожить, какую пакость им сделать. Рассмотрел я этих парней в деталях, один красавчик с усиками, тонкий, высокий, скользит между столиками, будто балет исполняет, зовут Азам, арабский человек. Второй Коби, ростом пониже и с желтой крашеной щетиной на голове. Сам хозяин, сволочь жирная, наружу выходит редко, больше внутри сидит, при кондиционере. Еще девочка одна есть, официанточка, но к ней у меня большой злости не возникло, ходит себе, носит, я даже ее голоса не слышу. А эти двое, Коби и Азам, с гостями еще ничего, сравнительно тихо, но между собой орут — один в одном конце, другой в другом — пепельницы принеси! два гуляша! Азам, куда смотришь, где салат?

Даже работать меньше стал. А заказы задерживать не приходится. И я свою работу люблю и дорожу ею. Этой работой я тоже болезни обязан, а через нее и квартирой нашей замечательной, на Танины заработки да на мою инвалидную пенсию нам бы разве ее поднять.

И вот из-за проклятого ресторана моя производительность снизилась, и к выдумке всякая охота пропала, вместо новых узоров все воображение сконцентрировалось на мести. Сижу у окна, смотрю вниз и явственно так вижу: вот Азам несет полный поднос, а я ему банановую корку под ноги. Он спотыкается, Коби хочет его поддержать, а в руках тоже поднос, оба грохаются, бутылки, тарелки с горячей пищей во все стороны, гостям хорошо достается. Крик, шум, выходит хозяин, обкладывает обоих последними словами и гонит к чертовой матери...

Нет. Что толку? Этих выгонит, других возьмет, таких же.

Лучше так: беру я горсть своих тряпочек, в середину камушек, кучку спичек и пару непотушенных окурков, сматываю все в моток, окунаю в керосин и вечерком, когда у них там самое веселье и самый вой, швыряю прямо в ихнюю арку. Доброшу, у меня руки неслабые, тренированные. Оно, пока долетит, вспыхнет, занавеси бархатные подпалит, а там и прочее загорится, скатерти, столы-стулья фанерные, одежда на людях... Люди ничего, люди успеют выбежать, а заведение — ух как пылает, Коби с Азамом мечутся в дыму, людей выгоняют, занавеси срывают, да разве поможет. Приезжает пожарная команда, амбулансы, ну, жертв особых не надо, просто легкие ожоги, шок, им в больнице укольчик, и порядок. Зато от заведения одни стены черные, мокрые, обгорелые. Хозяин бродит, смотрит, прикидывает и решает, что не стоит ему заново все здесь заводить, лучше в другом месте...

Но и это не годится. Во-первых, не будет от моего мотка тряпок пожара, выльют бутылку воды, он и погаснет, а если вдруг загорится, полиция быстро найдет, кто поджег.

Так вот сижу, курю от нервов и все смотрю вниз, отлыниваю от работы, а в душе злость так и кипит, отравляет организм.

5

И вот как-то раз я пообедал, а поспать нельзя, внизу то ли свадьба, то ли что. Сел к станку и для пущей злобы глянул в окно. И вижу — выходит на порог хозяин. Стоит в своей арке, руки в карманы, шныряет глазами незаметно так по сторонам, даже наверх глянул, но меня увидеть не может, я против света, и окна у нас немытые, сколько раз моей напоминал, но ей все некогда. А на площадке пир горой, пляски, на хозяина никто никакого внимания.

Пробегает мимо него Коби, хозяин что-то ему тихо сказал, Коби остановился и подбородком сделал знак Азаму. Азам подошел. Хозяин опять что-то короткое сказал и вроде как Коби руку пожимает, а второй рукой легонько махнул на площадку. И тут же ушел обратно в помещение.

Парни быстро посовещались и пошли к столику в углу, около горшка с пальмой — там сидят всего две старушки, есть в основном кончили, так, на пляски смотрят. Коби им с улыбкой что-то говорит, вроде как извиняется, а Азам снял с локтя салфетку, скомкал. Старушки улыбаются в ответ и обе взяли в руки свои тарелки. Парни один край стола приподняли, Азам удерживает его на весу, а Коби нагнулся, схватил у Азама салфетку и, вижу, быстро запихнул в ножку стола. Азам стол тут же опустил, попробовал, прочно ли стоит, не качается ли — по жестам вижу, мол, поправили, теперь не качается. Опять старушкам поулыбались и ушли.

Я только еще начал соображать, что бы это такое было, а тут являются два полицейских и через минуту выводят хозяина. Культурно выводят, без насилия, то есть он сам с ними идет и только плечами пожимает, по дороге крикнул Коби издали: «Сейчас вернусь, вы тут пока без меня». Гости сразу притихли, плясать перестали, хотя Коби с Азамом ходят между столами, успокаивают, но тут мне телефон.

Материалы с фабрики везут, оставят, как всегда, у черного хода, потому что с фасада, по главной улице, к моему дому и подъехать нельзя, — и я отвлекся.

Понял я, конечно, что парни в ножке стола что-то спрятали. Деньги? Вряд ли, места мало. Наркотики, что ли? Тоже вряд ли. Что-то хозяин Коби передал, когда руку пожимал, ясно, что не детскую игрушку, раз полиция пришла. А между прочим, кто-то хозяина предупредил, это у него, значит, в полиции есть свой человек.

И тут, на беду мою, меня и осенило, какую я могу этому ресторану сделать большую пакость. И главное, идиот такой, совершенно, думаю, для меня безопасно, никто не узнает. И не мечтаю даже, какой это произведет переворот во всей моей жизни.

Глянул в окошко, там вроде все обратно наладилось, враги мои запустили музыку на полную катушку, мороженое, торты разносят, гости по местам сидят, хотя не поют. За тем столиком в углу тоже теперь полный комплект, наплясались и проголодались, кушают дессерт. Поторапливаться, думаю, надо, и взялся за телефон. Уже набирать хотел и сообразил — где же никто не узнает, телефон-то мой в полиции моментально засекут, это сегодня просто.

Придется дойти до автомата. Я не то чтобы ходить не могу, но затруднительно. И неприятно все-таки, на меня на скрюченного люди на улице смотрят, хоть мне и все равно. До автомата, однако, добраться можно, он в двух шагах на главной улице.

Добрался быстро, очень уж злорадство меня подстегивало, крупно я им сейчас насолю! Всем, и хозяину, и парнишечкам, а девочку, думаю, не тронут, она ни при чем.

Набрал полицию, в зубы взял кусочек бумажки (в детективе одном прочел, человек тогда начинает шепелявить, нипочем голос не узнать), девица ответила, и я с расстановкой произнес, что по дороге приготовил: слушайте, говорю, меня внимательно. То, что вы ищете, находится в таком-то ресторане, в ножке стола, который на открытой площадке, около пальмы в самом углу. Приезжайте немедленно, а то исчезнет. Девица было спрашивать, кто я да где я, но я только повторил, ресторан такой-то, столик возле пальмы в углу, и повесил трубку. Теперь как повезет.

Передаст она быстро и кому надо — приедут и возьмут, а нет — я ничего не теряю.

На второй этаж к себе поднялся — даже не почувствовал.

И нетерпение меня колотит — разойдутся посетители, Коби с Азамом тут же столик этот уволокут, ищи-свищи тогда. И досада берет, поделиться не с кем, моя после работы сразу к сыну поехала, с младенчиком сидеть, внучком нашим первым, и вернется поздно.

Нет, думаю, так нельзя, наношу большой ущерб здоровью. Сел у окна, а у меня на станке тогда небольшой коврик был заделан, простенький, из трикотажных обрезков, соседка заказала. Отобрал я десятка два подходящих тряпочек, свернул каждую в трубочку, стал связывать узелками и вижу — не хватает мне в одном месте светлого какого-нибудь оттенка, а в другом коричневого. Копаюсь в своих запасах — нету. Эй, думаю, да ведь мне новые должны были привезти. Совсем я с этими делами заморочился!

Выглядываю — вон они стоят у подъезда, два тючка в пластиковых мешках, кое-как липкой лентой обмотаны. Почему всего два, они обычно три привозят. Хотел позвонить, поругаться, но уж очень было не до того.

6

А на ресторанной площадке сильно уже поредело, однако за моим столом все еще сидят. Вижу, Коби близко там крутится, вроде бы убирает со столов, а сам ждет не дождется. Ох ты, думаю, полиция, мать родная, проворонишь ты сейчас все на свете. Однако твердо себе говорю: кончай истерику, ты свое исполнил, теперь от тебя не зависит, занимайся делом. И звоню Ицику, мальчишке из квартиры напротив, он мне иногда помогает, прошу, чтоб принес мне мои тючки. Сейчас, говорит, досмотрю тут по телику и принесу.

А уже слегка темнеть стало, хочу зажечь свет и не решаюсь, вдруг они увидят, как я у окна сижу и за ними наблюдаю. Посидел немного в полусумерках, тут они свое освещение включили, куда ярче моего, и стало неопасно.

Принялся опять за узелки, но идет плохо, пальцы дрожат, а глаза все время поворачиваются к окну. И вот вижу — из-за того стола встают. Я даже сам со стула встал. Тут слышу — чей-то мобильничек там внизу тихонько чирикает. Смотрю, Коби из кармана вытащил, послушал секунд пять, телефончик в карман бросил и крикнул Азаму «Давай быстро!».

Оба они к этому столу так и рванули, старушкам стулья отодвигают, улыбаются опять напропалую, Азам всю кучку теснит осторожно на выход, а Коби стол плечом приподнял, засунул руку под ножку, поковырялся там. Салфетку скомканную бросил на стол, держит что-то в кулаке, стоит, оглядывается, глаза дикие.

А Азам его прикрывает, любезничает с уходящими посетителями, видно, шутит, смех, на Коби никто и не смотрит. Он сделал было шаг к ресторану, тут же передумал, потом к горшку с пальмой, опять передумал, опять оглянулся, и вдруг вижу, бежит прямо к моим тючкам, липкую ленту на тючке оттянул, сунул в отверстие кулак, вытащил, тут же ленту на место прижал и нацелился тючок этот схватить, видно, забросить куда-нибудь хотел, но оглянулся на Азама, а тот смотрит поверх голов, и я туда же посмотрел — впритык к площадке машина, и из нее вылезают двое, сразу ясно, кто такие. Коби тоже их увидел и в два скачка вернулся на площадку, стал обеими руками собирать грязную посуду со столов.

Эти двое вошли потихоньку, Азама за плечо, и прямо ведут его к тому столу. А Коби вроде бы ничего не замечает. Те Азаму что-то сказали, и он поволок столик внутрь. Загрохотало, понятное дело, люди стали оглядываться, один из тех двоих подозвал Коби, быстро в руке ему что-то показал, и парни понесли стол вдвоем, беззвучно, вот так бы всегда.

А меня от досады прямо корежит. И чего там в полиции так долго качались? Теперь ничего не найдут. На три минуты бы раньше, и не успел бы ихний осведомитель позвонить. И может, конец бы всему этому ресторану, зависит, конечно, что они такое прятали.

Посетители оставшиеся быстро разошлись, я было подивился, что никто счета не спрашивает и не платит, порадовался даже, что все разбежались не платя, но вспомнил, что такие празднества оплачиваются заранее, даже этого маленького утешения нет. Осталось на площадке неубранное поле битвы, да я, полководец проигравший, наверху как попка сижу.

Тут, вижу, мой Ицик вышел из подъезда, взял тючки с материалом, понес наверх. Я ему дверь открыл и копаюсь в кошельке, вытащил было десятку, нет, думаю, всегда ему пятерку даю, чего это сегодня, подозрительно покажется. И такое вдруг чувство нехорошее, во что ввязался, вот, уже рассуждаю как преступный элемент.

Пришел он, занес в комнату, я спрашиваю на всякий случай, ты хорошо смотрел, только два тючка, три ведь обычно, нет, говорит, сегодня почему-то только два. Взял пятерку и ушел.

А я остался ни жив ни мертв. Любопытство меня разнимает посмотреть, что там такое, и страх ужасный — ведь станут искать и непременно до меня доберутся.

Или полицию сразу позвать? Тогда уж их наверняка загребут, но себя открывать, подставляться? Да ни в коем случае.

А я вот что, думаю, выну, посмотрю и тут же обратно положу, будто и не открывал еще. Если вдруг придут, потребуют, пусть забирают хоть весь мешок, я ничего не знаю.

Руки трясутся, липкую ленту потянул, а она вся снялась, по второму разу плохо приклеивается, ладно, я ее потом слюнями. Сунул руку в мешок, тряпки-то вынимать не хочу, так шарю — тряпки и тряпки. Вспотел весь, спина разболелась нагибаться, копаюсь осторожно, чтоб тючок остался как бы нетронутый. Нащупал сквозь тряпки что-то твердое, небольшое! Думаю, мусор какой-нибудь, но на всякий случай потянул. Вытянул мешочек бархатистый, размером всего ничего, весь в кулаке помещается, с одного конца туго затянут резинкой, а внутри что-то перекатывается, вроде орешков. Вот беда, пока размотаю! Выглянул в окно, там вроде все, как было, на площадке разорение, а у входа стоит девочка-официанточка, заворачивает желающих посетителей. А в ресторане все занавеси задернуты, музыка не играет, но свет горит. Обыск, видно, делают.

Стал резинку разматывать, в спешке потянул слишком сильно, она возьми да лопни, все, что внутри было, прямо в горсть мне и высыпалось. Я кулак зажал, сердце колотится, не глядя уже догадываюсь, но говорю себе — иди на кухню, найди такую же резинку, не то беда. Хорошо, Таня у меня запасливая, резиночки эти никогда не выбрасывает, а надевает на ручку кухонного шкафа. Кулак крепко держу в кармане, нашел подходящую резиночку, немного цвет другой, но вряд ли заметят. Вернулся в салон, глянул в окно, все по-прежнему.

И раскрыл кулак.

7

Если бы не теперешняя моя работа, которую я так полюбил, ничего бы этого не произошло. Не стояли бы мои тючки у подъезда, и никто бы туда ничего не прятал. И жизнь моя катилась бы спокойно по своему намеченному маршруту.

Не то чтобы я к прежней своей работе, по специальности, плохо относился, даже, можно сказать, нравилось. Мне просто работать не нравилось, ну, не хотелось совсем, ни учиться, ни работать. Мать, бывало, убивается, учиться не хочешь, работать не хочешь, что же ты, окаянный, хочешь делать, а я про себя думаю — разве кто хочет делать? И зачем обязательно что-то делать? Что в этом хорошего? Никто не хочет, только не признаются. Из-за денег стараются, а так-то ничего не делать лучше всего, и, по-моему, каждый бы хотел, да не могут, а мне повезло. Сочувствуют мне, бедный инвалид, этого он не может делать да то ему недоступно, а я того да этого и не хотел никогда, болезнь меня только выручила, но про это молчок.

Здесь в Израиле, например, очень принято считать, что человеку то да се положено, имеется у него такое право — получать, а от кого и за что, это уже второстепенно.

В основном, понятно, от государства. То есть от властей. Но не родились еще, по-моему, такие власти, которые чтоб давать. Задача любых властей — это не давать, а брать, а иначе и зачем она им, власть? Но это уже политика, а я про другое. «Положено», «причитается» — это все права человека, то есть человеческая же выдумка, и ожидается именно от властей. И это иногда удается зубами вырвать, то есть нормальная борьба за существование. Власти тянут на себя, а ты на себя, ну, и обламывается тебе кусочек.

А я беру более широко. Вот, например, отчаивается человек, в частности наш брат из России, который бросил благополучную вроде бы тамошнюю жизнь, а здесь живет плохо и страдает. Это я для примера беру нашего человека, потому что ближе знаком, но у здешних «положено» развито, может, еще и получше. И вот он отчаивается и воет, я там всю жизнь вкалывал, что же, мне так ничего за это и не причитается? Или еще покруче, что же, мне вообще ничего от жизни не причитается?

И тут, я считаю, коренится основная ошибка. По-моему, от жизни никому ничего не причитается, никаких прав человека, а только что сумеешь взять. Ничего тебе жизнь не обещала и ничем тебе не обязана. Единственно родители обязаны кое-что, поскольку родили тебя на свою ответственность, да и то только до некоторого возраста. А дальше — живи как сумеешь. А жаловаться и плакать, что судьба тебя обделила, значит, только перед этой судьбой унижаться, а ей ведь абсолютно все равно.

В этой связи возникает проблема, надо ли обделенным помогать. И мне тогда сразу приводят в пример меня же самого, как бы я выжил, если бы не социальная помощь под названием Битуах Леуми, и вообще от других.

Ответ у меня на это простой. Может, и не выжил бы. Ну и что? Тоже не большая потеря, то есть для других, самому-то мне большая.

Тут люди осознают, что сказали бестактно, и сразу начинают выкручиваться, что не это имели в виду.

Потому что не знают второго моего ответа, не такого простого, но я держу его про себя.

А именно:

Что мне «положено» от судьбы, я знать не могу, зато знаю, чего всегда хотел. Хотел, в частности, а) не делать и б) не нести ответственности (как потом все сложилось, это произошло в другой связи).

Но не делать в современном обществе возможно кому? Или очень богатому, или инвалиду. Поскольку богатство мне не положено (об этом я еще объясню), то я подсознательно превратился в инвалида. Нет, не симулянт, болезнь моя вполне настоящая и документально подтвержденная рентгеном, а также объективной медицинской экспертизой. Но это, я думаю, был такой метод борьбы моего организма за нужный образ жизни.

Скажут, дорого заплатил. Да, недешево, но я всегда говорю, даром не дают даже на самой последней распродаже. Зато не сижу и не ною, мне, мол, положено от жизни, а она не дает.

Это я просто презираю.

Правда, здоровому это трудно, а мне, повторяю, повезло.

8

Да, не хотел ни учиться, ни работать, однако мать все же погнала учиться, в те времена такой моды не было, чтоб не учиться.

Протащился я кое-как через медучилище. Интересно, что про болезнь я тогда еще и не подозревал, так, по утрам иной раз скованность в теле, в пояснице ноет, а вот потянуло меня на медицинскую специальность, будто знал, что пригодится. И жену себе тоже взял со средним медицинским, хотя любовь была второстепенная. Я ведь говорю, у меня в жизни все всегда шло по плану, вот только теперь никакого плана у меня нет, словно пропасть передо мной. После медучилища успел еще на «скорой» поработать, потом стало тяжело таскать, а тут диагноз подоспел, и я перевелся в регистрацию, а там уж быстро перешел на инвалидность, и нормально.

Но это все присказка, а сказка началась здесь. Только мы сюда приехали — неужели уже больше десяти лет прошло? — я попал в больницу. Хотя весь переезд Татьяна организовала хорошо, а все-таки волнения, напряжение, короче, расклеился не на шутку. Про инвалидность им ничего не сказал, просто жаловался на скованность в суставах и сильные боли, но они быстро разобрались, врач со мной провел беседу, мол, мы нашли у тебя в позвоночнике очень серьезную болезнь, не смертельную, но неизлечимую, ты по специальности кто? тебе теперь надо крепко подумать, как жить дальше, медработником тебе работать не придется. Но стали интенсивно лечить.

Я, по правде, даже смутился немного — а ну как вылечат? Хорошо бы, конечно, от болей избавиться и выпрямиться, но я ведь совсем разучился, так привык, можно сказать, вторая натура. Да и не вторая, а единственная, а первую я уж давно забыл, какая она и была, неужто опять все заново, с непривычки здоровому среди здоровых жить страшно.

Ну, не вылечили, конечно. Вылечить невозможно, это мы с врачами хорошо знаем, но стали они со мной делать всякую терапию. Привели в зал, там в основном инсультники одной рукой дрянь какую-то из пластилина лепят, да Господи, думаю, куда я попал.

Но мне пластилина не дали, а подвели к такой штуке, вроде рамы, девушка мне в руки веревочки, тряпочки, будешь, говорит, коврики плести. Коврики так коврики, я там вообще не капризничал, меня считали за идеального больного, лишь бы инвалидность дали процентов побольше. Стала она меня учить. А нельзя ли, говорю, эту штуку немного пониже поставить, мне руки вверх тянуть неудобно. Нет, говорит, это специально сделано, чтобы ты и руки, и шею, и все тело вверх тянул, чтобы меньше вперед сгибался. Неглупо, надо сказать, придумано, меня к тому времени уже сильно вперед и вниз гнуло, хотя не так, конечно, как теперь.

И вот надо же, начал я это так, просто чтоб им угодить, — и нашел я себя в этих ковриках, как говорится, не знаешь, где найдешь, где потеряешь. Так понравилось мне, просто лихорадка, ночами не сплю, все узоры придумываю, утра не дождусь, чтоб скорей за станок и сделать. Никогда со мной такого не было, чтобы вдруг делать хотелось. Тряпочки эти, лоскутки разные им со швейной фабрики привозили, я их по цветам, по оттенкам, по рисункам разобрал, то так пробую, то этак, с тканями разными играю, а там и шерсть, и шелк, и синтетика, и хлопок, и трикотаж всех сортов. Кто ни посмотрит — талант у тебя, говорят!

Они в больнице даже выставку устроили, и все мои изделия распродались. Деньги мне не отдали, а подарили при выписке станочек. Станочек, положим, паршивенький, я уже давно себе купил большой, профессиональный, но по-прежнему устанавливаю повыше, чтобы тянуться, только теперь уже мало помогает.

Пристроился я в ивалидный клуб, типа артель инвалидная, чего-то там из цветной бумаги вырезают, клеют, бусы нанизывают, салфеточки вышивают, потом продают на благотворительных базарах, кто покупает, представить трудно. Ну меня-то стали покупать хорошо, только мне всю продукцию через них спускать нельзя, я быстро работаю, слишком много получается, налог большой пойдет. А тут звонит врачиха из больницы, заказывает два коврика, хочет кому-то дарить. Хотела за деньги, но я ей даром сделал, в благодарность как бы за лечение. А через нее и через других из больницы их знакомые начали позванивать.

И пошло. Сговорился я с той же швейной фабрикой, они мне материал стали привозить мешками прямо на дом, а платить, по инвалидности, только за доставку. Известность получил, даже в телевизор снимали, называется «Судьба таланта».

Коврики маленькие, чтоб ногами топтать, я теперь делаю редко, а чаще большие панно, на стенку вешать. Несколько в очень богатых домах висят, а одно даже в музее, и заплатили прилично. Отдавал пару раз в магазины, но невыгодно, много за комиссию берут, да теперь мне это и не нужно, заказов хватает. Платят-то мне все же средне, непременно делают себе скидку, раз, что не местный, и два, что инвалид. А нам за квартиру еще пятнадцать лет выплачивать, а тут дочка армию кончила, учиться просится, а сын женился, плодиться начал, квартиру бы ему купить, купилки нету... Вот я и сижу теперь и думаю, и думаю, и решиться ни на что не могу.

9

Есть над чем голову поломать.

Потому что раскрыл я кулак, а там вот что: граненые орешки блестящие, счетом тридцать три штуки.

Смотрю я на них, как они у меня на ладони лежат и переливаются, и нарочно себе говорю, надо же, какое стекло люди научились делать. Сам отлично понимаю, что никто грошовые стекляшки в такой панике прятать не станет, и полиция за ними не станет гоняться, а сам все твержу себе, какие бусинки хорошенькие, и к свету их то так, то этак поворачиваю.

Они не все одинаковые, штук восемь размером с горошину, но в форме пирамиды, несколько в форме слезки, для серег подходит, а одна штука совсем здоровая, круглая и красноватого оттенка. Остальные разных размеров, и вся эта кучка лежит у меня на ладони, стреляет льдистыми искрами во все стороны, лежит и не тает, а красная посередине как фонарик.

Но я долго любоваться не стал, схватил мешочек, ссыпал туда стекляшки, резинкой опять туго замотал, запихнул в тючок и липкую ленту кое-как приклеил.

Опять глянул в окно — вижу, выходит из ресторана повар с помощником, этих я видел редко. Значит, уже отпускать начали, надо торопиться.

Первым делом я стал отодвигать станок от окна, ведь придут и увидят, где я сижу. А он тяжелый, мне нельзя, я его сам никогда не двигаю, только Таня. Чуть не опрокинул, но справился. И повернул его, чтобы мне к окну сидеть будто бы спиной, а занавесь оконную задернул. Потом выкатил из спальни свое инвалидное кресло, так-то я им не пользуюсь, только во время сильных приступов, а за работой стараюсь больше стоять, но тут поставил перед станком, сразу увидят, человек больной и безобидный.

Начал лоскуты заплетать, без всякого смысла, узор сразу весь испортил, для успокоения подкатился к телевизору, включил, взрыв какой-то показывают, полиция суетится, ну, это сейчас часто. Опять в окно глянул, а там Коби уже вышел, а навстречу ему с улицы возвращается хозяин, видно, ничего не нашли и отпустили. Коби к нему, и горячо ему что-то говорит, а головой показывает на черный ход.

И я отчетливо соображаю, что, пока сыщики не уйдут, Коби с хозяином побоятся выяснять да по дому искать и что время у меня еще есть.

А для чего время?

Мне же ничего больше не надо делать, ну, придут, ну, поищут, найдут свое и заберут, а я знать ничего не знаю, и дело с концом.

Спроси меня кто-нибудь в тот момент, да что ж ты, мол, Миша, делаешь, с ума сошел, что ли, — я бы ответить не смог, но, конечно, остановился бы. И шла бы моя жизнь дальше по плану, обычным своим инвалидным путем.

А тут и мыслей в голове никаких не осталось, вытащил я опять мешочек, высыпал блестяшки прямо в нагрудный карман рубахи, съездил в туалет и мешочек спустил в унитаз. Словно у меня все продумано заранее, подкатился к станку и стал эти орешки завязывать по штучке в свои лоскуты, на цвет уж не смотрю, хватаю лоскуты подряд, трубочкой сверну, орешек внутрь закатаю — узелок, другой закатаю — узелок, и пальцы не дрожат, в пять минут навязал себе кучку заготовок, вроде всё.

Выглянул в окно, вижу, сыщики уходят и уводят с собой Азама, а хозяин идет за ними и что-то их убеждает, но они головами помотали, посадили Азама в машину и уехали. А Коби уже у черного хода шарит.

Я больше смотреть не стал, подкатился обратно к станку и начал быстро заплетать свои заготовки в коврик.

Плету, а сам прислушиваюсь, знаю, что сейчас будет.

10

Внизу у нас две жилых квартиры, но один никогда никому не открывает. Вот внизу хлопнула дверь, это они уже во второй спросили, и им, конечно, сказали, чьи это тючки, у нас в подъезде все знают мою работу. Сейчас явятся. И страха никакого не осталось, один азарт.

Звонят.

Я открывать не тороплюсь, инвалид все-таки.

Заготовки, которые не успел заплести, смешал на столике с пустыми, еще лоскутками немного присыпал и покатил потихоньку к двери.

Физиономии перекошенные, но говорят осторожно, вежливо:

— Простите, что беспокоим, тут внизу у подъезда только что мешки стояли, они у вас?

Это Коби, распаренный, как из бани. А хозяин ничего, держится, только глазами поверх моей головы лезет прямо в комнату. Впервые так близко вижу их знакомые рожи.

— А вы кто, — говорю, словно не знаю, — будете?

— Мы ваши соседи, из ресторана внизу.

— А, — говорю, — так это вы нам всем своим шумом жить не даете? Сколько вас просили, а вы ноль внимания. В полицию жаловаться будем.

— Зачем же в полицию, — Коби даже вздрогнул.

Тут хозяин берет инициативу, отстраняет Коби плечом, говорит:

— Можно войти? Обсудим все проблемы спокойно.

Не пустить я их не могу, да и не хочу. Отъезжаю, веду в салон.

Тючки мои стоят на самом виду, Коби сразу было к ним рванул, но хозяин его придержал, говорит:

— Смотрите, какая у нас глупость вышла. Кстати, насчет шума вы не беспокойтесь, конечно, нездоровый человек, что ж вы мне лично не сказали, я сам прослежу, после одиннадцати будет тихо.

— Знаем мы ваше тихо, — говорю. — Они уж обещали.

— Да, но теперь обещаю я. Мое слово это слово. А глупость вот какая. Этот вот дурак-мальчишка поспорил со вторым официантом, что спрячет в момент вещь так, что тот никогда не найдет.

Ничего себе мальчишка, здоровый лоб под тридцать.

— И вот придумал, сунул ее в ваш мешок. На минутку отвернулся, а мешков уже нет. Вы, видно, забрали.

Я плечами пожимаю, сам я не забирал, мне сосед помог.

— Теперь стесняется, болван, спросить, позвал меня. Вы уж разрешите поглядеть, очень просит, говорит, ему эта вещь нужна.

Опять пожимаю плечами, смотрите, мне что.

Коби сунул руку в один мешок, во второй, оглянулся на хозяина и стал сдирать липкую ленту. Рассыпал один мешок, копается в тряпках. Хозяин не выдержал, взял второй и тоже разодрал, тряпки на пол высыпал, стоят оба на коленях и ищут.

А я сижу в своем кресле, смотрю на них, и хоть бы крупинка страха, только в животе холодит от возбуждения, но сдерживаю, сижу совершенно спокойно.

Хозяин с пола встал, подходит к моему станку. Я говорю:

— Вы, пожалуйста, мою работу не трогайте.

— Да нет, — говорит, — просто вы могли нечаянно вместе с материалом захватить, — и разгребает лоскуты на столике, узелки у него прямо под пальцами, несколько заготовок на пол упало, он внимания не обратил и даже наступил на одну.

— Я, — говорю, — новые материалы еще не открывал. Мешки были закрыты.

— Тогда где же оно? — еще вежливо, но уже другое выражение появилось в голосе.

— А я почем знаю. Может, — говорю, — в третьем мешке. Да что вы ищете-то?

Оба так и вскинулись:

— Где третий мешок? Почему сразу не сказали? — Тон совсем уже неласковый.

— А где третий мешок, — говорю, — это я вас должен спросить. Это вы там внизу мои вещи трогали, права не имеете. Мне всегда три привозят, а третьего нету.

Хозяин на Коби смотрит зверем. Тот даже голову в плечи вжал:

— Два всего было, клянусь, всего два.

Хозяин сквозь зубы пробормотал:

— Ну, Яаков... — и ко мне: — Вы говорите, сосед принес? Что за сосед, где он?

— Мальчик из квартиры напротив, Ицик.

Коби слетал, привел Ицика, держит его за плечо.

Парень смотрит сердито, видно, опять от телевизора оторвали. Хозяин его спрашивает:

— Ты сюда эти мешки принес?

— Ну, я.

— Сколько ты их принес?

— Сколько надо, столько и принес. А вам чего?

— Сколько?!

— Ну, два. Да чего вам? — и хочет вырваться, но Коби держит крепко.

— А третий где?

— Почем я знаю? Отпустите меня! Михаэль, скажи им! Я сказал, но они, конечно, никакого внимания.

— Ты не бойся, скажи, где третий мешок. Ведь их там три было, правда?

— Нет, неправда. Всегда три, а сегодня два, и отпустите меня!

Молодец Ицик, словно знает, что надо говорить.

— Вот господин сказал, что три.

— А было только два. Чего пристали! Он тоже спрашивал, где третий, но не было там третьего, не было! — говорит, будто я ему роль заранее расписал.

Хозяин опять тон сменил, говорит спокойно так, даже ласково:

— Если ты его взял, может, поиграть или еще что, так это ничего. Ты его сейчас принеси и отдай владельцу, ладно? А мы тебе...

— Что я, девчонка, в тряпки играть, — дернул носом, думаю, заплачет сейчас. — Не брал я ничего, и отстаньте.

— Да ты послушай. Ты его принеси, а мы тебе... у тебя самокат есть?

— Нету у меня никакого самоката.

— А теперь будет. Тебе ведь хочется, сейчас у многих ребят есть. Принеси мешок, и получишь на самокат.

Всхлипывает мой Ицик, очень самокат хочется. Смотрит на меня исподлобья и говорит нерешительно:

— Может, посмотреть еще раз? Может, он там куда-нибудь завалился?

— Да они уж смотрели, — говорю.

А эти двое обрадовались, решили, это у него так, предлог, чтоб не стыдно признаваться.

— Беги, — говорит хозяин, — конечно, посмотри еще. Коби его даже в спину подтолкнул.

Вижу, оба слегка расслабились, уверены, что мальчишка теперь принесет третий мешок. Хозяин даже поинтересовался моей работой:

— Надо же, из такой дряни, и так красиво получается.

Кивает Коби на кучу рассыпанных тряпок:

— Чего стоишь, подбери, сложи обратно.

Я думал, перепугался мой Ицик и не вернется, но нет, прибежал, клюнул на самокат:

— Нигде нету, я и в подъезде искал, и везде, даже в помойном ящике.

Похоже, что хозяин поверил. Говорит злобно:

— Тогда вали отсюда! — И хватает за грудки Коби: — Куда девал?

Забыл, видно, что они ищут Кобину какую-то вещицу.

Ицик выскочил за дверь, голову из-за двери высунул и шепчет мне:

— Михаэль, отдай им один мешок, а? Тебе еще привезут, а они мне...

Я им говорю:

— Только без драки. Так и быть, берите себе один мешок, и оставьте нас в покое.

Ицик губами без звука делает «и самокат».

А я все дальше дурочку рисую:

— Берите, берите, мне от Кольчинского еще привезут.

— Какого еще Кольчинского?

— Из швейной мастерской, берите.

Хозяин бросил мне, как плюнул:

— Ты что, дядя, на голову тоже инвалид? Русская мафия, черт вас дери!

— Нет, — говорю, — он из Польши.

Но хозяин обнял Коби за шею одной рукой, как удавкой, и оба вывалились за дверь. Я поскорей запер, хотя Ицик там все еще стоял.

Уф-ф. Неужто поверили? Теперь между собой будут разбираться. Хозяин будет вытряхивать из Коби несуществующий третий мешок.

Говорю себе так, а сам понимаю — нет, не конец это, они еще ко мне вернутся.

Вот тут меня затрясло.

Господи, о чем я думал? Во что вляпался! А назад качать поздно.

Скорей к окну, может, крикнуть им вниз, и пусть забирают к такой матери? Авось простят на радостях?

Нет, не простят. Поймут, что я в курсе, и не простят.

Вижу, пошарили немного в пролете перед домом, но темно, Коби сбегал в ресторан, принес фонарик. Растаскивает там старые матрасы и прочую рухлядь, а хозяин стоит, светит. Потом драться начали, то есть хозяин Коби по морде, а тот только прикрывается и кричит. На ресторанной площадке вся посуда, все скатерти прибраны, одни голые столы остались, подошли два посетителя, девочка-официанточка в дверях стоит. Услышала крики и мышкой прочь, посетители за ней. А хозяин потащил Коби внутрь ресторана и захлопнул дверь.

Стало мне немного поспокойней. Все подозрение на Коби — и правильно, он во всем виноват.

Может, и обойдется.

Я сходил на кухню, попил воды, посмотрел немного в телевизор — все еще взрыв, и слов все еще не понимаю. Знаю только, что мне теперь думать надо, хорошо думать, а в голове не соображение, а сплошной пульс стучит.

Первым делом — куда спрятать? Хожу по квартире, примериваюсь. Все эти тайники типа матраса, плитки в полу, полки с бельем, холодильника, бачка туалетного знающими людьми давно освоены, и потом, моя прибираться станет, непременно наткнется. Может, зашить в край оконной занавески? Опять же, что угодно может случиться, например, она стирку затеет. Тем более предметы даже в общей массе небольшие, затерять их ничего не стоит. И прихожу к выводу, что лучшего места, как с самого начала, мне не найти — на коврик глядя, никому и в голову не придет. И прятать не надо, и сам я не потеряю. Да хоть в спальне в изголовье повешу, она давно просила, и пусть висит на виду.

Между прочим, замечаю, что хожу по квартире легче, чем обычно, боль в бедрах мало чувствуется, только спина. А ведь я даже вечернего лекарства не принял. И поужинать забыл.

К окну решаю больше не подходить и принимаюсь за работу.

Эх, нервы у меня все-таки не такие устойчивые, как я надеялся. Вон как узор попортил, пока их ждал, не разбери-поймешь. Но расплетать и переделывать — слишком долго, до Татьяны не успеть. А я хочу закончить полностью и на стенку повесить, вроде как ей сюрприз.

И замечаю по всему, что рассказывать ей не планирую. Как же так, ведь очень хотел поделиться, жалел, что ее нет дома? Но это было еще до главного, а теперь всякое желание пропало. Опять же опасно, хоть она у меня и не болтливая.

Размер тоже решил слегка сократить для скорости, хотя узор требует побольше. Все заготовки свои заплел, уже и сам не знаю, в каких есть что, а в каких нету, все узелки одинаково выглядят. Отметил только место, где начал перед их приходом работать, там у меня фигурка получилась, вроде динозавра по форме, и туда все вечерние заготовки пустил, а затем выбрал длинный лоскут, оранжевый с синим, и оплел это место неровным кругом. А чтобы не слишком выделялось, еще в трех местах такие круги сделал, симметрично, но разной раскраски, и начал заделывать край.

И тут слышу ненавистный скрежет. Не выдержал, подошел к окну: Азам в одиночку таскает внутрь столы. Тоже, значит, отпустили, да он, я думаю, и не знает ничего. Интересно, а Коби в курсе? Может, и да, а скорее всего, тоже ни за что страдает. Дверь в ресторане распахнута, свет горит, но никого больше не видно.

Ладно, думаю, меня не касается, пусть разделываются между собой. Снял коврик со станка, слышу, по телевизору стали передавать новости, опять в Гило постреливают. Девять часов. Надо бы пойти на кухню, поужинать чего-нибудь, совсем я себе режим нарушил, но стою и любуюсь на свое изделие. Хоть и подпорченное, но красиво вышло, особенно с этими кружками, непременно использую впоследствии.

И тут звонок в дверь.

12

Когда мы покупали эту квартиру, нас знакомые отговаривали, в центре никто из наших не покупает, там дома старые и мало кто живет, больше офисы, а если и живут, так или богачи, или богема, то есть всякая шваль. Наш дом, понятно, не для богачей, и никаких, мол, приличных соседей у нас не будет, а какие будут, с нами дела иметь не захотят.

А мне именно понравилось, что дом старый, нестандартный, я в стандартном строительстве и на прежней родине досыта нажился. И пол из старинных плиток, в каждой комнате другие, я с них для ковриков узор снимаю, а моя всегда согласна, как мне нравится. Офисы все больше с фасада, а у нас, с тыла, хоть и мало жильцов, зато вполне приличные.

Внизу живет старый художник, он вообще никогда ни с кем не общается. Квартира у него большая, а повернуться негде, все картинами завалено, видно, не продаются. А напротив него молодая пара, темнокожие такие, из Индии, не знаю, женатые или нет, но мою работу оценили высоко. На нашем этаже мы и Ицик с братьями и родителями. Родители из Аргентины, но очень небогатые. Над нами одну квартиру снимают вчетвером студенты, эти меняются часто, и гостей к ним много ходит, но терпеть можно, а во второй Кармела. Француженка, хотя и из марокканок, и по-французски хорошо умеет.

Вот она нас встретила прямо как родных, пирог принесла на новоселье, другие разные свои блюда носит к субботе, вообще помогает. Когда моя на работе, заходит, шутит всегда, чтоб, говорит, тебе скучно не было. Был бы я здоровый, она бы, конечно, поскромнее себя вела, а инвалида навестить — доброе дело перед Господом.

А я и не против, разведенная, на удивление без детей и совсем еще не старая, максимум сорок, и одевается, следит за собой, не то что моя Татьяна. Впрочем, мне моего возраста тоже никто не дает, ну, в стоячем положении, конечно, фигура не та, но когда сижу, да побритый-помытый, и плечи у меня широкие, разработанные, а что касается лица, Татьяна всегда мне говорит: «Ты мой красавец». Преувеличивает, понятно, от привязанности, но все же.

Вот Кармела и звонит, я ее звонок знаю. Не до нее сейчас, но, с другой стороны, все-таки человек в доме, если вдруг снова придут. Кроме того, отвлечься немного, успокоиться.

Сел в свое инвалидное кресло, хотя настоящей потребности в нем не ощущаю, и покатил к двери. На всякий случай проверил через глазок, она ли, и одна ли. Входит веселая, несет миску с чем-то, очень кстати. Миску мне в руки, чмокнула меня в щеку и прямо к станку.

— Ах, — говорит, — ты уже закончил!

Этот коврик ее заказ был. Хватает его, вертит, щупает, ахает:

— Какой красивый! И узор какой необычный! Мишен-ка, — это она так меня научилась называть, — ты молодец!

Я миску поставил на стол, даже не посмотрел что, подъехал к ней, хочу коврик у нее забрать, говорю:

— Я его испортил, он не годится.

— Нет, нет, — опять меня в щеку, — годится, годится!

И прижимает коврик к груди обеими руками, не драться же с ней.

Я говорю ей убедительно:

— Кармела, ну, посмотри сама, вещь с дефектом.

— Где?

Развернула немного коврик, но держит крепко, двумя горстями.

— Вот, видишь, как я тут напутал. Я не могу такое изделие сдать заказчику, это подрывает мою репутацию. Отдай, я тебе другой сделаю, еще лучше.

Увернулась от меня, кружится по комнате, кобыла такая, девчонку из себя строит:

— А я хочу этот! А я хочу этот!

Флиртует, значит, со мной. Все потому, что чувствует себя в безопасности. Говорю уже совсем серьезно:

— Кармела, отдай коврик. Пожалуйста.

— Не отдам! Не отдам!

— Да зачем тебе бракованное изделие? И размер меньше, чем ты просила.

Остановилась, поглядела на коврик и снова прижала к груди:

— Что размер! У меня будет особенная вещь. Красивая, но с брачком, совсем как ты.

И улыбается, думает, это мы с ней шутки шутим. Не знает, до чего некстати.

Я подъехал к ней, взялся за коврик, тяну — не отдает, смеется и пятится к двери, и меня на кресле за собой тащит. А дернуть как следует боюсь, порвется, да еще в самом опасном месте, где я в спешке слабо заплел. Я с кресла слез, сразу согнулся, конечно, но коврик не выпустил.

Так мы и за порог вышли, на площадку, она смеется-заливается, какие у них тут голоса резкие, никак не привыкну. И начала пятиться вверх по лестнице, а я следом, коврик не выпускаю. Не могу я ей позволить, чтоб унесла.

Очень физически сильная женщина, два раза в неделю ходит в спортзал упражняться на снарядах, и мою подбивала, но я не одобрил. Короче, так и дотащила меня прямо до своей квартиры. Толкнула дверь своим мускулистым задом, втянула меня внутрь и дверь ногой захлопнула.

Стоим мы с ней у двери, оба дышим, оба за коврик держимся, я ей лбом в ключицу уперся. Она уж не смеется, а говорит низким голосом:

— Так тебе этот коврик нужен? Обратно получить хочешь?

— Хочу, — говорю.

— А больше ты ничего не хочешь?

Хотел было я сказать, нет, мол, больше ничего, только отдай, но догадываюсь, что это может вызвать отрицательную реакцию, и совсем не отдаст. Взял и поцеловал, что у меня прямо у рта находилось, в вырезе пониже шеи. Некоторые женщины от этого очень расслабляются, рассчитываю, что отвлечется и отпустит коврик. Но нет, одной рукой держит крепко, а другой схватила меня за пояс и потащила дальше в квартиру.

Да, скажу я вам, француженка.

Не зря про них говорят, хоть и из марокканок. Это тебе не то что русская квашня, распласталась, перетерпела, поохала для порядка, и в храп. Положим, Татьяну я не упрекну, она только последнее время как-то прохладно, не вижу прежнего энтузиазма, возраст или что, а в целом всегда старается. Но тут стараться мало, тут еще и талант нужен.

И вот что интересно, лежу я с Кармелой этой, и нисколько мне мое тело не мешает — ни шею мне не ломит, ни спина не болит, вроде как даже распрямился немного, вроде как гибкость какая-то появилась.

Я ведь сколько лет уже привык всегда снизу, и без особой активности с моей стороны, а она мне на низ перейти не дает, на себе держит, но ни секунды спокойно не полежит, ерзает подо мной, вьется, как угорь, позы принимает, приспосабливаться ко мне даже и не думает, но возбудила дальше некуда.

Потом вывернулась из-под меня, с кровати сползла и стала на колени, руки и голову положила на кровать, а ко всему миру задом. Я смолоду сколько раз Татьяну просил, чтоб так, но она нет, не соглашалась, говорила, что́ мы, собаки, что ли, теперь уж и просить перестал, думал, где мне теперь. А с этой сразу пристроился: я вогнутый, а она так же выгнулась, тело в тело как ложка в ложку, лучше не придумаешь.

Я уж и не помню, когда я больше одного раза мог. Правда, она еще и разозлила меня.

— Что это ты, — говорит, — такой голодный, жена давать не хочет? Или не может?

И хохочет опять. Обидно мне стало, и за Татьяну, и за себя, ах ты цаца какая, самой-то небось и объедков чужих нечасто достается, вон как в меня вцепилась. У меня хоть Танечка, да своя, а у тебя кто, ну, думаю, отделаю ее по-нашему.

Но про коврик, между прочим, не забыл. Она увлеклась и из рук выпустила, но он валяется на полу по ту сторону кровати, я тружусь, а сам думаю, как только кончим, дополгу и схвачу, пока она очухивается.

Но какое там кончим! Она вдруг, прямо посередине второго действия, бормочет:

— А теперь, золотко мое, покатаешься на лошадке. Держись крепче!

А чего держись, она меня так защемила, силой не оторвешь. Ну, я ее руками за груди, ногами под живот, и она так вот, со мной на спине, пошла по полу на карачках гарцевать. Говорю же, на редкость физически развитая женщина. Сперва меня сбило немного, охладился я, но она ляжками своими твердыми перебирает, задом выпуклым вверх-вниз потряхивает, и, надо сказать, сильно произвело. Никаких уж мыслей у меня не осталось, одна приятность.

А она по всей комнате прошлась, и чувствую, ей уж тоже невмоготу. Кровать обогнула, и плюхнулись мы на пол, это нам обоим и был окончательный толчок.

Тут со мной произошло некоторое затмение. Просто улетел, да нескоро бы и вернулся, одного хочу — лежать так и не двигаться, но вскоре чувствую, она меня с себя пытается скинуть, пригвоздил я ее к полу неслабо. Глаза разодрал и вижу прямо под носом край коврика, это она на нем животом лежит. Я только было хотел руку протянуть, рука словно ватная, тут она мышцами своими спинными дернула, я сразу скатился, а она вскочила и стоит надо мной, коврыком срам завесила и опять смеется.

Мне, конечно, в женщине веселость нравится, но к месту, а она абсолютно не обращает внимания на мои физические недостатки, что мне с полу встать самому трудно. Не просить же ее. Могла бы и сообразить, но вместо этого хихикает и босой ногой меня под ребра тихонечко поталкивает, словно проверяет, жив ли. Да, с такой и концы отдать недолго.

Однако встал кое-как, сперва на четвереньки, об кровать подержался, потом и сел. Верх у меня одетый, очень была большая спешка, а снизу ничего нет, даже носки с меня содрала. В этой связи чувствую неловкость, хотя она совсем голая стоит, успела. Я слышал, они здесь некоторые под платьем ходят вообще безо всего. Потянул на себя край простыни, прикрылся и хлопаю рукой по кровати:

— Иди ко мне, Кармела.

А она стоит, улыбается, ковриком перед собой покачивает, то приспустит его, то опять прикроется, и говорит:

— Мало тебе, еще хочешь?

Какое там мало, но, думаю, пусть только сядет рядом, я уж коврик этот отниму, и тоже вроде как посмеиваюсь:

— Иди, я тебя хоть поцелую как следует.

Прежде-то нам не до поцелуев было. Но она улыбаться перестала, головой мотает, даже отступила подальше:

— Это еще зачем!

— Как зачем, — говорю, — для нежности.

— Какая еще нежность, — говорит, — не надо. Поцелуй дело серьезное. Одевайся лучше да ступай.

— Какая ты, прямо сразу и ступай.

Вот так вот, серьезное дело. А что я, может, жене с нею изменил, это, значит, для нее дело несерьезное.

Но проблема еще и в том, что одеваться мне непросто, особенно как раз трусы и брюки, обычно Татьяна помогает, хотя кое-как могу и сам. Корячиться тут у нее, у голой, на глазах — сильно достоинство унижать, раз сама сообразить не может. А встать, подойти к ней с голым низом тоже приличие не позволяет. Тем более спешка спешкой, но она успела натянуть колпачок на моего работягу, а я давно не пользовался, и теперь не знаю, как отделаться незаметно.

А она халат набросила и собирает с полу одежду, а коврик мой держит под мышкой. Кинула мне мои трусы, брюки, говорит:

— Все, я в душ.

Будто я заразный какой-нибудь. Они тут вообще, чуть что — сразу в душ, не дай Бог телом человеческим от них запахнет. Но пусть идет, мне без нее удобней. И коврик не потащит же с собой в ванную.

Нет, с собой не потащила, а по дороге в ванную махнула рукой и закинула его в стенной шкаф на самую верхнюю полку, он у нее раскрытый стоял.

36

Я иногда думаю, рано я родился, попозже лучше было бы.

Во-первых, произошло бы уже международное братство национальностей, и не пришлось бы ехать сюда, хотя в целом ничего, мне нравится. Если бы только не эти беспорядки арабские, все им что-то не по вкусу, в России они не жили. Но и наши хороши, цацкаются с ними, на переговоры напрашиваются, муть какая-то. Но сейчас во всем мире куда ни глянь, везде беспорядки и терроризм, так что все равно.

И во-вторых, компьютерная техника. У меня сын по этой специальности, так ему, считай, и обучаться почти не пришлось, освоил автоматически, как чтение и письмо. А уж Ицик-сосед, ему и осваивать нечего, у него это вообще, как врожденное. А я — нравится, вот не могу сказать как, а понимаю плохо. Сын говорит, да ты не понимай, а делай, показывает, а я, пока не пойму, и сделать не могу. Рано родился.

С Ициком у меня дело идет лучше, чем с сыном. У Ицика и времени больше, и лестно ему взрослого дядю поучить, поэтому старается. Я с ним, например, электронную почту свободно освоил, и немного интернет, а у сына терпения не хватило, плюнул и бросил.

Но все-таки он мне свой компьютер оставил, когда уходил из дому, тем более я ему к свадьбе новый подарил. Так что и мы не лыком шиты, я по интернету все, что надо, могу посмотреть.

Ну, утром, когда моя ушла, я кое-что посмотрел. Ей, между прочим, так ничего и не сказал, что говорить? Спросит — где, а я что скажу? Нет, пока не заполучу обратно, и думать нечего.

Плохо только, что все по-английски. Может, и по-русски есть, но я не нашел. Вообще, там этих сайтов миллион, сидел, наверно, часа два, если так и дальше, телефонный счет у нас будет, страшно даже подумать. Не знаю, как Татьяне и объяснить, а впрочем, я ей объяснять не обязан, скажу, погулять захотелось, и конец дискуссии. Он весь этот интернет для чего и существует? Для порнушки и для провождения времени.

Так что посмотреть я посмотрел, но узнал мало. Главное-то слово, DIAMOND, я знаю из карт, кое-какие сведения вытащил, но прочесть не могу.

Позвонил сыну, приходи, говорю, влепи мне переводную английскую программу, чтоб сама переводила. Сын смеется, она тебе не годится, она белиберду пишет, вообще, зачем тебе. Если надо что перевести, давай переведу. Нет, говорю, я сам хочу, буду обучаться, пора. Еще посмеялся, сказал, у него нету, но обещал поискать.

А я взялся скорее за новый коврик. Ясно же, что Кармела меня тем ковриком просто к себе заманивала, а как увидит, что я и без того, то и отдаст. Сделаю побольше, и не трикотажный, а из шерсти, лучше на вид и на ощупь приятнее, и расцветку положу самую яркую, марокканки любят яркие цвета. И обменяю.

Надо же, пользы мне пока никакой нет, а сколько уже расходов. И коврик лишний делать, и телефон, и жене изменил так близко от дома, а главное, нервы.

Однако — тихо. В окно выглянул, ресторан закрыт, на дверях бумажка прилеплена. Хоть это, да надолго ли?

15

Беспокоюсь, не подозревает ли чего Кармела.

То есть понятия, конечно, не имеет, но не возникло ли какое подозрение.

И сам я виноват. Поспокойнее надо было, поделикатнее, вроде как бы мне все равно, а то накинулся — отдай, отдай. И вообще, не надо было пускать ее, пока коврик на виду, но кто мог знать, что она так в него вцепится. Знать не мог, но где бдительность? Нервы.

Вообще, теперь надо перестраиваться, больше проявлять осторожность, прежней моей размеренной жизни конец, тем более при всех нервах чувствую себя просто на удивление, хотя зарядку с утра делать не стал и лекарство опять забыл принять.

Но и она хороша. Называется, добрососедские отношения. Мало того что коврик не отдает, еще и семью хочет разрушить.

И как со мной обошлась! Я, только она удалилась в душ, колпачок в помойку, трусы кое-как натянул и смотрю по сторонам, чем бы мне коврик с полки стащить. У нее там лесенка такая стоит, трехступенчатая, чтоб сверху доставать, но мне на ступеньки не взобраться, ищу что-нибудь длинное.

Нашел у двери зонтик, попробовал — чуть-чуть, но не достает, я ведь не могу выпрямиться, на цыпочки стать, ну, думаю, попробую хоть на первую ступеньку взгромоздиться. Взгромоздился-таки, стою, согнулся совсем, боюсь равновесие потерять, свободной рукой держусь за шкаф, а руку с зонтиком вверх поднять уже никак. И тут она выходит из душа.

— Ах-ха! — говорит. — Вот так больной, вот так инвалид! Да ты акробат настоящий! Ну-ну, покажи, что умеешь!

Но не дожидается, а за трусы меня ухватила и стаскивает с лесенки. И все смехом. Чуть не упал, и трусы она с меня почти стянула. Господи, думаю, неужели опять хочет? Ведь помылась уже.

Нет, вроде нет. Я ее зонтиком слегка потыкал — трусы отпустила.

— Слезай давай, — говорит, и зонтик у меня отобрала. — Не получишь ты сегодня свой коврик. И чего он тебе дался, что он у тебя, золотой, что ли?

Можно сказать, почти в точку! Но на самом деле не догадывается, просто употребила выражение.

— Ты, — говорит, — другой раз заходи, тогда поглядим, если заслужишь. А сейчас домой пора, жена придет, а тебя нет.

И пошла в кухню, кофе варить. День ли, ночь, все кофе. Что у нас водка, у них кофе, даже хуже.

А меня так на лесенке и оставила, хотя слезать мне еще тяжелее, чем влезать.

Такое поведение. А раньше-то, Мишен-ка, да не надо ли что помочь, да бедный ты, навещала-то как больного, но у нее, оказывается, к моей болезни никакого уважения нет. Оно, конечно, как мужчине вроде бы и приятно, а вроде бы и не хватает чего-то, вроде бы что-то она у меня отняла, я так не привык. У меня ведь болезнь — она как черта характера, я без нее как не я. Конечно, если настоящая какая-нибудь страшная болезнь, паралич или рак, то конечно, а если как у меня, да если привык давно, то без нее трудно.

Но между прочим, что идти к ней опять придется, думаю без всякого неудовольствия. Тем более сама позвала. Да чего там, хоть сейчас бы, и трусы соответственные в белье отыскал, боксер называется, а то вчера без подготовки, Татьяна у меня все экономию наводит где не надо и подсовывает донашивать тамошние трусы.

Но сейчас, понятно, не пойду, Кармела на работе и новый коврик не готов.

16

Сижу, подбираю лоскуты.

Яркой шерсти мало, все серые, да темно-зеленые, а больше всего черного. Это здесь мода такая, все черное обожают. Брюки черные, футболки черные, платья, костюмы, всё черное, что там бы парадное считалось, здесь носят на каждый день, даже в самую жару, даже детей в черном пускают. Вроде как все евреи все время справляют траур, не знаю только, по ком. Но набрал все-таки зеленого разных оттенков, и красного большой кусок, целый пиджак женский испорченный, порезал его на полосы. Еще оранжевого нашел немного, а фон сделаю черный.

Сижу, работаю, на улице тихо, окно распахнул — хорошо.

Эта работа меня вообще очень успокаивает. Параллельно обдумываю создавшуюся ситуацию, положительного в ней по-прежнему нахожу мало.

И приходит мне в голову мысль.

А что, если эту ситуацию вообще прекратить? Может, плюнуть мне на все это дело, забыть? Не портить себе больше нервы? Своего добился, ресторану насолил, можно сказать, с перцем, если повезет, так и не откроются совсем, а коврик пусть остается у Кармелы. И никто никогда не узнает, износится — она выбросит, и никакого мне беспокойства.

А, думаю, Михаил? Ну рассуди сам.

Ведь умнее будет? Правильнее? К Кармеле, я так понимаю, можно захаживать безо всякого коврика, а что близко, так если с осторожностью, то очень даже удобно, вот и польза от всей этой истории — тишина и Кармела.

То есть это я в себя приходить стал. Словно температура повышенная упала, и сам даже любуюсь, как я разумно начал рассуждать. Ведь это я чуть было всю свою спокойную жизнь не порушил!

Зачем мне эти проклятые стекляшки? Что я с ними сделаю, куда дену? Это такое дело, не для больного человека. В уголовщину черную влезать? Да меня там в три счета облупят, а самого пришьют, и все дела.

Нет, лучше уж не рыпаться, а радоваться надо, что повезло, благополучно отделался. Забыть, крест поставить. Конечно, интересно бы той же Кармеле, например, дать такую штучку, небось быстро бы смеяться перестала... Но нечего, перебьется.

Конечно, эти могут снова прийти, но пусть ищут, где хотят, — нету у меня! Нету и не было.

Вообще, почему-то нарастает уверенность, что поверили и не придут. Очень уж вокруг тихо и спокойно.

Начинаю думать, что так и сделаю. Так будет правильно.

И сразу большое облегчение в душе, словно груз сбросил.

Одно неприятно, что потихоньку у меня начало в бедрах и в пояснице тянуть, и все сильнее, и в колени отдает. А там и шею схватило, в плечи пошло. И все тело стягивать стало, а ведь вчера какие кульбиты выделывал и даже не чувствовал. Видно, оттого, что с самого утра я все сижу, а зарядку вообще пропустил. Или, может, погода меняется, хотя где ей меняться, жара и жара.

17

Целых три дня я свое решение соблюдал.

Татьяне так ничего и не сказал, доплел новый коврик, получилось, как всегда, неплохо, хотя, объективно сказать, похуже того. Но мне есть кому сбыть, зубной врач из русских обещал хорошую скидку на коронки, если сделаю ему в приемную. К Кармеле пока не ходил, и она сидит тихо. И все радовался, как я правильно рассудил.

Вот только самочувствие стало сильно пошаливать, ждал, что моя к врачу потянет, у нее вообще, чуть что, к врачу, очень на медицину полагается, хотя сама медработник. Но почему-то не потянула и вообще ничего не замечает, что даже удивительно. Моя Татьяна и не видит, что с мужем ухудшение. Совсем на нее не похоже.

Тем не менее начал следующий, не ковер, а целое панно, и даже рисунок приблизительный дали, чего не люблю, но выгодный заказ. Работаю все больше стоя, сидеть спина болит, но и стоять устаю, отхожу и делаю несколько упражнений.

И против воли думаю, вот я тут ишачу, несмотря на пониженное самочувствие, и главный принцип всей жизни, то есть не делать, совсем похерил. То есть теряю себя через эти коврики проклятые, мало ли что нравится, а денег, которые получу, едва хватит на проценты за квартиру отдать. А ведь мог бы... Если б только...

Ты это брось, говорю себе. Работаешь и работай, но вижу, что материала недостаточно, распланировать как следует не получается. Решаю позвонить на фабрику, может, уже набралось у них и подвезут, тем более в прошлый раз недодали.

Но колеблюсь, потому что придется говорить с дочкой, она у них там вроде секретарши, на телефоны отвечает, я же ее туда и пристроил.

18

С сыном у меня отношения ничего, нормальные, а с дочкой не очень. Уж какие там у нее ко мне претензии, это ее дело, но факт, что относится не так, как следует. Еще пока маленькая была, помалкивала, а теперь прямо говорит, ты плохой отец.

Вот терпеть этого не могу, когда не принимают во внимание мою болезнь. Какой ни есть, говорю ей на это, а скажи спасибо, что есть, могло бы и никакого не быть. Это еще как, говорит. А так, что если б я тебя не сделал, и не было бы у тебя никакого отца, и тебя самой бы не было. Ну, говорит, никто тебя не просил, и сделал ты меня для своего удовольствия. Не для своего, говорю, а для маминого, она детей хотела. Да уж, знаем мы, говорит, какое ей от нас было удовольствие. Это она намекает, как я из дому к матери временно уходил, пока они маленькие были, и потом, если болели сильно или что. Не хочет понимать, что уходил для Татьяниной и их же самих пользы, чтобы ей не приходилось еще и за мной ухаживать и могла сосредоточиться на них. А моя мать всегда была рада, скучно одной, все-таки занятие.

Но дочка простить не может и всегда мне это поминает, и это вместо благодарности.

Так что отношения сложились посредственные, однако от денег моих не отказывается и даже заходит иногда с тех пор, как ушла жить к брату. А теперь и вовсе, у брата ей жить невозможно в результате родившегося ребенка, и жду, что начнет просить денег на съём жилья. Поэтому рассчитываю, что разговаривать будет по-людски, и звоню.

— А, — говорит действительно вполне нормально, — а я как раз к тебе собираюсь заскочить. Братишка дискетку тебе велел передать.

Это он, видимо, программу переводную мне нашел, что я просил. А мне уже не нужно. Меня этот вопрос уже не интересует. Ничего я про это знать не желаю, так что с переводами возиться мне ни к чему, но пусть будет.

— Давай, — говорю, — и еще погляди там в цехе, сколько у них собралось отходов, и принеси заодно.

— Ладно, — говорит, — а про тебя тут спрашивали.

— Кто? Когда?

— Дня три назад. Как раз про тряпки твои.

— Про тряпки? — и чувствую, как грудь потом пробило, хотя вообще потею мало. — Кому это надо про мои тряпки?

— Не знаю, он не назвался. Спрашивал, сколько мешков тебе привезли в прошлый раз.

— А ты что?

— А я что? Почем я знаю, я с этим дела не имею. Три, говорю, наверно, как всегда.

— Молодец! Ну и?

— Он говорит, уточни там у кого-нибудь, кто у вас распоряжается.

— Ну?

— Еще чего, буду я бегать да расспрашивать.

— А он?

— Чего-то там еще говорил, я положила трубку. Идиотство какое-то.

— Другой раз вообще не разговаривай!

— И не буду.

— Обещаешь?

— Да не буду, чего пристал.

— Смотри же, — говорю, — не отвечай ни под каким видом. Это, верно, конкурент у меня какой-нибудь по коврикам нашелся, непонятно только, зачем ему...

А сам прекрасно понимаю, кто такой да зачем ему.

Сообразил, значит, ресторанный хозяин. И, главное, я ведь ему сам сдуру брякнул, откуда тряпки привозят. Говорил же я себе, будь осторожен, Миша, думай, хорошо думай — и на тебе, выскочило, Кольчинский, мол, поляк, а кто за язык тянул? Кто вообще велел впутываться? Плохо ли мне было, скучно, что ли? Подумаешь, шум, с таким ли шумом люди живут.

Теперь доищутся. Теперь все. Прижмут меня — все им скажу и отдам. Все равно ведь скажу и отдам, так не лучше ли сразу. Разыскать их, сказать, вот, мол, вы тогда ушли, а я нашел, ваше? берите... Мешочек зря выкинул...

Или все же в полицию? Может, все-таки защитят как-нибудь? В другой город... другое имя дадут, другой паспорт...

Бред это все, только в книжках.

А отдавать-то мне, между прочим, и нечего, и если в полицию, тоже показать нечего, а басни мои кто станет слушать.

Одно хорошо все же, что Галка сказала — три мешка. А хозяин знает, что Ицик мне принес два, значит, на Коби еще больше подозрение.

И все равно, опасность нависла. У меня камни или еще где — потрошить-то все равно будут меня. И если думать, как отделываться, то прежде всего надо иметь, от чего отделываться.

Ясно же, что все это воображение, чтоб коврик насовсем оставить у Кармелы — это сплошная неосторожность. А вдруг зацепит за что-нибудь и порвет? Ведь в самом деле бракованный и в опасном месте непрочный. Или, еще хуже, передарит кому-нибудь и он там порвется? Или просто, скажем, чистить будет и нащупает?

Так или так, не миновать к Кармеле идти. И значит, опять это самое. И совсем даже я не против был, и даже намечал навестить в ближайшее же время, а сейчас и в мыслях ничего такого нет, но ведь потребует непременно, а не смогу, так и опять не отдаст. Еще и надсмеется, даже уши заложило, как этот смех ее представил. Но откладывать нельзя, и сегодня она как раз не работает, значит, идти.

Снял я тренировочный костюм, чтоб боксеры приготовленные надеть, хотя и глупо, все равно раздеваться, и так мне тяжко это без помощи далось, что чуть совсем не раздумал. Тапки домашние на сандалии уж не стал менять, переживет. На часы глянул — дочка еще нескоро придет, время у меня есть.

Взял новый коврик, который на обмен, все-таки приятно шерсть в руки брать, не трикотаж этот синтетический, и пошел к двери.

19

Считается, что приезжие из России плохо относятся к арабам.

Верно, я сам много раз слышал, их и чучмеками обзывают, и черножопыми, и ахмедками, и махмудками, и арабушами, и еще не знаю как. Имеются в виду наши собственные арабы, израильские, а к прочим вроде и положено плохо относиться, потому что враги, особенно на данный момент, хотя, на мой взгляд, разницы особой нет, араб он и есть араб. Все они нас ненавидят и хотят уничтожить, в результате по телевидению сплошные теракты. Мы, конечно, запросто могли бы с ними справиться, у нас и армия, и все, вдарить разок со всей силы танками и самолетами, и мокрое место останется, но нас Америка за руки держит. Сволочь эта Америка, хотя помощи много оказывает. И какое ей дело? Негуманитарно, мол. Это ее самое жареный петух в жопу не клюнул еще, посмотрел бы я, что бы она тогда завопила. Знала бы, что гуманитарно, а что нет.

Но это уже опять политика, а я политикой заниматься не желаю, хотя обидно.

Так вот, русские евреи якобы плохо относятся к арабам. Но я в этом смысле нетипичный. Прозвищ всех этих не употребляю и плохо не отношусь, что бы ни говорили, потому что тоже люди, в конце концов. Пусть будут.

Но только не у нас. Я хорошо понимаю, что им тоже где-то надо жить, но почему обязательно у нас? У них у самих не то двадцать, не то тридцать своих арабских стран, да богатых, с нефтью, так неужели же им где-нибудь там местечка не найдется? Нет, упорно хотят здесь, где нам самим тесно, при этом все время всем недовольны, сплошные беды и им, и нам. Все могу понять и простить, и недовольство их понимаю, но вот этого их упорства я понять не могу. И не из-за расизма, я не расист, вот уж что нет то нет, сам с нееврейкой живу, а потому что неправильно, если высокоразвитый народ живет вперемешку со слаборазвитым. Со временем они, может, и разовьются до нашего уровня, и тогда, я считаю, все конфликты закончатся, но это когда еще будет, если вообще.

Я это все к тому, что я дверь открыл к Кармеле идти, вышел на площадку, а там стоит Азам, официант из ресторана. Правда, узнать его трудно, но я сразу узнал, чуть по имени не назвал, хорошо, спохватился. Стоит и табличку на двери читает, и палец уже на кнопку звонка положил.

Я быстро зашел обратно в квартиру, но дверь закрыть не успел, он улыбается и вежливо так говорит:

— Господин Чериковер? Здравствуйте. У меня к вам небольшой разговор, разрешите зайти? — и дверь рукой придерживает.

— Нет, — говорю, — нельзя, я болен, я вас не знаю.

И дверь к себе тяну, но разве мне с ним справиться. Вошел, меня оттеснил, хотя мягко так, боли никакой не причинил.

— Извините, — говорит, — я ненадолго. А что с вами?

Взял меня под руку и ведет в комнату. Посадил на диван, тоже аккуратно, подушку под спину подсунул — ну, прямо тебе нянька. Они вообще, говорят, няньки и медбратья замечательные. Терпенья много, потому что голова ничем не занята. А как на иврите говорит! Мне бы так.

Он говорит, а я молчу, коврик к груди прижимаю и про себя думаю, кому бы позвонить, позвать, но до телефона далеко.

— Вы что, — говорит, — один дома? Вам, может быть, помощь нужна? Что-нибудь тяжелое, или за лекарством сходить? Я охотно.

И одет чисто. Больше того, красиво одет. Я-то привык его все в фартуке наблюдать да в джинсах, а тут на нем белые штаны и рубаха тоже белая, полотняная, у ворота вышита, индийская, что ли. А волосы! На работе на нем всегда была маленькая шапочка, а тут волосы до плеч, мелким штопором и блестят, а что сам красавчик, я уже упоминал. Прямо тебе артист какой-нибудь, а не араб. Даже страху меньше стало. А он стоит, руки лодочкой сложил, перед собой держит и говорит:

— Вы только не бойтесь. Ничего плохого не хочу, только хорошее. Меня зовут Азам, я работал официантом в ресторане тут внизу. Да вы ведь знаете, — и опять улыбается.

— Ничего не знаю, — бормочу.

— Сейчас все объясню. Дело в том, что у меня зрение исключительно острое. И я всегда все кругом замечаю. А мой напарник, вы знаете, Коби, он стесняется носить очки, а видит так себе. По работе не мешает, но кругом мало что видит.

Я расхрабрился:

— Ты что мне сказки рассказываешь? А ну, уходи отсюда. Сейчас полицию позову.

Качает головой:

— Нет, не позовете. Мы с вами так договоримся.

— Пошел вон!

Кланяется, руки к груди прижимает. И отходит к окну, мой станок разглядывает.

Ладно, думаю, все равно ведь ничего не знает. И почему-то совсем его не боюсь. А он открыл окно пошире, выглянул наружу и говорит:

— Вот здесь вы всегда и сидите. И всегда вниз смотрите. И в тот день тоже сидели и смотрели вниз. И все видели.

Ну хорошо, сидел. И все видел. И что? Ведь он не знает, что за вещь, не может знать. Стали бы они его в такое дело посвящать! Так, втемную щупает.

— Но вы не бойтесь, никто, кроме меня, на вас никогда внимания не обращал. А я никому не сказал. Хотя знаю, что у вас. Хозяин меня даже не очень и распытывал, знает, что я и в руках не держал, а думает на Коби. И в полиции я ничего про вас не сказал. Ни про вас, ни про мешки, ничего.

Господи, его же в полицию таскали! Может, и вякнули ему, что ищут, иначе как и допрашивать?

— Не сказал и не скажу, как бы дело ни повернулось. Даже если не сговоримся, все равно не скажу, так что не бойтесь.

Может, он и не знает что, зато знает у кого.

Тут только я и забоялся по-настоящему. Не его самого, вот, убей его, не боюсь, может, потому, что красивый такой и ласковый, но ведь если я не признаюсь, пойдет и хозяину заложит, денег попросит и продаст. И продаст-то недорого, они деньги любят, а цены им не знают. А признаться — да это, может, просто ловушка, его, может, сам хозяин и подослал. И так нельзя, и так нельзя. Говорю опять:

— Уходи отсюда, не знаю, чего ты тут болтаешь, — но сам чувствую, что убедительности большой уже нет.

Головой качает, улыбается.

— Ведь у вас? Что же вы с этим будете делать? Нездоровый человек. А я ходы найду, я знаю людей, и вам хорошо будет, и мне.

— Слушай, — говорю, — Азам, чего ты ко мне пристал? Сам видишь, я инвалид, и взять с меня нечего. Чего ты меня мучаешь?

Миролюбиво говорю, понимаю, что злить его опасно, и хочу понять, знает он, о чем речь, или на пушку берет.

— Не бойтесь, — говорит, — к ним я не пойду в любом случае. Я их сам терпеть не могу, обещали за помощь тысячу шекелей, не дали ничего, только с полицией связали да работу потерял, а мне деньги нужны, я в Лондон учиться хочу, и братишек обучить, у меня четверо.

— Чему же это ты хочешь учиться? — спрашиваю.

Это я время решил протянуть, пока дочка придет, при ней побоится, глядишь, и отвалит. А там, может, что придумаю...

Он чего-то ответил, а я не понял, видно, думаю, по-ихнему, и говорю:

— Чего-чего? Я по-вашему не понимаю.

Весело так рассмеялся и говорит отчетливо:

— Кампэрэтив лингуистикс. В вашем, — говорит, — университете поучился, теперь в Лондоне хочу.

Ишь как заворачивает! В университете он учился. Лунгистик какой-то. Зачем это ему, спрашивается. Что он с этим у себя в деревне будет делать?

Еще немного пообменивались, он свое гнет, у тебя и у тебя, я свое, не знаю и не знаю, вокруг да около, так и не пойму, в курсе он, нет...

Тут, слышу, дочка дверь открывает.

20

Что моя дочь Галина очень интересная, это даже мне заметно, не говоря о других.

Ей еще пятнадцати не было, мать жаловалась, что с ней никуда нельзя выйти, мужики очень пялятся. И ведь не сказать, что красивая, но вот есть у нее это, иностранным словом называется, сейчас не вспомню. По-моему, ничего хорошего в этом нет, говорил ей не раз — ты бы поменьше выставлялась, а то стыд смотреть и плохо кончится, но она только смеется и говорит, это ты просто другим мужикам завидуешь, что им со мной можно, а тебе нельзя. Про родного отца такую гадость сказать, а? Татьяна, наоборот, говорит, хорошо, легче замуж выйдет. Но пока не вижу, чтоб собиралась, хотя пора. И, что удивительно, даже гуляет не сильно, все говорит, учиться хочу. Чуть было ее в армии не оставили, чем-то она им очень пришлась, и она хотела, но я не дал согласия, мне только дочери-генеральши не хватает.

Вошла, пр-ривэт, папанья, как дэля. Она у меня по-русски с таким акцентом говорит, Татьянины родные приезжали, прямо ахнули. Мешок с тряпками у двери бросила и сразу направляется в кухню — ясное дело, кофе варить. И Азама у окна даже не увидела.

Да он-то ее увидел. И еще как увидел. Глазищами так зыркнул, мне даже стало не по себе. И говорит:

— Это ваша дочь?

Она, понятно, сразу остановилась, обернулась, говорит:

— А, у тебя гость!

И стоят, смотрят друг на друга, так смотрят, словно невесть что увидели. Потом она протягивает руку:

— Здравствуйте, я Галина.

— А я Азам.

— Хотите кофе, Азам?

— Спасибо, с удовольствием.

— Тогда идемте на кухню, поможете мне.

И оба ушли. Вот так вот!

У нас в кухне двери вообще нет, мне с дивана все хорошо слышно. Он говорит:

— Я вас много раз видел, как вы в дом входили, очень хотел познакомиться, но предлога не придумал.

Это я так передаю, для приличия, будто они на «вы», как положено незнакомым, а на самом деле тут все друг другу говорят «ты».

— И вот ты пришел со мной познакомиться?

— Да, — говорит.

Тихо. Это она, наверно, смотрит на него. Ее не обманешь.

— Нет, — это он. — У меня к твоему отцу дело было, но теперь это не важно.

Ничего себе не важно!

— Никакого предлога и не надо, — говорит Галина, — со мной познакомиться легко. Если я хочу.

— А ты хочешь?

— В данном случае да.

— Я Азам, — он это с нажимом таким говорит.

— Да, Азам.

— Тебя это не смущает?

— А тебя смущает?

— Меня — да. Будет тяжело.

— Меня только усы твои смущают.

— Сбрею.

— А больше ничего.

— Ты еврейка.

— Нет, я русская.

— Русская еврейка.

— Нет, у меня мать русская. Здесь считается, я нееврейка.

— Здесь не весь мир.

— И слава Богу.

Опять молчат. Что они там делают? Не слышно даже, чтоб она воду наливала, кофе ставила. Я тихонько с дивана сполз, подошел к кухонному проему.

Стоят друг напротив друга, близко, но не касаются, высокие оба, тонкие, прямые, как стрелки, и молча смотрят, глаза в глаза.

Не нравится мне это совершенно, но, между прочим, я, когда красивое вижу, сразу могу признать, а они, надо сказать, вместе очень смотрятся.

Галина моя вытянулась еще больше, на цыпочки встала, чтоб совсем ему в упор в глаза заглянуть, и говорит, тихо так, я едва услышал:

— Это ты?

— Я.

— Ты уверен?

— Да. А ты?

— Почти. Почти, — и все смотрит ему в глаза, я бы даже сказал, с отчаянием.

Очень сильно мне это не нравится, хотя, что говорят, толком не пойму. Вхожу в кухню и говорю:

— Ну и где же твой кофе?

Они оба на меня глянули, но с таким видом, будто не знают, откуда я тут взялся.

— Ты кофе обещала, а?

Тут, вижу, она опомнилась, слава Тебе Господи. Говорит:

— Сейчас сварю, а вы кончайте быстренько свои дела, и мы с Азамом пойдем.

Мы с Азамом. Ничего себе!

— Дела подождут, — говорит Азам. — Да и кофе мне не так уж хочется.

— Ну, — она говорит, — тогда, папаня, ты уж сам вари. Пока!

И прямо берет его за руку, и оба направляются к выходу. Это верно, я хотел, чтоб он ушел поскорей, но не с нею же вместе. Чего доброго, возьмет да все ей и выложит, раз у них пошла такая дружба.

— А дискетка? — напоминаю.

— Ах да.

Стала в сумке копаться, а я думаю, как бы его предупредить, чтоб не болтал. Что бы я ему ни сказал — это все равно что прямо признаться, а ничего не говорить — наверняка проболтается. Вон он как на нее смотрит, бери его голыми руками и мни, как хочешь, словно глину мягкую. А уж она разомнет, это можно не сомневаться.

Так я ничего и не придумал, а она бросила дискетку на стол, помахала мне, и ушли. Он даже попрощаться забыл.

21

Если я правильно понял, это у них произошла любовь с первого взгляда.

Вот именно этого мне только в жизни и недоставало. Именно, чтоб моя дочь связалась с арабом, и именно с этим арабом. К прочим убыткам, которые мне вся эта катавасия причинила, еще и это.

Я ей потом сколько раз увещание делал, что ты, говорю, никого другого найти не могла, как только этого араба, вот теперь и страдай, а она мне — а что араб, что араб, не человек, что ли. Конечно, человек, но ты что, порядочного еврея не могла найти? Сама ты у меня русская, так хоть, думал, дети твои постепенно будут обратно евреи. Ну, говорит, ты сперва найди мне в этой стране порядочного еврея. Она иначе и не говорит, всё — «эта страна».

Но это потом.

А тут я хожу по комнате, что делать собирался — забыл, все переживаю, это надо же было им встретиться. Вот именно мне сейчас только араба в моей жизни не хватало. К тому же, ну, как он ей расскажет. И что она сделает, предусмотреть совершенно нельзя.

Увидел на столе дискету и думаю, посмотрю-ка я немного для успокоения в интернете, может, узнаю что полезное про свою находку. Нет, делать ничего не буду, просто так посмотрю, для информации, а то я ведь и не знаю толком, что, да как, да сколько стоит.

Включил компьютер, тут вспомнил, что к Кармеле собирался. Но сейчас идти поздно, я Татьяну утром не спросил, пойдет она к сыну или прямо домой. Рисковать не стоит. Но боксеры новенькие жалко зря занашивать, стал я брюки снимать, опять взмылился весь, другие трусы надевать уж не стал, так, тренировочные кое-как натянул.

И завел интернет.

Сын мне к дискете целую инструкцию накатал, как эту переводную программу туда всадить и как пользоваться. Сын у меня умница, все очень понятно написано: как выскочит такое английское слово, нажимай такую клавишу, а когда такое — такую. И все нужные слова разборчиво, печатными буквами.

Я все проделал, ни разу не ошибся, страшных надписей с восклицательными знаками ни разу не выскочило.

Набираю опять свой **DIAMOND**. Опять, как положено, предлагают миллион сайтов. Просмотрел некоторые названия — кроме **DIAMOND**, ни одного знакомого слова. И вот натыкаюсь на квадратик, а в нем крупно:

**DIAMOND
NEWS**
click ✳ here

Новости, значит.

А, думаю, интересно, какие у них там новости по этой части, хотя я и старого-то ничего не знаю. Но с чего-то начать надо.

Делаю клик. Компьютер не молоденький, медленно все идет, но дошло все-таки. Я все, что мне удалось, загрузил к себе на диск, а интернет временно выключил, пока еще я разберу, что написано, а счетчик-то крутится.

И начал разбирать. Правду сын сказал, программа эта дурацкая и русского языка толком не знает, но все же я понял, что сначала там всякие сообщения шли, какие новые фирмы появились да какие новые способы обработки, это мне не очень нужно, хотя кое-что почерпнул.

Там, например, есть картинка, какие у брильянтов бывают главные формы, шесть разных категорий, то есть как их обрабатывают: круглый, овальный, маркиза, груша, под изумруд и сердце. Что у меня в коврике завязано, я тогда и разглядеть толком не успел, а сравнить теперь не могу. По-моему, там несколько «груш» есть, а красный круглой формы, но не уверен. Надо, надо к Кармеле идти.

Потом про вес сказано, что такое карат. Это, оказывается, всего-навсего две десятых грамма. Да его еще делят на «пункты», в одном карате сто пунктов, так по пунктам вес и считают. Я думаю, в красном несколько тыщ этих пунктов наберется.

Но вес это еще далеко не все. Ценность рассматривают по весу, по чистоте, по цвету и по «резке» — я так понимаю, что это огранка. И чем больше граней, тем сильнее он блестит. И все эти основные категории еще делятся на много разных других категорий, но это мне уже не разобраться, да и ни к чему.

Мне, главное, ценность моей находки выяснить, а это, оказывается, столько всего нужно знать, этому учиться надо либо специалисту отдавать, а никак нельзя, и я сильно приуныл.

Дальше вижу — большой кусок красным напечатан. Ну, думаю, что-то важное, хотя уже не очень надеюсь. Стал заниматься, и — батюшки мои! Красными буквами было вот что:

A BROKEN CHAIN

The chain of suspects in the celebrated Red Adamant affair, traced by the Interpol with the assistance of the Israeli police, was broken last Tuesday with the brutal murder of Mr. B. who had reportedly been the last person to hold the stones in his possession. By all appearances, Mr. B., the owner of a popular Jerusalem restaurant, was killed in a violent fight with his young helper Mr. L. who later died of injuries inflicted by the victim. The stones, insured for the total of 5 million dollars, have not been found.

The Red Adamant, the rarest red diamond, together with thirty two other exquisite gems, had been sent six months ago for cutting to Tel Aviv from the famous De Meers firm in Holland. The delicate work successfully completed, the collection was dispatched, as is the usual practice, with a trusted messenger back to De Meers. Somewhere between Tel Aviv and Rotterdam, the messenger disappeared and has never been seen or heard from since. The circumstances of his disappearance remaining unknown, the police had succeeded nevertheless in tracing the chain of middlemen when the stones resurfaced briefly in Israel.

The buyer of the rare gem, a Russian tycoon who does not wish his name to be known, blames the Israel Diamond Exchange saying that...

Только досюда и хватило терпения, дальше переводить не стал, чего там этот русский «тайкун», воротила то есть, говорит и кого ругает. И без того по башке хорошо долбануло.

22

По-русски-то ведь вот что вышло:

СЛОМАННАЯ ЦЕПЬ

Цепь подозрительных в прославленном Красном Непреклонном аферы, трассированный Interpol с поддержкой израильская полиция, был сломан последний Вторник с грубым убийством г-н Б., кто отчетно был последняя персона держать камни в свое владение.

По всем наружностям, г-н Б., хозяин популярного Иерусалима ресторана, был убит в яростную битву с его молодого помощника г-н Л., кто позднее умер от вредов нанесенный через жертвы. Камней, застрахованные для итога из 5 миллион долларов, были не найдены.

Красный Непреклонный, самый редкий красный алмаз, вместе с тридцать два других прелестных камня, были послан шесть месяца назад для резки в Тель-Авив из славной фирмы Де Меерс в Голландии. Деликатная работа успешно завершенная, коллекция была отправлена, как обычная практика, с доверительным вестником назад к Де Меерс. Где-нибудь между Тель-Авив и Роттердамом, исчезнувший вестник и никогда не был виден или слышан от с тех пор. Обстоятельства исчезновения остающегося неизвестным, полиция имела преуспела несмотря в трассировке цепи посредников когда камни вынырнули коротко в Израиль.

Покупатель редкой геммы, русский tycoon кто не желает его имя известным, обвиняет Израильский Бриллиантовый Обмен, говорящий что...

Вот так вот.

Пять миллионов долларов.

Это за столько мой коврик застрахован. Валяется у Кармелы в шкафу на верхней полке.

Самый редкий Красный Непреклонный, Адамант то есть. Тут не ошибешься, это мой красный фонарик. Оказывается, прославленная афера. Про нее, может, и по телевизору здешнему сообщали, а мы прохлопали, больше русским телевидением увлекаемся, в основном, конечно, Татьяна, но и мне напрягаться вроде ни к чему.

А г-н Б. и г-н Л. это, значит, хозяин с Коби.

Волки, значит, скушали друг друга. «Грубое убийство», интересно, когда это оно негрубое бывает. По интернету получается так, что вроде это Коби хозяина убил, а хозяин только защищался. А я думаю, было как раз наоборот. Хозяин требовал камни назад, навалился на Коби, вон сколько ему «вредов» нанес, молодой здоровый парень, а не выжил. Ну, а Коби отбивался, не сказано чем, у них, может, ножи были, и прикончил, может, и нечаянно.

А мне не все равно? Кто кого убил да как?

Главное, убили!

Главное, нету их больше! Исчезли, канули, провалились!

Их больше нет, нет, нет! И некого мне бояться!

Такая меня радость охватила, такое светлое чувство!

Давно такого переживания не помню. Встал, начал по комнате двигаться, как бы приплясываю даже, и ничего, вот как есть ничего не тянет, не ноет и не мозжит!

К окну подошел и ресторану этому фигу показал, прямо в окно ввинтил, нате вам!

Тут звонит жена.

И я так радостно ей отвечаю, даже увидеть ее захотелось. Чтоб скорей приехала. Может, даже и рассказать. Очень уж распирает. Но она радости моей не слышит, а говорит обычным своим затраханным голосом, сын просил приехать, маленький что-то куксится, может, я поужинаю сам? Хотел я ей сказать, а ты мне приготовила, что ужинать? Но на радостях уж простил, пусть едет, а я сейчас к Кармеле, она же и покормит, если намекну. Ладно, говорю, так и быть, и хочу положить трубку, но она спрашивает про дочку, заходила ли, да как выглядит, да не говорила ли, когда домой, к брату то есть, придет, повидать, говорит, хочу...

Тут и я про дочку вспомнил. И про Азама.

Азам. И вся моя радость сразу пропала. Кое-как разговор закончил, стал машинально треники снимать, чтобы боксеры опять надеть, а сам все думаю про Азама.

Как же я забыл, думал, все концы в воду! Азам-то остался, жив и здоров. И знает. Что-то, во всяком случае, знает. И в покое меня не оставит.

Ладно, предположим, с самим Азамом я как-нибудь справлюсь, вроде парень нежесткий. Но ведь там где-то, в преступном мире, таятся другие, там наверняка много людей повязано, и все ждут этих камней. Они что, узнали, что камни исчезли, и так и успокоились? Рыскать станут, разнюхивать, и быстро до Азама доберутся. Трудно, конечно, подумать, что хозяин его посвятил, и, если он невинность изобразит, может, и поверят. Но они могут деньгами поманить, а ему в Лондон учиться охота. Запросто расколется, даже если не знает конкретно.

Сильно тревожусь, но соображаю вот что. Если догадка моя правильная и у него с моей Галиной пойдет роман, то, как всегда, не было бы счастья да несчастье вывезет. Такой роман, конечно, несчастье, но тут не до жиру. Правда, не знаю, как у них, у арабов, эти чувства развиваются и какое у них при этом бывает поведение. Но на Галину надеюсь, она его сумеет остановить, все ж таки я ей отец, зависит, конечно, если у нее с ним серьезно. А она у меня девушка переборчивая, просто так не станет за руку брать и в глаза на цыпочках смотреть. В результате понимаю, что надо всячески поощрять, во всяком случае пока.

Не исключено, правда, что Галина велит ему идти в полицию. А ситуация сложилась такая, что мне и тех надо бояться, и этих, и криминогенных слоев, и закона. С другой стороны, никакой араб по собственной воле в полицию не пойдет. Азам и подавно. Он же понимает, чем эти камушки пахнут, если кто узнает, а у тех в полиции свой человек сидит.

Но и такая возможность остается, что он все-таки не знает точно что. И что Галке вообще ничего не скажет. Это тоже следует учитывать и раньше времени нервы не трепать, а главное — не признаваться и чем тише сидеть, тем лучше.

В интернете ни слова про то, как эти камни вообще попали к г-ну Б., к хозяину то есть. Откуда это они вынырнули в Иерусалиме. Разумеется, он не сам украл, это небось сложная операция была, куда ему. Скорее всего, принял для передачи дальше. Сказано ведь — «цепь посредников». А не передал бы — ему бы все равно несдобровать. Потому и была у него с Коби яростная битва.

Черт их знает, сколько их там до меня было, этих посредников, и куда они девались, ох, неохота и мне становиться очередным «посредником». Пусть эта цепь на мне остановится, то есть опять же прихожу к выводу, что лучше всего оставить как есть. Не рыпаться, сидеть тихо, ничего не делать и ничего никому не говорить.

23

Но!

Но пять миллионов долларов.

И это ведь страховка, а страховщики всегда норовят подешевле оценить, чтоб в случае чего платить поменьше. Кроме того, еще до огранки. Значит, на самом деле еще дороже. Скажем, для круглого счета, семь миллионов, это как минимум. За семь миллионов, понятно, не продать, и за шесть не продать, и за пять, наверное, нет. А за три? Даже за два? Два — миллиона — долларов! Да хоть и совсем не торговаться, сбыть по бросовой цене, за один несчастный миллион.

Небось один красный больше стоит. Самый редкий, прославленный, даже имя ему собственное есть, с большой буквы пишется. И так, ни за что, его отдать, просто выкинуть? Когда за него, вон, люди гибли?

А что, если красный вынуть, он самый заметный, его любой сразу узнает, а по нему, наверно, и всю коллекцию можно узнать. Вынуть его, спрятать надолго или вообще навсегда, а остальные постепенно, по штучке распихивать в разные места... Начать с самых маленьких...

Михаил, Михаил, опомнись, в какие еще места? Какие это ты места знаешь?

Ну, какие места, да просто к ювелирам, в ювелирные магазины. Нет, им наверняка про эти камни какие-нибудь особые приметы сообщают. Да, в крупные фирменные магазины, может, и сообщают, а в какую-нибудь захудалую лавочонку вряд ли. Пойти куда-нибудь к русским, где у них скупка-продажа всякой дряни, что они про мировые аферы могут знать... Да, но у такого и денег не хватит даже за четверть цены купить. А главное, такие всегда связаны с преступным миром, сообщит, кому надо, и меня сразу застукают.

А вот Азам что-то такое говорил, людей знаю, ходы найду... У них там в Старом городе полно ювелиров, я когда-то с экскурсией был, на каждом шагу натыкано. И все живут неизвестно с чего, ни разу не наблюдал, чтоб у них кроме ерунды сувенирной кто-нибудь купил. А ведь живут, и лавочки у них богатые, и сами такие раскормленные. Наверняка же что-то такое-этакое через них проходит. Говорят, там наркотиков много, ну и другое всякое, наверное, тоже.

Боксеры тем временем надел, взялся за брюки. Начинаю натягивать, все же тяжело это самому, опять весь взмок, и тут думаю, сколько раз я сегодня потел. Чистюле этой марокканской конечно же не понравится. Это что же, значит, опять мыться? Вчера только душ принимал. Я вообще один никогда не моюсь, мне там в душе и не повернуться толком, и опасно, как раз сверзишься. А мне упасть — хуже нет, врачи сколько раз предупреждали, ни в коем случае не падать, кости у тебя как стеклянные. Плохо, что у нас только душ, давно бы надо ванну поставить, и место для нее есть, но это весь санузел переделывать, туалет переносить, трубы новые, пол, кафель... Небось самой маленькой бусинки хватило бы, еще бы и осталось...

Ладно, сполоснусь слегка, подмышки там, вообще основные места. Воду пущу, а двигаться не буду. Просто посижу на скамеечке под душем, у меня там специальная стоит.

24

Многие в жару охлаждаются холодным душем, но я считаю, что это ошибка. Я в жару никогда холодной водой не моюсь, а, наоборот, теплой, даже горячей. Во-первых, легко простудиться, это для меня опасно, а главное, как раз большое удовольствие. Тут-то как раз жары и не чувствуешь, а горячая вода развязывает мне суставы. И очень кстати, думаю, ввиду предстоящего.

Горячей воды летом полно. Вот к этому трудно было привыкать, что здесь воду греют электричеством, да как дорого. А летом электричества, слава Богу, расходовать не надо, сама под солнцем греется. Тем более глупо не использовать.

Сижу, занавеску задернул, вода журчит, пару набралось, полутемно, тесно, уютно как в норке. Без Татьяны, оказывается, даже лучше, при ней как следует не посидишь.

И так меня под этой теплой водой убаюкало, чуть не заснул. То есть не сплю, но все куда-то ушло, мысли остались только нетревожные и хорошие. И само по себе думается, что с этими деньгами можно сделать. Не всерьез, конечно, а так, в порядке мечты.

Ну, положим, сыну с дочкой по квартире, хотя правильнее, чтоб сами заработали, не маленькие. Но пусть. Тысяч триста сразу вылетело.

Так, это с плеч долой. Мечту веду из расчета миллион долларов, значит, остается всего семьсот тысяч. А на семьсот тысяч что сделаешь? Свою квартиру менять не стану, смысла нет. Вот если бы дом, виллу то есть... Но это Татьяне не справиться, за домом нужен постоянный уход. И потом, я на вилле был, где мой ковер висит, так себе вилла, средненькая, а тоже не меньше миллиона стоит. Значит, я только совсем уж паршивую могу, зря только все деньги сразу убухаю...

Затем, на вилле и хозяйка видится не такая, как моя, скорее уж такая, как Кармела... Вот у арабов, говорят, можно иметь несколько жен. Первая состарится, берет вторую. Женщины ведь быстрее выходят из употребления, хотя живут дольше, интересно зачем. А старую не бросают, ей почет. Вот и я Татьяну не брошу, как можно, столько лет жили. Кармелу для секса, ну и готовит хорошо, а Татьяну для всего остального... Интересно, пошла бы Кармела? Если бы деньги хорошие, может, и пошла бы, тоже ведь, наверно, несладко одной крутиться, хотя и самостоятельная женщина. С Татьяной бы поладила, с ней всякий поладит. Я не говорю жениться, но жить вместе.

Ну хорошо, вот у меня вилла и две женщины. Дальше что? Машина нужна, понятное дело. Татьяна не водит и не научится, а Кармела вполне. У нее и машина есть. Значит, можно не покупать, да и денег-то уже не осталось... Но это если без Красного. А вот если Красный загнать, тогда...

Тогда... Всем заботам и трудностям конец. Полная обеспеченность. Кровать ортопедическую куплю, телевизор побольше, микроволновку Татьяна давно хотела, еще кое-что... А сам сиди себе как барин у окна и спокойно свои коврики... Да я же бросить хотел? Не делать? Деньги можно положить в банк на хорошую программу и жить себе на проценты... Но почему-то себя вижу по-прежнему у станка, в нашей квартирке с видом на ресторан, и иначе никак вообразить не могу. Виллу вижу, и полы мраморные, и обеих женщин, как они ее моют-убирают, а себя там — никак. Это что же значит, Михаил? Не в состоянии придумать, что делать с настоящими деньгами? Нет-нет, придумаю, конечно, не волнуйтесь. Ну, например... Да вот хотя бы путешествовать. За границу то есть. Мир посмотреть, в хороших гостиницах пожить... С другой стороны, что мне заграница? Чего я там не видел? Я и так заграницей живу. А гостиницы — все равно, как дома, нигде так удобно не будет. Да переезды, беспокойство одно... Тогда, скажем... Короче, я бы уж придумал, дай только ко заполучить...

Есть, конечно, еще один вариант. Татьяна давно мечтает, как бы мне в Америку поехать и там сделать операцию. Даже тайком откладывает деньги, но тут можно не беспокоиться, это нужно не меньше ста тысяч, никогда не соберет. Ну а мне бы это раз плюнуть, сто тысяч, ха! Да мне и здесь предлагали, то есть хотят сделать на мне экспериментальную практику. Врач подробно объяснил, что из каждого выгнутого позвонка выдолбят крошечный клинышек с наружной стороны, края обратно сожмут и скрепят скрепками из титана. В результате спина вся выпрямится, то же самое и шея. Будешь, говорит, как в двадцать лет, к тому же даром. Но я делать не стану, ни в

Америке, ни здесь. Ни к чему. Ну, стану я прямой, как в двадцать лет, и что? Легче, что ли, мне станет жить? Да совсем наоборот. Болезнь не излечится, а видно ее никому не будет, на вид как здоровый, и отношение к тебе соответственное — даже подумать оторопь берет. И главное, операция очень опасная, врач так и сказал, если ты, мол, смелый человек, хочешь рискнуть — шансы, мол, фифти-фифти. Ладно, пусть смелость сам проявляет, а я так проживу.

Замечаю, что мысли пошли уже неприятные. Видно, оттого, что вода начала охлаждаться, я ее много вылил.

Подмышки и главное место намылил, смыл, стал из-под душа выбираться. Напоминаю себе, чтобы не спешить, самый опасный момент, кругом вода наплескалась, скользко. И обращаю внимание, что выхожу сравнительно легко, снова чувствую себя значительно лучше. И явно не только от горячей воды.

25

И даже не столько от нее.

А оттого, что собираюсь идти к Кармеле, и чувство мое к ней после всех мыслей стало значительно лучше. Вообще, вижу, что совсем готов для встречи с ней. В прошлый раз у нас как-то с насмешкой вышло, со злостью даже, сегодня не так. Размягчился весь, во всем теле влечение. Ну, и надо идти скорей, пока не потерял.

Боксеры тесные в спешке на мокрое тело не натянуть, нельзя, опять вспотею. Вынул шелковую рубашку, от свадьбы сына осталась. Где наша не пропадала, думаю, и вытаскиваю белые брюки. Разложил все на тахте в салоне, вместе с новым ковриком, сам прохаживаюсь, чтоб получше обсохнуть, а сам скорей рубашку надеваю. Застегнуть не успел, в дверь звонят. Судя по звонку, Кармела.

Ну что ты скажешь. Опять весь план насмарку. Решил не открывать.

А она снова звонит. И третий раз.

Не выдержал, подошел все же проверить в глазок. Глаз приложил, а там темь. И сразу стало светло, и вижу

Кармелу, это она от глазка отклонилась, хохочет и громко зовет:

— Открывай, открывай, Мишен-ка, я тебя видела! Открывай, ты дома!

Я губы к самой двери приблизил, чтоб соседям не слышно, говорю низким голосом:

— Кармела, я неодетый. Иди домой, я сейчас приду.

А она соседей не стесняется, кричит:

— Так еще лучше! Открывай скорей, у меня кастрюля горячая!

— Иди, я сейчас приду, у тебя поем!

— Открывай немедленно, сейчас брошу!

Что прикажете делать? Ведь бросит!

Открыл. И надо же, опять верх у меня более-менее одетый, а низ весь голый, одни тапочки. Спасибо, рубашка длинная, хоть как-то прикрывает. Была у меня мысль, как войдет, сразу обнять, чтоб не рассматривала, но где ее обнимешь, когда перед животом кастрюля! И пахнет вкусно, а я голодный, но нельзя отвлекаться.

А она кастрюлю, как всегда, мне прямо в руки — фу, черт, действительно горячая! — а сама к дивану:

— Мишен-ка, — кричит, — ты что, на бал собираешься? — Коврик новый увидела, схватила: — О, еще один!

Я говорю:

— Не на бал, а к тебе.

Поставил кастрюлю на стол, хотя чувствую, испортит она полированную поверхность, но некогда, подхожу к ней и пытаюсь обнять. В стоячем положении мне трудно, подталкиваю ее к дивану, но она не дается и рассматривает коврик.

— Ко мне? — говорит. — А это мне подарок?

Все-таки я обхватил ее за талию и целую опять в то же место, какое мне удобнее всего, пониже шеи. Маечка на ней такая, что мог и гораздо ниже достать. Поцеловал и бормочу:

— Подарок ты уже получила.

— Так тот был за прошлый раз, — говорит, и поворачивается верхней частью туда-сюда, трется разными местами об мое лицо, просто невозможно.

— Это что же, — говорю, а сам лица от нее оторвать не могу, — каждый раз по коврику? Куда же ты их денешь, торговать, что ли, будешь?

Тут она засмеялась, оттолкнула меня и говорит:

— А ты что, много раз собираешься?

— Сколько выйдет, — говорю, — но сейчас непременно.

И хватаю свои боксеры скорей надеть, направляюсь в спальню, чтоб не у нее на виду. А она за мной.

— Что ж ты, — говорит и от смеха прямо скисла, — сквозь трусы, что ли, со мной будешь?

Абсолютно никакой тактичности. Вперлась прямо в спальню, не спросила даже, может, Татьяна дома. Но пусть не надеется, я ей в своей спальне не позволю. К тому же цель задачи к ней попасть. Мне и самому не терпится, но говорю строго:

— Кармела, выйди из спальни. Оденусь, и пойдем к тебе.

Не идет. Стою, трусы в руках держу, и просто сил никаких нет. А она на меня смотрит, в определенную точку смотрит и говорит тоненько:

— Бедный ты мой, да ты трусы осторожно надевай, а то взорвешься.

Я сел на кровать, от нее отвернулся, сколько мог, и стал трусы натягивать, и действительно с осторожностью, а то и впрямь пропадет добро зазря.

26

Моя Татьяна первые годы, пока не могла медсестрой устроиться, сидела по домам с тяжелыми стариками. Особенно долго с одним пробыла, интеллигентный такой старик из немцев, все она ему музыку симфоническую заводила, даже сама привыкла. И не ходил уже почти, сам за собой прибрать не мог, а все музыку слушал. И разговоры с ней разговаривал, и все больше по-немецки. Понимать не понимала, но привязалась, даже плакала, когда хоронили. Благо бы из-за работы, что место хорошее потеряла, нет, жалко, он такой добрый был, такой умный.

Да почем же ты знаешь, что умный, когда слова не понять? Ну, это моя Татьяна, у нее все добрые да умные.

Так вот, он завел у нее привычку, прежде чем отпирать дверь, позвонить. Ключ у нее, понятно, был свой, сам он уже открыть ей был не в состоянии, но просил сперва звонить, стеснялся, чтоб она его в неприличном виде не застала, хотя, спрашивается, какое уж тут приличие. И так она привыкла, что и домой эту привычку принесла. Сколько раз ей говорил, не дергай ты меня этими звонками, пришла, ну и отпирай. Обещает и не звонит, потом забудется и опять. Извиняется, это, говорит, мне память по нем осталась. Тоже мне память, лучше бы в завещании что-нибудь оставил, все внукам, а горшки за ним кто выносил?

Но тут эта ее привычка пришлась как нельзя кстати. Предупреждение все-таки, что раньше времени идет. Я сразу услышал, что это она, шикнул Кармеле — жена! Она из спальни ветром, а я трусы уже легко натянул, все сразу прошло. Брюки долго, но я сообразил и мигом обернулся в полотенце, каким после душа вытирался.

Вышел в салон, жена как раз входит. А Кармелы в салоне нет, и кастрюли на столе нет, а в кухне, слышу, шебуршение.

Жена пришла уставшая, сумку здоровую тянет, смотрит на меня, говорит:

— Что ж ты меня не подождал с мытьем?

Кармела выскочила из кухни, Танья, я там хамин принесла, на плите стоит, поешьте! Схватила новый коврик, подмигнула мне незаметно, поцеловала Татьяну — и в дверь.

— Добрая у нас соседка, — Татьяна говорит, — мне теперь ужин не готовить, а я даже спасибо сказать не успела.

27

Сидим мы Татьяной, едим этот хамин, такая мясная пища еврейская, и она все молчит.

Она и всегда чаще молчит, но тут особенно. Виноватым я себя не чувствую, но неприятно. Она перед ужином брюки мои белые прибрала, рубашку шелковую обратно на плечики повесила, ничего не сказала, не спросила, ничего. Довольно странно, но главное, неприятно. Чтоб ее разговорить, спросил про интересующий ее предмет, а именно про ребеночка. Ответила — да нет, зря паниковали, животик болел и прошел, и опять молчит.

И ладно. Помолчит и заговорит. Соображаю, что она вообще последнее время как-то не в себе. С ней и раньше такое случалось, когда у меня на стороне что-то было. Но сейчас немного досадно, ведь я с этой Кармелой не то чтобы от особого интереса, а по делу, и инициатива была не моя. Хотя не отрицаю, сопротивления не оказал. А в этот раз так и совсем ничего не было, только новый коврик унесла, а первый не отдала. Теперь что, третий на обмен делать? Тоже, игру себе придумала.

Легли спать, неизрасходованный заряд надо куда-то израсходовать, но моя повернулась спиной, простыню вокруг подоткнула и будто спит. Потрогал-потрогал — не реагирует. Словами намекнул — не отвечает. Попробовал прямыми методами. Села, зажгла свет, повернулась ко мне, говорит:

— Ну, чего ты, Миша?

— Ну, как чего.

— У меня сил никаких нет.

— Не беда, — смеюсь, — у меня на двоих хватит.

И продолжаю свое, ничего, думаю, раскочегарится по ходу дела. Однако нет никакого взаимодействия с ее стороны. Тяну ее на себя, а она только вздыхает. Без взаимодействия куда мне такую тяжесть поднять. А на боку никак не могу, фигура не позволяет. Взмок опять весь, но с ней это несущественно. Говорю ей:

— Не спи, Таня.

Она мне:

— Я не сплю.

— Тогда чего ж ты?

— Охоты нет. Давай спать, Миша.

— У меня зато есть, — говорю. — Разок можешь и без охоты.

— Разок... — говорит, да с таким выражением, но я в тот момент внимания не обратил, главное, дурь эта с нее соскочила и начала помогать.

Ладно, справились кое-как, отпустил я ее спать. Думал, тоже сразу засну, столько переживаний за день, но сон не идет. А идут мысли, да как-то все параллельно, и про хозяина с Коби, как они друг друга убивали, и про Галину с Азамом, это надо же им было встретиться, и про Татьяну, как она меня чуть с Кармелой не застукала.

Подумала ли она что-нибудь, трудно сказать, но есть признаки, что подумала.

А с другой стороны, чего тут думать? Все просто: я мылся, а Кармела хамин принесла, я полотенцем обмотался и открыл.

А что же она про парадные брюки с рубашкой ничего не спросила? Странно даже, как будто ей все равно. Тут я вспомнил, как она мне сейчас сказала «Разок...» Это на что же она намекала? Ладно, на каждое слово тоже не наздравствуешься, сказала и сказала. Скандалов она мне из-за подружек никогда не устраивала, хотя мать сколько раз предупреждала, смотри, Михаил, догуляешься, бросит она тебя. Но это зря. Если в России не бросила, когда я был моложе и куда сильнее гулял, и родня у нее там, и все, уж здесь и подавно. Там она к отцу-матери могла уйти, а здесь куда она пойдет? И потом, она мне за любовь всегда все прощает, очень привязана. Так ведь и я к ней привязался, привык за столько лет, хотя и не так, как она.

Вон она лежит рядом. Спит. Какая ни есть, а своя. И я решил — нет, завтра все ей расскажу, давно надо было. Надо, все-таки самый близкий человек.

28

А назавтра она меня оглоушила. Да что говорить, просто убила она меня.

С утра я заспался, поскольку поздно заснул. Сквозь сон слышал, она встала и начала по квартире шуровать. Встал, зарядку сделал, чин чином, она в это время в салоне пылесосила. Заметил, что она занавеси с окон сняла, как в воду глядел. Это значит, у нас пошла генеральная уборка, интересно, по какому случаю, не суббота, не праздник. Но вмешиваться не стал, предоставил полную свободу действий. Прошел на кухню, она в салоне окно моет спиной ко мне. Сказал доброе утро, ответила, но лицом не повернулась. Все еще не в духе, значит. Но уборка на нее всегда действует успокоительно, скоро отойдет.

Позавтракал, что она приготовила, и решил, не откладывая, сейчас и рассказать. Тем более она с раннего утра трудится, пора передохнуть. Вхожу в салон и говорю:

— Татьяна, перекур!

Она тереть перестала, повернулась ко мне, смотрит. Я говорю:

— Перервись на время, я хочу тебе кое-что рассказать.

Бросила тряпку, слезла со стула и говорит:

— Я тоже хочу с тобой поговорить.

— И поговоришь, что за проблема. Но сперва послушай, ахнешь, как услышишь. Ты только сядь, у меня история длинная.

Села, руки на коленях сложила и говорит:

— И ты сядь. У меня разговор недлинный, но лучше сядь.

Я смеюсь:

— Что это мы друг друга усаживаем, как в гостях.

Сел на диван напротив нее, она что-то пристально за мной наблюдает. Видно, думает, буду оправдываться насчет Кармелы. Ну, сейчас она про эту Кармелу забудет.

— Так вот, — говорю, — ты заметила, что ресторан наш закрылся? А знаешь почему?

Но она меня перебивает:

— Нет, про ресторан потом, сейчас я скажу.

Твердо так говорит, видно, мало еще поубирала, не успокоилась. Ладно, думаю, пусть сделает свое недлинное сообщение.

— Ну, говори.

Она воздуху в грудь набрала, рот открыла, словно кричать собирается, но сказала тихо:

— Я ухожу.

— Куда, — говорю, — уходишь? Ты же сегодня в ночную. Да посреди уборки.

— Нет, — говорит, — уборку закончу, все тебе приготовлю и уйду.

— Да что ж ты, — смеюсь, — так важно мне об этом объявляешь? На рынок, что ли? Иди себе на здоровье, сперва только послушай. Говорю тебе, ахнешь.

— Ахну... Нет, Миша, не на рынок. Я совсем уйду.

Я никак не пойму, чего она:

— Совсем, до самого утра уйдешь?

Молчит и все смотрит пристально. Я немного удивился, что за странное поведение. Говорю:

— Выражайся яснее. Что ты хочешь сказать? И говори скорей, потому что...

— Я быстро скажу. Еще раз. Миша, я ухожу от тебя.

— От меня?

— От тебя. Из дому. Совсем.

Тьфу ты, черт. Так рассказать хочется, и не дает. Что-то у нее там в умишке сварилось, а что, сама не знает.

— Татьяна, — говорю серьезно, — ну что ты плетешь. Если это насчет Кармелы, то глупости, я тебе сейчас все объясню.

Она будто удивилась:

— При чем тут Кармела?

— Вот именно, что ни при чем. Поэтому не выдумывай черт-те что, а слушай.

Тут только она глаза от меня отвела, голову опустила и говорит, грустно так:

— Нет, Миша, это ты меня не слушаешь. Или не слышишь. Я ухожу от тебя насовсем. Навсегда.

Не знаю даже, как отреагировать:

— Куда уходишь? Ты что, меня бросить хочешь?

— Да.

— С ума сошла?

— Не знаю, может, и сошла.

Так и есть. Ерунду какую-то выдумала, сама признает. И говорю ей, мягко, но строго:

— Таня, прекрати. Хочешь сердиться — посердись, но в эти игры я не игрок. Что значит — уйду? Куда ты пойдешь? К сыну, что ли? А впрочем, можешь пойти на пару дней, если им надо. Я не возражаю.

Помолчала еще немного, поглядела на меня грустно и говорит:

— Прости, Миша. Я решила.

29

Что мне в моей Татьяне всегда нравилось? Что переспорить ее ничего не стоит. Легко поддается на убеждение. Возразишь ей, и тут же уступает. Никогда на своем мнении не стоит, да и нет, у нее своего. Для моих нервов такой характер лучше всего, я это еще в молодости осознал.

Но один подводный камень в характере все же есть. Редко-редко на него натыкаешься, всего два раза за всю жизнь помню.

Один раз, когда она Галкой забеременела. Я считал, что одного ребенка вполне достаточно, ему едва год исполнился, возни хватает. Говорю, делай аборт. Нет, сказала, буду рожать. И тут же я понял, что так и будет, не знаю как, но понял, хотя привычки к этому не было.

А второй раз с Израилем. Были мы как-то на первомайскую у ее родни, и ее двоюродный брат начал рассуждать про евреев. На мой взгляд, ничего даже такого не говорил, просто разговор, но мы пришли домой, а она мне — надо ехать. Тут я много возражал, и она даже ничего толкового в ответ сказать не могла, но факт, что мы здесь.

И вот этот подводный камень следует всячески обходить, не допускать, чтоб он вынырнул. А я допустил, сам не знаю как. Как она сказала «я решила», я на него прямо физиономией и наткнулся.

Короче, со мной вдруг сделалось что-то вроде истерики. Даже в озноб бросило, хотя жара. Нервы-то все это время были в напряжении и тут не выдержали. Я на нее закричал, ругался, кулаком по дивану колотил, она сходила на кухню, принесла мне воды, я стакан у нее из рук выбил. Она отошла в сторону, руки на животе сложила, подождала немного молча, потом взяла тряпку и стала вытирать воду с пола.

Успокоился немного и говорю, хотя сам слышу, что голос у меня не свой, не слушается:
— Ну что ты такое решила?
Тряпку опять положила, но не говорит.
— Ты видишь, что ты со мной сделала?

— Вижу, — отвечает.

— Больше такого не делай. Если есть претензии, скажи. А то ни с того ни с сего такие разговоры!

— Миша, — говорит, — это не разговоры.

Но у меня все же козырь в руках:

— Что ты решила? — говорю. — Бросить меня, человека в моем состоянии?

— Да, — говорит.

Прямо так и говорит — да!

— А где же совесть? Ты подумала, как я буду?

— Подумала, — говорит. — Я все обдумала и устроила, тебе не будет плохо.

— Да? Это как же?

— К тебе каждый день будет ходить нянечка из нашей больницы, купит тебе, приберет, приготовит, помыться поможет, все, что надо. Да ты и сам многое можешь, состояние твое сейчас уравновесилось, и серьезного ухудшения уже не предвидится. Я говорила с врачом.

— С врачом! — говорю, до чего же она на врачей полагается, и пытаюсь усмехнуться, но чувствую, рот кривится на сторону. — Много он знает про мое состояние. И нянечка твоя что, даром ходить будет?

— Нет, я буду ей платить.

— Ну да, ты же деньги по секрету откладывала, знаю, как же. Представляю себе эти суммы. А когда кончатся?

— Заработаю еще.

— А если заболеешь или работу потеряешь?

— Тогда будешь сам, как сможешь.

Тут я думаю, Господи, что это я делаю, я так с ней обсуждаю, будто уже поверил, согласился. Будто это все всерьез.

30

Оказалось, всерьез.

Вот и получилось, что права была моя мать, а не я. Век живи, век учись. Так я в мою Татьяну верил, так на нее полагался, и вот — всю квартиру вымыла, вычистила, белье перестирала, сварила обед на два дня, собрала небольшую сумку и ушла. Полгода до серебряной свадьбы не дожили. Даже прощаться как следует не стала, зачем, говорит, я через день-два зайду, гляну, как ты живешь. Заодно и вещей сколько-то возьму, а в следующий раз еще. Не грусти, говорит. И ушла.

А я остался один в пустой квартире. Я днем и так по большей части один, но фоном все время было чувство — только что ушла, да — скоро придет, да — поскорей бы пришла, либо наоборот — подольше бы не приходила.

Сознаю, что теперь мне следует переживать, перебирать прошлое, может быть, даже плакать. Или от злости с ума сходить. Но злости не чувствую, и плакать не хочется, и мыслей особых нет, только скучно как-то.

Взял сигарету, закурил, вкуса никакого нет, бросил.

Подошел к станку, осмотрел начатое панно. И панно скучное выходит, потому что по чужому рисунку. Тряпки, что дочь вчера принесла, Татьяна развернула, разложила на столике аккуратно по сортам, как я учил. И цвета все скучные, сероватых да черноватых больше всего. Голубого сколько-то, но тоже как застиранное и от серого мало отличается.

Стою и не могу понять — вот только что столько дел было, столько всяких забот, и вдруг сразу — ничего. И не хочется ничего, и занятия никакого, кроме ковриков, нет. Ну а раньше что было? Ведь то же самое, ничего же особенно не изменилось? Что же меня скука такая одолевает? Мне же никогда в жизни не было скучно.

Тут телефон зазвонил. Не хотел отвечать, но вдруг она? Вдруг одумалась? Нет, вряд ли. В крайнем случае забыла что-нибудь, про еду сказать или еще что-нибудь.

А я даже и не знаю. Хочу ли я, чтоб она вернулась? Да вроде и не очень. Тоже ведь скука одна.

Телефон перестал и тут же опять зазвонил. Снял все-таки трубку, а это Азам.

— Михаэль, — кричит, — я придумал, что сделать с камнями!

Камни. Значит, все-таки знает. А теперь и телефон мой знает, и по имени. Значит, он Галке все рассказал.

А что мне камни. Что мне теперь эти камни, когда скучища такая. Только морока одна. Татьяна, может, и ушла из-за этих камней. То есть из-за Кармелы. Без этого, может, и не решилась бы, хотя упорно отрицает.

31

Я, надо сказать, сильно перед ней в тот момент унизился, и совершенно зря. Но она меня застала врасплох, без всякой подготовки. От неожиданности в объяснения с ней пустился, чего допускать не следует.

Она убирала, готовила, а я все ходил за ней и разговаривал.

— Все же объясни, почему и зачем ты хочешь от меня уйти.

И она на все мои вопросы отвечала, нисколько не уклонялась, как будто это и не моя Татьяна.

— Потому, — говорит, — что мне захотелось пожить с добрым человеком.

— С каким таким человеком?

— Есть такой.

— Нашла себе, значит. За моей спиной. Добрый человек. А я тебе, значит, не добрый.

— Ты? Ты, — говорит, — красивый и способный, а добрый... Нет.

— Как же это ты, — говорю, — с таким недобрым столько лет жила?

— Так и жила. Любила очень.

— Любила... Такая твоя любовь. А моя, значит, ничего уже не стоит?

Она в это время белье в стиралку закладывала. И даже глаз не подняла.

— Почему же не стоит. Только ты ведь по-настоящему меня не любил, а любил Светку Шикину.

— Вспомнила! А чего ж ты тогда за меня пошла, если знала?

— Любовь была большая, вот и пошла.

— Была большая, а теперь нет?

— А теперь нет.

— Куда ж она делась?

— Не знаю. Прошла.

Прямо так и режет. И не оправдывается даже.

— Теперь ты доброго человека любишь. Тоже большая любовь?

— Какая уж есть.

— И ко мне совсем никакого чувства не осталось?

— Почему никакого. Чувство осталось. А любви нет.

До того мне досадно стало! Говорит хотя и грустно, но спокойно и ничуть не чувствует себя виноватой. А я еще ее жалел, что вот, мол, она меня любит, а мне с ней неинтересно! Ужасно мне захотелось ее уесть. Говорю:

— Ну, теперь-то ты наверняка русского себе подыскала, доброго человека.

— Эх ты, Миша, — говорит, и глаз у нее один чуть прикрылся, словно голова заболела.

Пошла в кухню, я за ней.

— Нет, — говорит, и все так же спокойно, — он еврей. Настоящий еврей, верующий.

Смешно мне не было, но я рассмеялся как можно громче:

— Да он тебя, что ли, в прислуги берет или как? Какой это верующий еврей станет с тобой жить?

— Он не фанатик. Станет. И потом, я гиюр приму, если удастся.

— Чего-о?!

Она из холодильника все вынула, моет внутри.

— Гиюр, в еврейство перейду. Нас таких в классе семь женщин, правда, другие помоложе.

— В классе! Уже и учиться начала!

— Начала.

— Гиюр... Ну даешь. Тебе что, детей с ним рожать? Или в еврейского Бога вдруг поверила?

— В Бога я всегда верила. Еврейский или какой, мне все равно. И дети у него есть свои, взрослые уже. А у меня свои, — и вдруг улыбнулась, так улыбнулась, как мне давно уж не улыбалась. — А что? Можно и ребеночка.

— На сорок пятом году? Постыдилась бы.

— Это ничего, здесь это делают.

Улыбается, отдраивает плиту, на меня совсем уж не смотрит.

— А ты подумала, что дети скажут? Перед детьми тоже не стыдно?

— Дети не осуждают.

— И все за моей спиной! Мужика нашла, в религию ударилась, детям сказала... Один я ничего не знаю.

— Теперь знаешь.

32

В процессе я ей все-таки про камни рассказал, чтобы причину объяснить, почему с Кармелой вышло.

Нет, говорит, не в Кармеле дело, Кармела добрая женщина, я рада буду, если у вас что-нибудь получится. А про камни только и сказала, не впутывайся ты в эту кашу, брось, зачем тебе. Слишком была занята своим, слушала невнимательно и толком, по-моему, не усвоила.

А теперь вот Азам. Все знает, вполне в курсе и уже обдумал, что делать. Тут уж дурака валять нечего, вокруг да около ходить. Могу, конечно, еще прежнюю резину потянуть, не знаю, мол, и не знаю ничего. Но ясно, что не отстанет, да и Галина... В общем, сказал ему, пусть приходят, поговорим. Он хотел прямо сегодня, но я не могу, у меня травма. Договорились на завтра.

Лучше всего, отдам я им эти стекляшки, и пусть делают, что хотят. А мне это скучно и ни к чему.

В общем, надо идти к Кармеле. Не хочется, у меня все чувства к ней испарились, и этим самым заниматься совсем не хочу. Но надо, и лучше, чем сидеть и последние нервы мучить.

Переодеваться не стал, хотя болей практически никаких нет. Что это значит, все нервы истерзаны, а болей нет? Или она права была и болезнь моя проходит? Только этого не хватало. Да глупости, не может она пройти, не первый раз, просто ремиссия.

И время самое подходящее, восемь часов. Татьяна, между прочим, как раз заступает на дежурство.

Без всяких приготовлений, но с решимостью, взял и пошел.

Дверь у Кармелы, как всегда, не заперта. Ей уж и соседи говорили, обворуют, будешь знать. Нет, говорит, я с детства так привыкла, стану я запирать, когда в магазин на полчаса выхожу. У нас, говорит, в мошаве никогда не запирали, тоже мне, вспомнила времена царя Гороха.

Сама в кухне, опять что-то вкусное готовит, не исключено, что и нам бы опять принесла. Теперь мне одному будет носить, если вообще будет.

Услышала меня, выскочила в прихожую — у нее и прихожая есть, вообще, квартира куда лучше нашей и больше, комнат не то четыре, а может, и пять, и санузел раздельный. Видимо, у бывшего мужа отсудила. Говорят, раньше когда-то, еще до Израиля, в этом доме был отель для богатых англичан, справа для них квартиры, такие, как ее, а слева маленькие для прислуги, как наша.

Выскочила в прихожую, и так радостно: «Мишен-ка!» Мимо меня проскользнула и дверь заперла, а ключ в карман. Опасается теперь, про Татьяну ведь не знает, и не скажу.

— Мишен-ка, у меня в кухне горит, я сейчас, только доготовлю.

И быстро обеими руками мне голову приподнимает, одной рукой держит, второй гладит по щеке, по губам, наклонилась, заглядывает в глаза:

— Ты сердишься? Плохо себя чувствуешь? У тебя что-то случилось?

Интуиция у этих баб просто зверская.

— Нет, — говорю, — ничего.

— Иди, — говорит, — прямо в спальню, я сейчас приду, а то сгорит.

И убежала.

А я вошел в спальню и ахнул.

На двуспальной ее кровати, на двух подушках, лежат оба мои коврика.

Я нужный сразу схватил, а что делать, не знаю. Унести его нельзя, дверь заперта. В карман сунуть — не влезет. Вообще, в одежде не спрятать — велик, и ведь раздеваться придется. Увидит и отнимет опять. Она как раз из кухни кричит:

— Ты пока раздевайся и ложись!

Я быстро постель разобрал, балаган на ней устроил, типа что коврики в нем затерялись, сел посередке, но куда нужный-то деть? Снял рубашку, накрыл ею, но это ненадежно. А она в дверь заглядывает и говорит:

— Я только в душ быстренько, ладно? А то я после кухни. Хочу, чтоб мы с тобой сегодня по-людски, а не так. Ладно? Мишен-ка?

И смотрит как-то просительно, даже не похоже на нее. Я киваю:

— Конечно, Кармела, — а сам весь в тоске.

Не хочу я, ни по-людски и никак, и с коврином ничего не придумаю.

Сижу, оглядываюсь по сторонам.

И вижу, на туалетном столике у нее лежат маникюрные ножнички. Схватил и стал тот кружок, которым место отметил, вырезать. Маленький-то кусок зажму и не отнимет, и пусть ругается, как хочет.

Ножнички крошечные, тупые, что только она ими делает. А тряпки толстые, да еще скрученные, и узлы. Ужасно медленно идет, не режу, а пилю. А она в ванную дверь не закрыла, плещется там и кричит мне оттуда обычным своим голосом:

— Я уже почти готова. А ты готов?

То-то и оно, что не готов. А ведь она сейчас выскочит, вытираться в такую жару недолго. Что делать?

Надумал. Взял и пошел в уборную.

Уборная тесная, дверь, конечно, не запирается, я сел на толчок, даже крышку не закрыл, некогда, ногами дверь изнутри припер и режу. И вот нащупал одну горошину. Выковырял, сунул в карман брюк, режу дальше. Режу, а сам щупаю, где тут мой Красный Адамант. Еще две горошины высвободились, спрятал и их. Остальные, видно, в середке. Пилю изо всех сил, половина всего осталась.

Вот он! Нащупал! Да большой какой, присмотреться, так и на вид заметно. Но плотно в лоскут закручен. Я уж

78

не пилю, а просто рву, крепкие, гады. Слышу, она из ванной прошлепала в спальню и сразу же зовет:

— Мишен-ка, ты где?

Я резанул, мой Красный чуть приоткрылся с одного боку. Какой красавец!

— Мишен-ка! Куда ты исчез? А, ты здесь. Слушай, ты воду только малую спускай, а то что-то плохо проходит.

У самой двери уже стоит. Но ведь не полезет же в туалет.

Отошла на минуту, повозилась где-то там немного и опять подошла.

— Ну, чего ты так долго?

Я молчу и режу.

Не уходит. И я замер.

— Мишен-ка, — говорит, — что с тобой? Ответь мне. Что ты там делаешь?

— Пипи делаю, — говорю, но голосом управляю плохо.

— Пипи? Что у тебя такой голос? Ты в порядке?

— И каки.

А голос совсем уже не мой. Тяжело мне, ногами дверь держу, локтями уперся в колени, ножницы эти проклятые кольцами врезались в суставы — не стащить, и пилю, раздираю, да еще двумя пальцами Красный придерживаю, он уже почти совсем обнажился, сейчас выцарапаю.

— Мишен-ка, тебе плохо? Почему ты молчишь?

И толкает дверь, а та, понятно, не хочет открываться, там мои ноги.

— Ой! — кричит. — Мишен-ка, ты там упал?

Я полуотрезанный кусок в горсть захватил и рванул что было мочи, оторвал, а она в тот же момент на дверь нажала.

Ноги мои дернулись, колени трахнули по локтям, между коленями — плоп! — что-то упало в толчок, а я и встать не могу, она наполовину в дверь втиснулась и меня дверью зажала. Выйди, кричу, выйди сейчас же, а она, да что ты, да что с тобой, убралась наконец, я кое-как сполз на пол, повернулся и руку по локоть в толчок запустил, но куда там.

33

Подвожу итог, хотя знаю, что неокончательный. Не знаю только, что ставить в плюс, а что в минус.

Ресторан по-прежнему закрыт, полная тишина.

Хозяин и Коби с крашеной щетиной отправились под ручку туда, где им приготовлено теплое место.

Полиция пока не трогает.

Из преступного мира тоже не доходит никаких признаков жизни. То ли подбираются постепенно, то ли ищут в другом направлении. Дай-то Бог.

Заказанное панно не готово и неизвестно, когда будет, так как работать больше не хочу. Не хочу делать.

Болезнь как будто отступает. Болей нет, хотя спина и шея, конечно, согнуты, как были.

Жена ушла. Но будет приходить нянечка из больницы.

Дочь связалась с арабом, полная катастрофа. Но в данной ситуации может выйти польза.

Кармела, слава Тебе Господи, так и не поняла ничего. Сперва испугалась, как увидела меня на полу с рукой в толчке, потом хохотать начала, потом приставать и расспрашивать, но я так и не объяснил. Разозлилась, психом назвала и сказала, что знать меня не желает, но думаю, что сумею переубедить, если понадобится. А скорее всего, понадобится.

На руках у меня тридцать два прекрасных бриллианта всех категорий. А красный мой фонарик, самый редкий Красный Адамант, катится по вонючим трубам в Средиземное море.

И мне скучно.

Но все-таки осталось какое-то любопытство, что этот Азам мне завтра скажет.

Часть вторая
...И ПУТАЕТ, И ПУТАЕТ

1

Первый день новой жизни.

Итоги прежней я подвел еще вчера. Основные пункты:

Первый — бриллианты. Тридцать две штуки. Один другого лучше, судя по картинке в интернете. Хотя главный, самый большой и ценный, прославленный Красный Адамант даже не хочется думать, где находится, из-за дуры Кармелы.

И второй — ушла жена, на которую я полагался как на каменную стену. Правда, думаю, что это временное. Перебесится и вернется. Просто смешно — когда молодая была, и собой ничего, держалась за меня обеими руками, липла, даже надоедало. А теперь, когда от прежнего у нее мало что осталось и смотреть неинтересно — вильнула хвостом и к другому! Это при том, что сам я, не считая болезни, вполне еще в форме. Чего-то я, видимо, недоучел, но разбираться лишнее и скучно.

Теперь следует составить план жизни. Старый весь порушился, тем более надо новый, а то совсем потеряю управление, так не пойдет.

Первая задача ясна — спрятать камушки. Вот они у меня под подушкой в конверте лежат, это им не место. И опять в коврик заплету, надежнее всего, никто не знает, одна Кармела могла бы что-то заподозрить, а ее пока просто не буду пускать в дом.

Но сначала встать.

Ну и где, спрашивается, эта нянька, которую моя обещала? Небось станет приходить, когда ей удобно, а не мне. То есть ни одеться помочь, ни завтрак приготовить. Могу, понятно, и сам, однако это не дело. Значит, первое, когда Татьяна явится, внушить, что должно быть правильное расписание, а не как попало. Это у нее называется, «я все обдумала»!

Завтрак, однако, она мне приготовила. Все в холодильнике на видном месте: йогурт, сыр с колбасой пластами переложен, как я люблю для бутерброда, в коробке помидор и огурец мытые, творог на блюдечке вареньем полит. Вынул все на стол, чтоб согрелось немного, стал кофе варить и радио включил. Слова все понимаю, но о чем говорят, уловить трудно, пусть звучит, все веселее.

Только изготовился сесть за стол, приходит Ицик-сосед. В школе, как положено в начале учебного года, забастовка учителей. Младших братишек родители разобрали с собой на работу, а этот большой, бармицву скоро справлять, и делать ему нечего, развлечения ищет.

Стоит в дверях, смотрит на меня, мнется чего-то. А я завтракать хочу.

— Ицик, — говорю, — ты так или по делу? Если по делу, говори быстрее, мне некогда.

— Я, — говорит, — Михаэль, насчет самоката.

— Какого еще самоката? — выскочило у меня это из головы начисто.

— А вот, знакомые твои обещали...

Так это он, дурачок, все еще помнит и надеется! Знакомые, ничего себе...

— Да глупости это, Ицик, — говорю, — никакого самоката они не дадут. Беги домой, мне сейчас некогда.

Мнется все и не уходит.

— Обещали ведь...

— Ну да, — смеюсь, — если третий мешок принесешь!

— Да... а третьего мешка не было...

— Верно, — говорю, — не было.

— А третьего мешка вообще не было...

— Ну и дело с концом. Беги, Ицик, попозже зайдешь.

— Но ты скажи им... Обещали ведь...

— Ицик, — говорю, — не нуди.

И хочу дверь закрыть, а он все не уходит, говорит тихонько:

— Пожалуйста, Михаэль, скажи им...

Жалко стало мальчишку, я открыл опять дверь, привел его на кухню, посадил за стол. Кофе хотел ему налить —

мотает головой. Он бы колу стал пить, но у меня нету, не потребляю из принципа.

— Ицик, — говорю, — да что же ты как маленький. Они давно ушли, и ничего тебе не дадут. Вообще, дело прошлое, пора перестать и думать. А на самокат копи деньги, вот и я иногда подкину, мне твоя помощь часто нужна, быстро накопишь и купишь сам, так гораздо лучше.

Смотрит в стол, меня как не слышит, и говорит:

— Тогда я им сам скажу... Вот откроют ресторан, и скажу...

Опять мне смешно стало, до чего наивный малый, в компьютере разбирается, а по жизни совсем младенец. А он сидит и шепчет чего-то.

— Ты чего там шепчешь?

— Я им скажу... они третий мешок искали, а его не было...

Надо же, думаю. Такой умненький парнишка, а тут заело у него в мозгах.

— Ну, — говорю, — не было и не было. И Бог с ним. Забудь. Вот, хочешь творога с вареньем? Или банан?

— Его вообще не было... — шепчет. — Совсем не было. Всего два привезли. Обычно три, а в тот раз только два.

— Да чего ты все бормочешь?

— Я им скажу, чтоб третий не искали, потому что их всего два и было... Я видел...

— Чего ты видел?

— Я из окна видел, машина подъехала и человек вынес два мешка и у нашего подъезда поставил.

Так. Он из окна видел. Почти неделя уже прошла, и вот, выплыло. Теперь имеем Ицика.

— А им третий мешок очень нужен, вот я им и скажу, чтобы зря не искали. Может, тогда и дадут, как ты думаешь?

Положим, с Ициком справиться не так сложно. Но вопрос, что еще может выплыть.

— А что ты еще видел?

— Больше ничего... Потом полиция приходила, искала чего-то... Потом Коби со вторым дядькой к тебе пошли...

— Так ты с этим Коби даже знаком?

— Да нет, просто он мне иногда объедки для кота дает.

— А чего полиция искала, ты знаешь?

— Не знаю... Но что-то важное... Оно, наверно, было в третьем мешке...

— Да ты же говоришь, третьего не было?

— Не было... Тогда, значит, в первом... или во втором... — и смотрит на меня исподлобья.

— Нет, — говорю ему твердо. — Это дело темное, раз полиция, и я про это ничего не знаю. И ты не знаешь. Мы люди посторонние, не наше это дело. Что мы с тобой про это можем знать? Ну, сам подумай. Что ты знаешь?

Черт его разберет, что он там еще из окна видел.

Молчит, пожимает одним плечом.

— Скажи, что?

— Ничего...

— Ну вот. И мешаться нечего. И забудь. О'кей?

Молчит и вздыхает.

— Чего молчишь?

— О'кей...

— Ты теперь все понял?

— Понял...

— Теперь я могу спокойно поесть?

— Приятного аппетита... — Воспитанный такой мальчик, родители частично религиозные, стараются. — Я им все-таки скажу, на всякий случай.

И встает, чтоб уходить. Ничего он им сказать, понятное дело, не может, поскольку их в природе нет, но зачем мне, чтоб у него этот гвоздь в башке сидел? Говорю:

— Вот что, Ицик. Раз тебе прямо загорелся самокат, давай сделаем так. У тебя сколько есть денег?

— Не знаю точно... Шекелей семьдесят. А что?

— Самокат сколько стоит?

Оживился, ест меня глазами:

— Разные бывают... На улице Агриппас всего за двести пятьдесят можно, если поторговаться...

— Вот и поторгуйся. Я тебе сделаю кредит на двести шекелей, беги и купи самокат. О'кей? А потом отработаешь, будешь меня на компьютере дальше учить. А глупости эти выкинь из головы. О'кей?

— Михаэль! Ты серьезно? Прямо сейчас?

— Прямо сейчас.

2

Интересная вещь здешние кибуцы. Нас в начале от ульпана, где мы иврит осваивали, два раза возили.

С колхозом не сравнить, а все-таки колхоз он и есть колхоз. Живут обеспеченно, ничего не скажешь, промышленное производство наладили, цветов на территории, деревьев всяких насажали. Коммунизм развели, вообще, живут, как на острове, как динозавры в парке Юрского периода. Меня бы туда силой не загнать, да меня бы никто туда и не взял, они больных и старых не любят. Ну и бегут оттуда, надо сказать, со страшной силой, и именно молодые. Они натосковались, нахолодались без родителей в круглосуточных яслях, какие у них раньше были, а как подросли да в армию сходили, так и все, уезжают учиться и с концами.

Маленькая мышка-официанточка ресторанная, оказывается, как раз из этих, из кибуцных. Кибуц послал ее учиться на компьютерную графику, но она не потянула, отсеялась. Возвращаться не хочет, а кибуц денег больше не выделяет. Явилась ко мне сразу после Ицика, ну никак не дадут поесть спокойно.

Чуть не час просидела и все мне про себя рассказала, дуреха такая. Не знал, как и отделаться, хотя девочка приятная, скромная, правда, из себя не очень. Сильно горевала, что ресторан закрылся, и все у меня про хозяина спрашивала, он ей за неделю должен. Невдомек ей, что хозяин в холодильнике в Абу-Кабире отдыхает, а может, уже взрезали да и погребли с молитвой. А раз невдомек, это значит, что полиция информацию придерживает, копает потихоньку, хотя в интернет давно просочилось, здесь вообще все всегда просачивается, тайну хранить не умеют.

— Да с какой же стати, — говорю, — ты у меня спрашиваешь? Я твоего хозяина и знать не знаю. Позвони ему да спроси.

— У меня его домашнего телефона нет, и в книге его нет, — говорит. — А я видела, как они с Коби в ваш подъезд заходили, ну и я зашла и у соседей внизу спросила.

Соседи сказали, к вам поднялись, я подумала, может, вы знакомые....

И эта туда же, знакомые! И эта чего-то там видела!

— Соседи сказали, они спрашивали про какие-то тряпки, вот у вас, я вижу, полно всяких тряпочек.... Нашли они, что им нужно?

— Нашли не нашли, ты, главное, не беспокойся.

— Полиция тоже, — говорит, — обыск делала, всех работников спрашивали, и меня тоже спрашивали.

— Что же они такое искали? — интересуюсь, а у самого творог комом в пищеводе встал. Неужели и она в курсе?

— А я не поняла. Они не сказали, спросили только, может, я видела, может, кто-нибудь что-нибудь прятал, а мне смотреть некогда, поворачиваться надо, а в тот вечер народу было особенно много.

Слава Тебе Господи.

— Ну и ладно, — говорю, — полиция сама разберется.

— И Коби найти не могу... — и покраснела вся. — Сотовый его телефон не отвечает, а домашнего я не знаю... И фамилии не знаю... Может, у вас Коби номер есть?

— Это кто же такой, — говорю, — Коби?

— Официант, рыжий такой, со мной вместе работал... Он к вам приходил с хозяином. Хозяин его потом во дворе бил... За что он его бил? Он так кричал, бедный... — И у самой в глазах слезы.

— Вот уж понятия не имею, — говорю. — И номера у меня никакого нет.

Вряд ли у нее с этим Коби было что-либо серьезное, вон даже фамилии его не знает. Ну, поплачет немного, не мое дело.

Надоела мне эта тягомотина. Знать она ничего не знает, и в полицию ее наверняка больше не потянут, опасности для меня не представляет. Прямо выгнать неудобно, ну ладно, думаю, сейчас она сама уйдет, и предлагаю:

— На вот, подкрепись, а то ты худенькая какая, — и подаю ей бутерброд, который себе к кофе заготовил.

Она было руку протянула и отдернула.

— Ой, — говорит, — что это вы, сыр вместе с колбасой.

— А ты что, — говорю, — религиозная?

— Нет, просто я не голодная, спасибо. И вообще мне пора.

И ушла. Тогда только удалось дозавтракать спокойно, но аппетит уже не тот.

3

Я-то думал, буду сидеть один, скучать-тосковать и обдумывать дальнейший план жизни, но вместо этого настоящий посетительский день.

Снял я панно недоделанное со станка, выбрал лоскуты, которые потолще, ворсистые такие, чтоб ничего не прощупывалось, чистенько закатал в них камушки, завязал узелки. А завязал на этот раз умно, камушек не в узел, как раньше, а между двух узлов, так, чтоб выковырять легко, не распуская все изделие. Кто не знает, тому ни в жизнь не догадаться, а я сразу увижу — где у меня как бы три узелка подряд, там средний и есть камушек.

И только натянул основу, опять звонок в дверь. С Азамом вроде договорились на вечер, значит, это либо нянька, либо Татьяна сподобилась. На случай, если нянька, поехал открывать в кресле, чтоб сразу составила себе правильное представление. Да и Татьяне не вредно напомнить. Хорошо, что камушки успел закатать.

Да еще как хорошо!

Это из полиции ко мне явился, правда в штатском. Добрались наконец-то.

Все путем, вежливо, удостоверение в дверях показал, хочу, говорит, задать вам несколько вопросов. Ну давай, задавай, я готов, все дни обдумывал. Хотя поджилки, конечно, трясутся.

Как положено обеспокоенному гражданину, спрашиваю, по какому, мол, поводу.

Сейчас, говорит, все выясним по порядку. Имя-фамилию записал, книжечку назад листнул и спрашивает:

— В полицию звонили, жаловались?

Тут я, прямо с самого начала, чуть ошибку не допустил. Чуть было не сказал, нет, мол, с какой стати. Но спохватился вовремя и говорю:

— Вон оно что! Это вы только сейчас отреагировали? Верно, звонить я звонил, но толку никакого.

— Один раз звонили? Когда? — а сам в книжечку смотрит.

— И один-то раз зря. Когда? Давно уже, больше месяца. Сколько мы тут мучений приняли! Как вечер, стереосистема ихняя бум-бум, трах-трах, да песни орут, а после столы-стулья убирают, опять полночи грохот... Вот, а вы явились, когда уж и ресторан закрылся. Так что спасибо, уже не нужно, и без вас стало тихо.

Но трудно надеяться, что теперь уйдет.

Не ушел, конечно, а продолжает:

— И больше не звонили?

— Да что толку-то? Больше не звонил.

— Так, — говорит и в книжечку пишет. — Следовательно, у вас к ресторану отношение было плохое?

— Я, — говорю, — по ресторанам не хожу и отношения к ним не имею.

— Я вас про данный конкретный ресторан спрашиваю.

— Да он закрыт, какое к нему отношение. Дай Бог, чтоб и не открывался.

— А раньше? Когда был открыт? Вы хотели, чтоб он закрылся?

— Я хотел, чтоб было тихо.

— И что для этого делали?

— А что я мог сделать? Их просил да вам звонил, и ничего не помогло.

— А что помогло? Почему он закрылся?

Это он подкапывается узнать, не я ли в полицию сообщил, то есть не видел ли я чего.

И вот тут очень важно соблюсти правильную меру. Я еще из России усвоил, что по своей инициативе с информацией высовываться нечего, даже с самой безопасной. Однако они уже много кого опросили, и разные обстоятельства им известны. Если совсем ничего не расскажу, сразу подозрение. Значит, рассказать надо, но очень, о-очень аккуратно. По большей части строго придерживаться фактов, но при этом все, что сказал Ицик, и что официанточка, и что соседи снизу могли сообщить, все это надо держать в уме и соответственно излагать.

— Почему он закрылся, — говорю, — мне неизвестно, но предположение сделать могу.

Он сразу насторожился:

— Ну?

— А вот, — говорю, — у нас тут на прошлой неделе драка была. Хозяин ресторана с официантом дрался. Может, повредили друг друга, может, в больницу угодили, это уж я не знаю. Где же вы, — говорю, — были раньше? Или только сегодня узнали?

Он на мои претензии ноль внимания и жмет дальше:

— Вы видели, как дрались?

— Видеть, — говорю, — не видел, я дома сидел, а как орали, слышал хорошо.

— А еще что вы слышали? Из-за чего они дрались?

— И про это могу сделать предположение.

— Говорите.

Я подъехал к своему столику, где у меня тряпочки рассортированы, показываю ему:

— Видите мои материалы?

— Вижу, — говорит.

— Вот такие же мне как раз в тот день привезли. Два мешка. Да. Я ковриками занимаюсь. Вот эту работу видите? — говорю и показываю ему недоконченное панно. — Вот на нее тот материал и пошел.

— Да?

Тут у меня опасный, тонкий момент. То есть что Ицик мне мешки принес, а Ицика упоминать не хочу. Но авось проскочим.

— И вот, только я мешки с материалами получил, даже открыть не успел, вваливаются ко мне эти двое, говорят, они из ресторана, и...

— Двое — это хозяин и официант? Вы с ними знакомы?

— Да знать я их не знаю! Говорят, мы из ресторана, мы, говорят, в твоих мешках кое-что спрятали, хотим обратно забрать. И стали в мешках копаться, они вот тут стояли.

— А вы что? Позволили?

— А я инвалид, что я с ними мог сделать? Стали копаться и что-то нашли.

— Нашли?! Что нашли?

— А что, мне не видно было. Хозяин отвернулся от меня, стал находку разглядывать, да как заорет, а красное? красное, говорит, где? И этого второго, рыжего, за грудки. А этот замельтешился, клясться стал, я, говорит, не брал, может, говорит, оно в третьем мешке. А мешков и всего-то было два. Всегда три привозят, а в тот раз почему-то два. Чего-то этот рыжий темнил. Ну, тогда они убрались во двор, третий мешок искать, а потом стали драться.

Он все за мной аккуратно записывает. Я спрашиваю:

— А что они такое там спрятали, вы знаете?

А он мне на здешний манер:

— А вы знаете?

— Знал бы, — говорю, — не спрашивал бы.

— А какое, — говорит, — ваше предположение на этот счет?

— Да какое, только одно и может быть.

— Какое же?

— Да наркотики, что еще. У них ведь это так и называется — белое, черное, зеленое, ну, видно, и красное есть.

Тоже записал, а я предлагаю:

— Может, вы кофе хотите или воды попить?

Он говорит:

— Спасибо, воды, если есть холодная.

Я поехал на кухню, налил воды из холодильника, возвращаюсь, а он тряпочки мои рассматривает, пальцами перебирает.

Господи, второй раз на том же месте! Ну чего, спрашивается, я ему дверь открыл? Как тогда с Кармелой! Мог бы вообще не открывать, будто дома нет или болен. С какой стати я свои заготовки на видном месте разложил? Почему, идиот, так был уверен, что никому в голову не придет! Вот сейчас нащупает, и конец всему. Так и подмывает, чтоб заготовки эти у него выхватить, но вместо этого говорю сердито:

— Нет, — говорю, — вы меня простите, но заготовки мои не трогайте.

90

А он целую горсть заготовок набрал, и именно которые уже с узелками, потряхивает в руке, как взвешивает, и говорит:

— Вот это и есть те лоскуты, которые вам тогда привезли?

— Я их каждую тряпку в лицо не помню. Вы, главное, на место положите, они у меня в определенном порядке лежали.

Ну, на это ему плевать, но бросил заготовки обратно на столик.

— Так вы всю мою работу испортите!

Сердито говорю, а сам от облегчения чуть в обморок не падаю, спасибо, сижу.

— А как, — говорит, — эти, предположим, наркотики в ваши мешки попали? Они просили, что ли, их спрятать?

Одно из двух — или совсем дурак, или это метода такая, дурацкий вопрос задать и смотреть, какая будет реакция. Главное, понять не могу, подозревает он или просто выясняет ситуацию. На это очень толково надо ответить, но тут произошел перерыв.

4

Когда Татьяна мне про няньку из больницы говорила, я себе эту няньку сразу хорошо представил. Навидался я этих больничных нянек в России достаточно. Придет, думаю, бабка лет за пятьдесят, затурканная и злая, с толстым задом и с тощим пучком на голове. Скорее всего, русскоговорящая, да еще, не дай Бог, с высшим образованием какая-нибудь. И потом каждый раз, как вспомню, кто ко мне должен прийти, еще скучнее становилось.

А мне, с одной стороны, с женщинами всю жизнь везло, но с другой — не полностью. То есть жаловаться грех, с учетом обстоятельств норму выполнял, и даже с превышением, но в отношении того, какой конкретно у меня вкус, получалось нечасто. Женщины все по большей части были скорее блондинистые и крупного сложения. Взять ту же Татьяну, да и Кармела, эта, правда, блондинкой не родилась, но прилагает все усилия. Чем-то я именно таких привлекал, а отказываться это не мой стиль. Но если по правде сказать, настоящее мое сексуальное предпочтение это маленькие, черненькие, тоненькие и хорошенькие. И чтоб титечки маленькие, конусом, а волосы желательно чтоб сильно вьющиеся, но не химией. В России я таких нечасто встречал, а здесь их полно, особенно тайманочек, то есть йеменского происхождения, но зуб уже неймет, сплошь всё молоденькие. Которые же постарше, уже их разносит и форма не та.

Татьяна эту мою склонность с самого начала знала и воспринимала как упрек, извинялась даже, что грудь большая, хотя я вслух никогда замечаний не делал, и объективно грудь у нее в полном порядке, другая бы радовалась. И вот, смотрите, кого мне в результате послала.

Посреди моей беседы с полицейским является эта нянька. Лет, правда, не скажу точно, но молоденькая. А главное, точка в точку моя сексуальная мечта, и именно тайманочка. Специально, видимо, Татьяна выбирала, чувствовала свою вину.

Меня, положим, так дешево не купишь, но хорошо, что совесть не совсем потеряла. А плохо то, что молодая-симпатичная долго на такой должности не задержится. У нее же это наверняка не настоящая работа, а так, подработка, небось учится на кого-нибудь. Ну да ведь и Татьяна долго не выдержит, погуляет напоследок перед климаксом и вернется, а тогда и нянька не нужна. А пока и польза, и удовольствие, даже если только посмотреть.

Причем польза от нее получилась сразу, без задержки.

Вошла она, объяснила, кто такая, сказала, что зовут Ирис, а тем временем натянула голубой халат и говорит мне:

— Что, Михаэль, сильные боли? У вас очень измученный вид.

— Есть немного, — говорю сдержанно, а сам зубы сжимаю, проявляю мужество.

— Объясните своему гостю, что вам нужно днем отдохнуть. Идемте, я помогу вам раздеться.

Смотрит на «гостя» выжидательно и прямо берется за ручки кресла, чтобы катить меня в спальню. Я бы, конечно, другой раз такого командирства не потерпел, но тут как нельзя кстати, вопрос его последний, «как наркотики в ваш мешок попали», очень щекотливый, надо объяснить, что мешки стояли у подъезда, и тут он сразу Ицика притянет, а ведь мальчишка видел, что они ничего не нашли. Что-то отвечать придется, но если не сейчас, то лучше. А он говорит:

— Нет, нам нужно еще кое-что выяснить. — И показывает ей свое удостоверение.

Она взглянула и говорит:

— Да, я понимаю. Но больному нельзя переутомляться, вы только на него посмотрите, ему необходим отдых.

А вид у меня, полагаю, вполне бледный.

Он ко мне:

— Так как же, вы можете со мной еще немного побеседовать?

Я зубы по-прежнему мужественно сжимаю, но молчу и всячески показываю, что тут не моя воля, а со стороны профессионального медперсонала.

А Ирис улыбается ему из-под своих кудряшек и говорит мягко, но твердо:

— Мы ведь не хотим, чтобы больной страдал. Я ему сейчас буду процедуру делать, и на отдых. Извините нас.

Он вздохнул, встал и говорит:

— Хорошо, я зайду ближе к вечеру.

А к вечеру Азам должен явиться. И предупредить я его не могу, телефона даже не спросил, дурак. А ведь считал — все предусмотрел, все обдумал. Нет, плохой я оказался игрок в казаки-разбойники, нечего было и браться. Говорю сквозь сжатые зубы:

— Если можно, давайте завтра утром. Этот приступ теперь надолго. Видно, хамсин идет, атмосферное давление меняется, я всегда мучаюсь.

— Ладно, — говорит, — поправляйтесь, я завтра зайду. А это, — говорит и берет в руки недоконченное панно, — я возьму, передам в лабораторию. Пусть посмотрят, что там рядом с этими тряпками лежало. Сейчас я вам расписку дам.

Я рукой машу:

— Да ладно, не надо, все равно вернете в непригодном виде... — лишь бы уж ушел поскорее, а главное, от столика чтоб отошел.

Вынимает два пластиковых пакета, в один кладет панно, а затем захватывает горсть моих заготовок и хочет сунуть во второй. Я так и дернулся весь, но сказать ничего не успел, красоточка моя подходит к нему, спокойно эти заготовки у него из руки вынимает, кладет на стол и говорит:

— Мало того что вы ему одну работу испортите, хотите и вторую испортить? Не стыдно вам? Вы тут в свои игры играетесь, а у больного человека заработок пропадет! Пользуетесь, что у человека трудности с ивритом и за свои права постоять не может.

Он ей негромко говорит:

— Вы, уважаемая, в наши дела не вмешивайтесь. До вашего прихода мы отлично друг друга понимали. — И ко мне: — Так я эти тряпочки тоже беру.

Я тем временем взял себя в руки, хотя страх такой, что в туалет надо, и говорю слабым голосом, но убедительно:

— Зачем они вам? Мне их только позавчера привезли. Новый мешок.

— Почему вы так уверены? — говорит. — Сами сказали, что в лицо каждую не знаете?

— В лицо, — говорю, — не знаю, а качество ткани знаю. В тех мешках ткань была тонкая, трикотаж и шелк, и вся пошла на панно. А эта толстая, ворсистая. Вся из нового мешка, и вам не нужна. А мне для этого заказа эти лоскуты необходимы. Так что уж не трогайте, больше у меня таких нет.

Еще раз пальцем поворошил, пожал плечами и отошел от стола.

Едва я дотерпел, чтоб он убрался, и покатил в туалет.

5

Есть на иврите хорошее слово, по-русски перевести нельзя, называется «пратиют». Это означает, я свою кашу варю, а ты в мой горшок не заглядываешь, что варю, не спрашиваешь. Даже если видишь, что неправильно варю, невкусно будет — с советами не суешься, мой пратиют соблюдаешь А я к тебе не суюсь, соблюдаю твой. Живут люди на земле тесно, впритирку друг к другу, вот и выдумали такую перегородку, чтобы у каждого был хоть какой-нибудь свой отдельный кусочек жизни. Слова «пратиют» я раньше не знал, но всегда старался жить по этому принципу. В России ни слова такого нет, ни того, что оно означает. А здесь слово-то есть, а насчет означает...

Я, пока в туалете сидел, все обдумывал, куда мне теперь камушки спрятать. Получается, что в коврик ненадежно. На себе тоже нельзя — а вдруг обыск? В квартире просто некуда, разве что стенку расковырять и замазать — но тогда доставать долго и неудобно. Все местечки мыслью обежал — диван, шкаф, кровать, столы, стулья, коробки, банки, бутылки, лекарства — нет. Кто умеет, везде найдет.

Придумал все же.

Теперь надо быстро сделать. Выхожу из уборной, в кресло уже садиться не стал. Ириска-тайманочка стоит у моего столика, пальчиками тряпочки перебирает и мне лукаво улыбается. А улыбка у нее, это что-то. Блеск! Причем в прямом смысле. И глазки черные, и зубки белые, и волосики закрученные, все у нее блестит, как лакированное. Улыбается, играет глазками и говорит:

— Ну, как я?

— Ты, — говорю от души, — на все сто процентов! (Тут всё в процентах считают.)

Говорю искренне, очень она мне помогла, но в данный момент хотел бы отделаться. Потому что знаю, что пратиюта мне при ней никакого не будет. Вот уже и она интересуется моими тряпочками. Сейчас начнет расспрашивать, в душу лезть. У них здесь это принято, особенно у восточных, считается, проявление душевного тепла. Ну что за наказание!

А она отошла от столика и говорит серьезно:

— Я сразу заметила, что этот человек тебе неприятен. Я была права?

— Еще бы, — говорю, — кому это приятно.

— Вот и хорошо. А теперь давай познакомимся. Ты как себя на самом деле чувствуешь?

(Если бы по-русски, перешли бы с ней на «ты». На иврите ничего не изменилось, но есть ощущение, что уже перешли.)

— Да так, — говорю, — так себе. Ничего.

— Тогда покажи мне квартиру, где что лежит, скажи, что надо сделать, что купить и вообще.

И ни слова, что за человек был, зачем приходил, почему тряпками интересовался.

— Ирис, — говорю, — у меня сегодня все есть и ничего не нужно.

— А убраться?

— И убираться не нужно, чисто.

— А тебя помыть? — говорит деловито, улыбки ни следа.

Хм. Я бы сам тебя охотно помыл.

Но не сейчас.

— Ну а обед сготовить?

— И обед есть, жена приготовила. Все есть. Только, если можно, мусор вынести.

— Молодец у тебя жена, я твою Татьяну очень уважаю. Только для нее и согласилась на эту работу.

Ну, сейчас-то уж наверняка спросит, что это у нас с Татьяной, какие проблемы, почему нянька вдруг понадобилась.

— Мусор, — говорит, — конечно, вынесу. И что, самой мне тоже выметаться, я так понимаю? — говорит без всякой злости, а наоборот, с улыбкой.

И — нет, ничего не спрашивает! И как все понимает! Говорю ей:

— Ирисочка, девочка, ты мне очень даже нужна, но не сегодня. Если можешь, приходи завтра с утра, поможешь мне с завтраком, и с душем, и вообще. А сегодня ты не обижайся, в доме все есть, и у меня дела.

Смеется:

— Татьяна тоже меня все Ириской зовет. Говорит, у вас там были такие конфеты. А чего мне обижаться? Наоборот, замечательно! Побегу скорее домой к деткам, Эйяль с ними там один.

Какая жалость. И Эйяль есть, и детки. И странно было бы, если б у такой ириски да не было, хотя по нынешним временам все бывает, иная загуляется либо заучится и пропустит свое время, и все, поезд ушел. Но только не эта.

Да и Татьяна хороша. Вкус мой учла, однако так только, перед носом помахать, но без рук. Впрочем, это только укрепляет уверенность, что придерживает меня для себя и вернется.

— А много у тебя деток? — спрашиваю.

— Пока всего двое, но будет больше. Я много хочу, пятерых, шестерых, сколько выйдет! Но ты не беспокойся, я сегодня в ночную смену и к тебе с утра пораньше приду, у Эйяля сейчас отпуск. Ты когда хочешь, в восемь? В девять?

И ни одного лишнего вопроса. Вот это я понимаю, уважение к чужому пратиюту. А может, ей просто неинтересно и все равно.

6

В подносике для льда ровно шестнадцать отделений. Чтоб сделать в морозилке шестнадцать ледяных шариков и бросать для охлаждения напитков, кто любит. Я лично не люблю, и льда мы в холодильнике обычно не держим, но два подносика есть.

Я в один налил вишневого сока наполовину, а второй наполнил водой пополам с лимонной эссенцией, чтобы была правильная видимость фруктового льда, и поставил оба замораживаться. А сам скорее выпутывать камушки из заготовок, однако заготовки не бросаю, аккуратно их снова завязываю, понадобятся. Мне ведь теперь коврик из них неизбежно надо делать, слова свои подтверждать, завтра этот мужик придет, так чтоб видел. А щупать захочет — пусть и щупает сколько угодно.

Спешу изо всех сил — день такой, что и еще кого-нибудь может принести. Но просто не открою дверь. Однако до Азама непременно надо успеть — незачем ему их видеть и знать, где прячу.

А сам перебираю в уме, кто что знает и кого мне бояться. Вон до чего себя довел! Только и думаю, кого бояться и кому что поаккуратнее соврать.

Значит, так.

Хозяин и Коби — этих вычеркиваем, они сами друг друга взаимно списали.

Азам. И скорее всего, Галина. Азама так или иначе нейтрализую, хотя и дорогой ценой, а вот с Галкой придется иметь дело.

Соседи-индийцы снизу. Знают ли что-нибудь, кроме того, что те двое спрашивали про мешки и пошли ко мне? Что видели? Что сказали полиции?

Ицик. Если не упомяну его, так и не спросят ничего, а сам, будем надеяться, теперь никуда не пойдет. Значит, надо как-то так, чтоб не упоминать.

Девочка-официанточка. Опасности не представляет. Но забывать не следует.

Кармела. Либо совсем за психа меня сочла и не захочет дела иметь — это бы еще ладно. Да не слышала ли она чего от соседей? Все-таки скандал был, драка, хотя наверху не так слышно. А если мириться захочет? Непременно пристанет с расспросами. Тщательно обдумать, что ей говорить.

Теперь вот этот детективный полицейский. Ладно, есть время до завтра.

Ну и неизвестная криминогенная публика, которая пока скрывается во тьме. Добраться до меня может двумя путями. Либо через Азама, либо через полицию.

Вон сколько народу, а как я уверен был — никто ничего никогда не узнает. Не узнает! Только знай поворачивайся и все помни.

А Татьяна? Вот тебе и помни. Про Татьяну чуть не забыл! В травмированном состоянии сам все ей выложил, и совершенно, оказалось, зря. Даже впечатления не произвело, пропустила мимо ушей, как незначительную деталь. Положим, полиции к ней незачем обращаться, ее и дома не было. Ну а вдруг на работе, подружке какой-нибудь сболтнет? У нее такой привычки никогда не было, с подружками попусту болтать, но я уж теперь и не знаю, мужа бросать у нее тоже привычки не было. Позвонить на работу, предупредить? Ну, это много чести будет, звонить ей, да она и не на работе сейчас, а дьявол знает где. Но, может, забежит.

Выковырял все камни и держу в горсти. Красивые, конечно, но чтобы уж так из-за них биться? Напоминаю себе, что не в красоте дело, а в стоимости, и сколько за них можно получить всяких радостей и удобств, но все равно не действует. Одна мечта, чтоб все назад прокрутить и ничего чтоб не было, даже пусть ресторан грохочет, а мне у окна сидеть и коврик плести, а Татьяна за спиной в кухне орудует. Но этому, известно, не быть, поэтому иду на кухню и распределяю камушки на замерзший вишневый сок, по две штучки в отделение. И доливаю доверху. Кристаллы среди кристаллов, ничего не видно, а замерзнет, и подавно. А лимонный, пустой, уже замерз, его ставлю сверху.

Надо бы посмотреть, что там она на обед вчера сготовила, хотя аппетита никакого. Обед не завтрак, поэтому заготовку сделала оптовым методом — миска винегрета, кастрюля супа, коробка с фаршированными кабачками, то есть сам разлей, сам подогрей, сам разложи, потом и посуду сам помой. Положим, посуду оставлю Ириске на завтра.

7

Я в детстве просто умирал, как мне самокат хотелось!

Мне даже слово «самокат» казалось волшебным. Я в нем никакого «само-катания» не слышал, это было цельное слово, круглое такое, как бы заграничное, потому что такие недостижимые вещи бывают только за границей. Хотя, конечно, самокат он же и чистый самодел. Даже этот звук, когда самокат катится, до сих пор, как вспомню, сердце замирает. Этот звук тройной: громче всего подшипники по асфальту дребезжат, звонко, дробно, плюс к тому шарканье, это он ногой отталкивается, а на поворотах или если яма дощечки глухо погрохивают, перебивают ритм. Весело! Хотя мне-то весело не бывало, каждый раз приходилось клянчить, у нас во дворе такие сучары жили, намучают, пока дадут прокатиться. У меня даже два больших подшипника было, я у матери папиросы таскал и выменял, только дощечек негде было взять, а главное, сделать было некому, отец от нас рано ушел.

И вот они здесь появились, но это, конечно, не то. Легонькие, гладенькие, чистенькие, металл блестит, колеса из толстого пластика и звука никакого не дают — главный вкус из них вынут, как семечки из здешнего арбуза. Одно слово, коркинет, как их здесь называют. Корки нет и вкуса нет.

Но Ицик ничего лучшего не знает и в полном восторге. Подкатил прямо к дверям квартиры и такой мне запустил звонок, я чуть не уронил кастрюлю с супом. Хотел не открывать, но сообразил, что это, наверно, он.

На пороге один раз оттолкнулся и через весь салон въехал прямо в кухню.

— Михаэль! — кричит. — Михаэль, и всего за двести!

— Да ну, — говорю.

— На рынке! Представляешь себе? Я все магазины обежал, везде триста да двести восемьдесят, и побежал через рынок на Яффо, и вдруг — представляешь? Там дядька из ваших, торгует всякими гребешками, нитками, платочками, все из России, и прямо посередине на веревочке висит — он! Коркинет! И большими буквами — двести!

— Подержанный, что ли?

— Новенький! Он мне в коробке дал, разобранный!

— Ну, молодец, — говорю.

Высыпает на стол горсть денег, все монетами, говорит:

— Сдача. Я ему твои двести отдал, бумажками, а это твое. Здесь шестьдесят семь шекелей, я считал.

Я говорю:

— Ладно уж, держи свои деньги. Мой кредит тебе был ровно двести, на двести и отрабатывать будешь.

Он вместе со своим коркинетом подпрыгнул, развернулся и дал круг по салону. Прикатил обратно, монетки со стола собирает и говорит:

— Хочешь, правду теперь тебе скажу?

— Правду, — говорю, — надо всегда говорить.

Воспитывать его не мое дело, но почему при случае ребенку полезное не внушить.

— Ничего я, Михаэль, не видел и не слышал. Ты велел мешки принести, я и принес два, какие были, и все. А сколько привезли, не знаю. И ничего больше не видел. Я даже в окошко не смотрел.

— Так зачем же ты мне голову морочил? Зачем врал? Врать очень нехорошо, неправильно.

Смотрит исподлобья:

— А тебе как надо, чтоб видел или нет?

Вот дьяволенок! Как мне надо, а? Нет, я его все-таки недооценил.

— Мне, — говорю, — надо так, как было на самом деле. Не видел, ну и нечего было врать. А на коркинет я бы тебе и так дал, если б попросил как следует.

Кивнул и говорит:

— Ну ладно. Если спросят, я скажу, ничего не видел.

— Дурачок ты, — говорю, — кому это надо тебя спрашивать.

8

Налил я себе порционно супу в маленькую кастрюльку, поставил греть.

Да, сильно ее, значит, совесть беспокоила, вон даже суп сварила мне самый мой любимый, фасолевый с копченой грудинкой. Обычно летом такого супа не дождешься, это, говорит, зимний суп, слишком калорийный, от него еще жарче. А я такой разницы не принимаю, зимний суп, летний, главное, что вкусный. Ну и вот, вспомнила и постаралась. Тоже положительный признак.

Интересно все-таки, где она сейчас и что делает. Ей же после ночной смены выспаться надо, неужели так вот прямо с работы пошла к своему «доброму человеку» и легла спать? Даже подумать странно. И что за человека такого выискала? Наверняка небех какой-нибудь, несчастненький, она несчастненьких любит. Ну уж ему супа со свиной грудинкой не сварит. Ха! Гиюр надумала принимать! Кашрут соблюдать! Ладно, пусть только вернется, а с кашрутом мы быстро разберемся.

И настроился есть прямо из кастрюльки, гораздо вкуснее, благо ее нету.

Но говорю же, посетительский день. Только я подцепил мягкий хрящик с симпатичным розовым шматком мяса — звонок в дверь. Э нет, думаю, хватит, даже внимания не обращу. И несу хрящик в рот. Но вдруг Татьяна? Дала свой предупредительный звонок, сейчас отопрет и войдет? Опять звонок, длинный такой, и тут же стук.

Нет, не она. Думал, пересижу, но продолжают звонить и стучать, не сильно, но упорно, а это удовольствие маленькое, так есть. Пошел, глянул в глазок.

Незнакомый мужчина приличного вида. Но что-то мне подсказывает, что опять из полиции. Вон как вдруг зашевелились! Нет, не пущу. Говорят, здесь за это ничего не бывает. И хочу идти обратно, но слышу, на площадке Ицика голос: «Да он всегда дома, вы стучите посильней». Все-таки вредный мальчишка.

Делать нечего, сел в свое кресло, подъехал и открыл. Так и есть, сует мне в нос свое удостоверение.

— Опять? — говорю.

— Что опять?

— Работы, что ли, вам не хватает? Другие ваши дело делают, теракты предотвращают, а вы что? Раз за разом по одному адресу сотрудников своих гоняете.

Удивился, стал спрашивать. Я, естественно, объяснил.

— А как, — говорит, — этот наш сотрудник выглядел?

Я описал. Он тут же телефончик вытащил, стал звонить:

— Карасо? — кричит. — Офра, дай мне Карасо. Срочно. Карасо? Скажи, Карасо, я разве тебя к опросу очевидцев подключал? Нет, ты ответь, подключал или нет? А тогда что ты в четырнадцатом номере делал? А, помочь. А кто просил? Чего суешься, куда не просят? Я за тобой, Карасо, давно наблюдаю. Выслужиться хочешь? Ты, мол, быстрее меня соображаешь и лучше делаешь? Подсидеть меня? Через мою голову повышение получить? Ну, это ты не трать времени!

Карасо там что-то в ответ бормочет, а я слушаю этот разговор и явственно вдруг понимаю, с кем это он говорит. И ужасно мне хочется дать ему понять, что не в ту сторону у него подозрение насчет Карасо. И что он сам мог бы выслужиться перед начальством, если бы этого Карасо разоблачил. Ясно ведь, что Карасо и есть криминогенный «крот», это он из полиции в ресторан предупреждение давал. И выслуживается он не перед полицейским своим начальством, а перед другим, гораздо похуже. А иначе чего бы это он поперед батьки ко мне прибежал? Но я даже намекнуть не могу ни словечком, я же якобы вообще ничего не знаю. Вот досада! А этот идиот все по телефону разоряется, власть свою показывает:

— И чтоб ты у меня к этому делу больше близко не подходил! Своим занимайся! Чего? Не нужен мне твой рапорт, сам разберусь! Всё!

Итак, Карасо больше ко мне не явится. И то слава Богу. А то уж очень у нас с ним неприятный момент был, когда он заинтересовался моими лоскутами.

Ну а этот допрашиватель будет куда полегче. Тот не за совесть, а за страх работал, а этому, видно, его учрежденческие разборки важнее. С этим все проще. Говорю ему:

— Я уже на все вопросы ответил, а сейчас нельзя ли поскорее, я как раз посреди обеда.

Он красный весь, злой. Вынул книжечку, говорит:

— Придется еще раз ответить. Я, может, сегодня вообще пообедать не успел.

И примерно все то же стал спрашивать, только не так дотошно, и на мое выражение лица совсем не смотрит, не то что первый. Видно, все его мысли не со мной, а с этим Карасо. И отлично. Ситуацию в общих чертах я обрисовал так же, как в прошлый раз, но поменьше деталей, на тряпках особо внимание не концентрирую, эмоций никаких не проявляю. Ицика совсем удалось не упоминать. Вообще, по второму разу гораздо глаже получилось и достовернее. И волноваться почти перестал.

А под конец у меня возникла одна небольшая идея. Говорю:

— Может, посодействуете? Он у меня недоконченное панно и кучу моих лоскутов на анализ забрал, так чтоб вернули.

Этот только плечами пожимает и говорит без всякого интереса:

— Что за вздор. Какой тут может быть анализ.

— Не знаю, но он прямо всю кучу, которая из тех тючков, схватил и в пластиковый мешок запихал.

Он насторожился и говорит:

— А вы их разбирали? Рассматривали?

— То-то и оно, — говорю, — что нет. Не успел. У меня другие были, а теперь кончились, и мне те нужны. Скажите там, чтоб вернули поскорей.

— М-м, — говорит, — на анализ! Большой умник!

И в книжечку быстро записал.

Ерунда, конечно, но все-таки на Карасо этого некоторое подозрение. Вдруг хоть маленькая, да польза.

Панно, мне скоро позвонили, забирай, и Ириска принесла, и даже не попорченное.

9

Считается, что музыка — это признак культурного человека. И все наши русские евреи считают себя очень культурными, прямо так и говорят, мы, мол, носители великой культуры. И очень может быть, что культура действительно великая, в конце концов, Россия такая огромная страна. А уж какие у нее носители, это не скажу, из культуры это никак не вытекает.

Ну а здешние, мол, культуры и не нюхали, сплошной Восток, ни театра у них настоящего, про поэзию что и говорить. Насчет поэзии не знаю, но если по принципу музыки, то культура здесь огромная. А я тогда, значит, вообще некультурный, потому что музыку терпеть не могу.

Спасения от нее никакого нет. Такие все музыкальные стали, ни минутки без музычки прожить не могут. По радио только настроишься какую-нибудь интересную передачу послушать, только начнешь понимать, о чем речь, бах — «кцат мусика», немного музыки. Вставят какой-ни-

104

будь драный кусок, без конца без начала, и радуйся. Тут пусть хоть что, хоть судьбы государства обсуждаются, хоть убитых-раненых перечисляют, настал момент — немного музыки, и хоть ты тресни. Вроде как для дефективных, которые больше двух минут ни на чем сосредоточиться не могут, обязательно нужно развлечение. А может, все и впрямь стали дефективные благодаря достижениям прогресса? Или такая жизнь стала веселая, все всё время пляшут и поют, как в лагерях?

Раз включил я радио, слышу, славную такую песенку передают. Нежный девичий голосок, вкрадчивый, немножко с хрипотцой, как тут говорят, «секси». Я нечаянно и сам разнежился, прислушался к словам — реклама средства от запора и газов. Господи, да от одного этого такой запор схватит, и газов-то никаких не выпустишь! Еще про геморрой и трещины в заднем проходе, тоже сладко поют. Поют-разливаются! А то номера телефонов начнут распевать. И что интересно, я мелодии ихние против воли все наизусть знаю, а номера телефонов — ни одного, слава Богу, не усвоил.

Но радио, телевизор, это ладно. Доводят они меня своей музыкой до белого каления, но хоть выключить можно. Ресторан меня мучил — затих. Но разве дадут человеку соскучиться, на минуту без музыки оставят? Чтобы у человека ничего в ушах не трендело? Что вы, как можно!

Я сегодня все занят был и внимания не обращал, хотя с самого утра что-то голову сверлило, а когда остался один и поел, потянуло меня немного отдохнуть. Прилег слегка, вот тут-то и услышал как следует. Где-то совсем близко флейта свиристит, тоненько, но въедливо, и сразу волной целый оркестр. И свиристит и свиристит, придавил голову подушкой, все равно проходит насквозь и все мозги проедает. Об заснуть говорить нечего, но даже обдумать ничего не дает.

Встал, выглянул в окно — никого не вижу. Но понял, откуда идет, — у нас прямо за углом дома три остановки разных автобусов, там народу всегда много ходит, вот там, видно, и пристроился этот музыкант, причем наверняка из наших. Музыкантов из Российской империи сюда привалило — видимо-невидимо, даже больше, чем врачей и художников, как же, самая нужная профессия.

Меня, между прочим, в этой связи давно интересовал вот какой вопрос.

В Израиле, говорят, шесть с чем-то миллионов человек. Ну, миллиона, кажется, полтора арабов — этих отбросим. Младенцев и детей дошкольного и школьного возраста тоже наверняка с миллион наберется. Стариков, больных, инвалидов, идиотов уж наверняка не меньше миллиона, из одной России, говорят, тысяч двести доставили. Затем армия, авиация, флот, полиция, пограничная охрана, разведорганы и секретные службы. Вместе с обслугой тоже небось не меньше миллиона. Потом весь бюрократический состав, министерства, кнесеты всякие, управления, комиссии, комитеты и проч. Уж наверное, с полмиллиона будет. Прибавить врачей и всех медицинских работников, учителей, адвокатов, банковских служащих, радио-телевидение, кино, театр, писателей-поэтов, вообще искусство, музыкантов, конечно, не забыть. Плюс все работники торговли, магазины, торговые центры, лавочки, базары, кафе и рестораны. Еще охрана, которая стоит у каждого входа и копается в сумках против террористов. Сколько этих всех, я уж и не знаю, но, по-моему, мы общее число населения давно превысили. Да, религиозных чуть не забыл, которые по ешивам над Торой сидят. И я еще безработных не считал, их тоже с четверть миллиона наберется. И все эти люди что-нибудь да получают, но производить ничего вещественного не производят.

А кто же производит? Ну, положим, кибуцы, но их, говорят, всего два, не то три процента населения. А вот на хайтек, про который столько шуму, или, скажем, на производство искусственных цветов просто уже людей не остается. А ведь этих цветов по стране огромная масса, куда ни глянь, в любом учреждении, например куда я в поликлинику хожу, они прямо длинными рядами везде стоят и висят. И их машинами не склеишь, тут порядочно людей руками должны возиться, а где эти люди? Есть, правда, иностранные рабочие, но они больше на стройке или со стариками сидят.

Вывод делаю такой, что правительство скрывает настоящее количество населения, вероятно, из стратегических соображений, и на самом деле евреев тут как минимум вдвое больше.

И значительная часть из них музыканты.

10

Лежать под музыку больше не стал, а вскипятил воды и побросал туда весь свой вишневый лед. Необходимости больше нет, поскольку полиция уже побывала, и даже дважды, а в коврик заплести по-прежнему считаю надежнее всего. И даже лучше придумал, чем коврик, гораздо меньше работы.

Сходил в спальню и вынул из комода наш с Татьяной свадебный фотопортрет. Он у нас все время висел на стенке, но после ее ухода я сразу снял, чтоб глаза не мозолил. Так-то я его давно уж не замечал совсем, висит и висит, как предмет обстановки, но тогда от сильных нервов вдруг заметил и бросил в комод. А сейчас посмотрел и сам себе удивился — и где у меня глаза были? чего это я тогда так на Светке Шикиной зациклился, когда у меня была такая красотка? Рядом столько лет прожил, и портрет каждый день видел, и не отдавал отчет, что жена у меня просто красавица! Не сейчас, конечно, а тогда, хотя кто знает, может, и сейчас ничего, давно ведь не пригляды-вался. Жить с ней жил, и очень даже нормально жил, был доволен, но по-настоящему не порадовался и не погор-дился, какая у меня жена. Не говоря уж, чтоб ей хоть ра-зок сказать, что является крупным недосмотром с моей стороны. Ну, да это не убежит, пусть только вернется.

Камушки вынул, сполоснул, завернул в тряпку, чтоб подсохли. Заготовки у меня кое-какие оставались, наде-лал еще сколько-то, как раз эти серовато-голубенькие лоскуты и пригодились, в сочетании с черным получится ничего. Стал камушки закатывать, это в который уже раз? А в ушах зудит и зудит эта флейта со своим оркестром, и даже красивая музыка, но у него там попурри штук всего из пяти-шести, и я эту красивую музыку сегодня раз, на-верно, двадцать уже слышал.

Взял я наш портрет, обмерил сантиметром, и стал плести ему рамку, такую с бахромой, макраме называется. Бахрома вниз свисает, и у каждой бахромки на конце декоративный узел. А в узле — понятно что. Симпатично получается, вот Татьяна обрадуется, когда увидит! Повешу на стенку прямо против двери, чтобы сразу, как войдет, обратила внимание.

Плету, тороплюсь, до прихода Азама обязательно закончу. Узора никакого особенно не придумываю, так, заплел косичками, попеременно черными и голубыми, и концы вниз спускаю. Втянулся, даже от музыки на время раздражаться перестал. Вроде даже как подпевать слегка начал, не по своей воле, а просто мотивчик в голове крутится непрерывно, так само получается.

Потом чувствую, не попадаю в такт, нескладно как-то, а почему — сперва не понял. Прислушался — и вдруг как задребезжало в ушах с новой силой! Да уж не флейта симфоническая, а вроде как электробалалайка, и тоже с магнитофоном, с целым оркестром народных инструментов. Это, значит, пока я тут задумался, там произошла смена караула!! Такое траляля пошло, мелодии все самые употребительные, «Калинка», да «Катюша», да «Очи черные» и прочие старые советские мелодии, да так наяривает, даже стекла позванивать стали. И что прикажете делать? Едва от ресторана отделался, теперь это!

Нет, думаю, нельзя допускать, а то пригреют место, прикипят, не сковырнешь. Полиция, известное дело, не поможет, да и не хочу я теперь внимания привлекать, значит, надо самому. Вот только докончу рамку, немного осталось, и спущусь вниз. Должны проявить понимание, все-таки инвалид.

Ну и проявили, полной мерой.

11

Кому в этой стране хорошо, так это нищим. У нашего народа для нищенства самая удобная идеология.

Мне один знакомый рассказывал, остановился он как-то в своей машине на перекрестке, а там между машинами нищий скакал, обирал дань с водителей. Ну и он машинально дал какой-то грошик. А пока давал, в него въехали сзади, и всю задницу всмятку. И въехал-то религиозный товарищ, в черном лапсердаке. Не спорил, вину свою признал, извинялся, дал свой адрес и номер телефона, и все оказалось вранье. В результате мой знакомый заплатил кучу денег за ремонт. Это он за свой грошик расплачивался. И при случае рассказал эту историю какому-то раввину, пожаловался, как ему этот грошик милосердный в копеечку влетел, да еще от религиозного, да еще и соврал. Зачем же, говорит, я буду милостыню подавать, если от этого такие неприятности.

А раввин ему на это такое объяснение выдал, что даже поверить захотелось, до того красиво. Почем, говорит, ты знаешь, может, минуты твоей жизни неправедной были уже сосчитаны, и ангел смерти у тебя за спиной стоял (то есть сзади на машине ехал), а увидел твое доброе дело и притормозил в последний момент, хотя и не до конца. А что соврал, так какой же это ангел тебе свой номер телефона даст.

Так что подавать милостыню — это заслуга перед Всевышним, и не важно сколько и кому, главное, почаще, чтоб этих заслуг побольше набралось при окончательном расчете. И почему ты подаешь, от жалости ли, по доброте ли, хочешь ли помочь или просто суешь, чтоб отделаться, — это тоже не важно. Господь, видно, надеялся, что если евреи будут регулярно упражняться в добрых поступках, то у них от долгой практики и добрые чувства появятся. Но пока еще, видимо, тренировались недостаточно.

Короче, нищим у нас хорошо. Занятие добродетельное, помогает народу заслуживать заслуги, и одновременно прибыльное. Я имею в виду не бедных людей, этим везде плохо, а профессионалов, которые всякими способами выклянчивают деньги у публики. Один просто сидит и руку тянет, а другой молитву читает, желает тебе здоровья или поздравляет с праздником, если есть. У нас около дома тоже один стоит, ногу вывернет, шею согнет, руку выставит, крепкий малый, часами так может. Потом ходит в наш подъезд добычу считать, и после него всегда остается на подоконнике кучка монеток по пять агорот.

В общем, всякие есть. Кто куклу какую-нибудь на веревочке дергает, кто физиономию мелом намажет и стоит неподвижно на стуле, а больше всего, конечно, музыкантов. Не то чтобы профессиональные нищие, но и им подают охотно.

12

Фотографию напротив двери все же раздумал вешать. Дочь придет, сразу обратит внимание, скажет что-нибудь, скорее всего не в мою пользу, вообще, затрагивать тему с Татьяной сегодня не намерен. Повесил в спальне на прежнее место, и с новенькой рамкой, конечно, гораздо лучше.

Дело уже к вечеру, думал, устанет мой балалаечник, но концерт в полном разгаре.

Нет, нельзя, надо идти, ковать железо, пока горячо. Жаль, не могу в кресле к этому музыканту подъехать, гораздо убедительнее. Взял костыль, хотя с ним по лестнице неудобно, но внешний признак необходим.

Балалаечник, как я и думал, стоит прямо напротив остановки, рядом тележка, с какой народ на базар ходит, на тележке магнитофон, но ковровой тряпкой прикрыт, а спереди на асфальте картонная коробка. И людей мимо проходит масса, и чуть ли не каждый третий что-нибудь в коробку бросает. Скорей всего, медяки, но при таком количестве народу и за столько времени все равно набирается сумма.

Короче, чувствую, не так просто будет мне с этим балалаечником. Но насколько непросто, даже не догадываюсь.

Подошел поближе, хочу дождаться, пока номер кончится. А они у него без перерыва один в другой переливаются, вблизи послушать, так вообще всё одно и то же балалаит. В какой-то момент он нагнулся, стал деньги из коробки выгребать, ссыпает в карман. Я успел разглядеть, у него там не только медяки, но и пятерки, и даже десятки, а большинство отдельные шекели. Говорю ему вежливо:

— Здравствуйте, можно вас на минутку оторвать?

Выпрямился, смотрит, но молчит.

— Я, — говорю, и посильней на костыль опираюсь, — здесь в соседнем доме живу, а сам я очень нездоровый человек.

— Ну и что? — говорит и берется опять за свою балалайку.

— И я все время нахожусь дома, и мне ваш шум очень мешает. И все соседи жалуются.

— Какой еще шум? — говорит и начинает побрякивать.

— Вот этот, — говорю.

Забренчал вовсю, и оркестр в полную силу вступил. Приходится голос напрягать. Показываю ему на соседнее здание, где большой магазин.

— Вон за тем домом тоже хорошее место, народу много ходит, и никто не живет, пожалуйста, — говорю, — перейдите туда.

Бренчит и говорит что-то неразборчивое. Я к нему еще поближе приклонился, спрашиваю:

— Что? Я вас прошу перейти вон за тот...

— Вали на... — говорит.

— Ах, — говорю, — ты так? Сейчас вызову полицию. Если через десять минут будешь еще тут торчать, звоню в полицию. Собирай манатки.

И решительно указываю на его тележку, хотя уже сомневаюсь, что подействует. Указываю, и нечаянно чуть-чуть ткнул. Совсем немножко, только дотронулся, но он, не переставая играть, махнул ногой и незаметно ударил снизу по моему костылю. А у меня и так равновесие неважное, и я грохнулся.

Грохнулся набок, счастье, что не на спину, а то бы мне конец. Лежу, боли еще не чувствую, проверяю только сразу, чувствую ли руки-ноги. Вроде чувствую. И тут крик:

— Аба! Аба!

Папа то есть. Люди подошли, кто-то говорит: «скорую помощь» надо, а еще кто-то: видно, споткнулся, он с костылем, и Галка ко мне наклоняется, папа, папа, что с тобой. И тут же Азам, подхватывает меня под мышки и хочет поднять. Я говорю:

— Не споткнулся, а меня этот ударил.

Но тут у меня по всему бедру такая боль пошла, кричу Азаму:

— Оставь, оставь меня, не трогай!

Он отпустил меня, и я сел на тротуар, а он меня под спину поддерживает.

— Кто тебя ударил? — спрашивает.

А я голову в таком сидячем положении поднять не могу и только локтем указываю в сторону балалаечника.

— Папа, — говорит Галка, — ты в порядке? Как ты упал?

— Кто, кто тебя ударил? — это Азам.

— Давайте, — говорю, — наклонитесь оба, я за вас подержусь и встану.

Боль сильнейшая, но обнял обоих за шею и встал кое-как.

— Сейчас «скорую» вызову, — говорит Галина.

— Нет, — говорю, — вроде не надо. Ведите меня домой.

На ногу наступить практически не могу, но с костылем и с их помощью потащился обратно к нашему подъезду.

А балалаечника, конечно, и след простыл. Может, побоится теперь на это место возвращаться?

Этот, может, и побоится, а симфоническая флейта наверняка опять придет.

13

Мы, евреи, вообще народ очень балованный, нежный, а израильтяне в частности. Особенно которые здесь родились. У них одно из самых любимых выражений — это «каше». Тяжело, значит. Чуть что, какая трудность, сразу «ой, каше, каше». Все прямо хором: солдатам на службе — каше, школьникам учиться — каше, матерям детей растить — каше, начальству страной руководить — ну, это уж совсем каше. Иной наберет в банке кредитов, надо расходы сокращать, гамбургеров кушать поменьше, детей в луна-парк водить пореже, новые наряды к свадьбе троюродной племянницы купить не на что, ах, ноет, банк-кровопийца, очень каше ему. Конечно, кому по-настоящему тяжко, те больше помалкивают, а остальным каше-е!

Вообще-то, по правде сказать, в нашей стране жить действительно кашевато. Но это совсем другое «каше», оно, говорят, исторически так развилось, и разницу мне как следует объяснить не под силу, хотя чувствую.

В больнице я этого каше наслушался вдоволь, и совершенно, по-моему, напрасно. И то им плохо, и это не так, а мне так очень понравилось, и в первый раз, и в этот.

То есть больному всегда плохо, но я про другое. Вот не леживали они в нашей Пятой Градской и не знают, какие бывают больницы. Не знают, например, что такое сходить в уборную, когда на этаже восемь палат, а в палате по десять человек и на весь этаж один туалет на три очка. И три очка эти засраны до того, что ногу негде поставить и свое сложить уже некуда, потому что трубы засорились и вода не спускается, а слесарь бухой раньше утра не проспится. Это если больной ходячий. А если лежачий, как я был, так вообще. Стонешь, нянечка, нянечка, судно, а нянечка полуживая тебе злобно — вы что, срать сюда пришли? опять тебе судно? прям судный день!

А в здешней больнице по этой части просто душой отдыхаешь.

Да, в больницу я все-таки загремел.

Притащили они меня домой, устроили на кровати, и вроде бы ничего. Ушиб, думаю, сильный, надо отлежаться. Азам обложил меня подушками, Галина грелку налила. От грелки, правда, только хуже, но так мне вдруг приятно стало, что она за мной ухаживает. Неужели же только из-за камушков? Говорю ей ласково:

— Галочка, давай грелку к пяткам, пусть кровь оттягивает, а на ушиб лучше бы льду.

Послушно принесла в полотенце, улыбается:

— Вот тебе лед, немного, зато зелененький!

Это она мне мои лимонные шарики несет! Какое счастье, что вишневых уже нет. Вот так капканы на каждом шагу, до сих пор ухитрялся обходить, а какие еще впереди?

Стали они меня раздевать, и тут уже началась полная нестерпимость. От малейшего движения кричу, до бедра дотронуться нельзя, вся нога горит огнем. Лег на бок, закусил подушку, только не прикасайтесь, говорю. Галка сказала:

— Сразу надо было «скорую» звать, дура я, тебя послушалась.

Пока ждали машину, Азам все же штаны нежно с меня снял. Так аккуратно, даже не пошевелил. И зеленый лед на бедро положил, а там уже распухло и потемнело. Короче, диагноз я себе поставил быстро — перелом шейки бедра. Мне, конечно, такой стариковский перелом не по возрасту, но кости-то стеклянные...

Лежу и думаю, вот меня сейчас увезут, операцию, наверно, будут делать, значит, отсутствовать из дому буду долго, и говорю Галине:

— Сними вон фотографию, дай мне.

Тихо. Я выражения ее лица не вижу, уткнулся в подушку и обернуться не могу. Но уж наверное, ничего хорошего.

Потом чувствую, подсовывает мне прямо под руку.

— Красиво, — говорит, — ты сделал. Жаль только, поздно.

— Молчи, — говорю.

— А чего молчи? Профуфукал жену, а теперь молчи.

— Раньше, — говорю, — молчала? Знала ведь, но нет чтоб отцу намек дать? Ну и теперь молчи.

Тут пришли санитары.

Галка со мной в машине поехала, и Азам увязался. Сперва помогал санитарам меня нести, а потом сел рядом с шофером. Они, наверно, и не подумали, что он араб, может, даже за сына приняли.

Галка увидела, что я фото с собой взял, и руку протянула:

— Давай в твою сумку положу.

Но я не дал, прижимаю обеими руками к груди.

Она не настаивала, покачала головой.

— А ты, — говорит, — папаня, сентиментальный стал на старости лет!

14

Диагноз я себе поставил правильный. Только обнаружили не сразу.

На рентгене, сказали, ничего не видно, кроме характерных изменений от моей болезни. Этот врач, что меня осматривал, Джордж по имени, сказал, просто сильный ушиб, полежишь день-два, компресс вот с мазью сделаешь, и пройдет. Так что, прибавил, ты нам тут очень-то не изображай, и собрался выписывать меня домой.

Не изображай!

Обидно до невозможности, и боль ужасная, и подумать даже страшно, чтоб домой идти. Лежу в приемном покое, никто мной не занимается, вокруг меня всякие кровавые повреждения лежат, в одном месте суетятся, оживляют сердечный случай, и я с моим ушибом никакого интереса не представляю. Лекарства от боли не дали, до рентгена сказали, нельзя, а после рентгена, видно, просто забыли.

Галка с Азамом ушли выписку оформлять, все меня бросили, даже стакана воды некому подать, правда, ужин принесли, поставили рядом на столик, но что толку, я шевельнуться не могу, про есть и говорить нечего. Да еще занавеску вокруг меня задернули, и я как в камере-одиночке. И всякое управление своей жизнью сразу потерял. Лежу, корчусь от боли, и так мне себя жалко стало, что начал стонать. До этого крепился, думал, вот сейчас помогут, а тут не выдержал. Сперва тихонько, да так жалостно вышло, что от этого себя еще жальче стало, и я просто в голос заплакал. И уж сам не знаю, от боли я плачу, или от обиды, или что Татьяна ушла, или еще от чего. И больница как раз Татьянина, но ее тут сейчас нет, она где-то в чужом доме на чужой постели отсыпается. А что еще она на этой постели делает, я и вообще думать не хочу, а теперь тем более.

Не помню, когда я в жизни последний раз плакал. Портрет в рамке к груди прижал, глаза закрыл и подвываю.

Слышу, отдергивают занавеску, и ласковый такой голосок говорит:

— Что ты, милый, плачешь? Плохо тебе?

Открыл глаза, а это Ириска! В халатике, в шапочке, и несколько мешков с инфузией в руках. Смотрит на меня, но совершенно не узнает, я ведь скрюченный лежу и больничной простынкой накрыт. Обрадовался я ужасно, и тут же стыд взял перед ней в таком виде, замолчал немедленно. И голову с трудом, но чуть-чуть приподнял.

— Ой, — она говорит, — Михаэль! Ты что здесь делаешь?

Я ей все объяснил, и что хотят выписывать.

— Да ты что, — говорит, — с такими болями!

Повернулась и убежала.

Боль уже не концентрированная, как в начале, а просто всю правую сторону рвет тупыми щипцами, и нога занемела, тяжелая стала, как бревно. Пытаюсь ступней, пальцами пошевелить и сам не знаю, шевелю или нет.

Скоро подошли Галина с Азамом, и бумага уже в руках. Азам начал было на меня штаны тихонько натягивать, и опять мне сдержаться не удалось, крикнул. Он бросил на полдороге, стоит и смотрит на меня с жалостью. Галина тоже постояла, посмотрела, сказала:

— Нет, так невозможно! — И ушла ругаться.

Я лежу, плакать уж не плачу, но такое тихое гудение в груди делаю, от этого кажется легче. Азам взял меня за руку, пальцы мне гладит и говорит:

— Сейчас, сейчас, уж она добьется.

Но добилась не она. Опять занавеску отдернули, и является моя Ирисочка с небольшим таким худеньким человечком в зеленом халате. Хирург, значит.

Он подходит ко мне, улыбается и говорит:

— Это ты тут поёшь?

Простынку откинул, штаны мои полунадетые одним легким рывком сдернул, боль острая, но очень короткая, лучше, чем постепенно. Я рукой бедро свое потрогал, там все горячее, твердое, и кожа натянулась, как на барабане.

— Да не показывай, — говорит, — вижу.

И взял меня за колено. Я закричал. Он колено мне к животу прижал, и сразу стало полегче.

— Так, — говорит. — Тебя кто осматривал?

— Доктор Джордж, — бормочу, — с усами.

— Кусс-эммак, — говорит.

Надо же, врач, и при больном матом ругается. А он вынул свой телефончик и коротко туда наговорил.

Ну, пришел этот Джордж, по дороге турнул из моего бокса Азама, что-то ему по-ихнему сказал и выгнал. Врачи стали между собой говорить, я только и разобрал «анкилозинг спондилайтис», это моя болезнь так называется.

Опять разное со мной стали делать, палочкой по подошвам царапали, ногти прижимали, в глаза фонариком заглядывали, то есть проверяли рефлексы и не повредился ли позвоночник. И я вижу, что маленький врач на Джорджа то и дело брови подымает, мол, что ж это ты. А тот показывает снимки и только мотает усами, остаюсь, мол, при своем мнении. Под конец маленький говорит усатому вроде как «умирай!». Усатый стал было возражать. Умирай, говорит маленький настойчиво, умирай! Знаю, что не может быть, но мне стало все равно, я уже успокоился. Понял, что этот маленький меня не бросит и до дела доведет.

15

В больнице ничего не происходит сразу, всего надо ждать и ждать. Чего именно жду, тоже не знаю, больному подробностей не сообщают.

Пока ждал, в туалет понадобилось, а встать никак, и судно не подложить, дикая боль. Если бы не Ириска и Азам, не знаю, что бы и было.

То есть знаю, что было бы. Там и пластик на кровати специальный подстелен, и персонал у них привычный. Пришли бы в конце концов и убрали бы без разговоров, меня бы подмыли, чистую пижаму бы надели и простынку поменяли.

Вот этот момент в жизни каждого больного и есть самый решающий. А может, и вообще в жизни каждого человека. То есть туалетный вопрос. Пока тебе другие только еду подают, или мыться, или другая какая помощь, это все ничего, даже приятно. В этом смысле Татьяна идеальный человек, так умеет все сделать, не замечаешь даже, что сам бы не смог. Просто как бы забота о человеке, а заботу даже здоровые любят, хотя им и не надо.

Ну а вот если опорожниться без посторонней помощи не можешь, тут уже совсем иная ситуация. Тут уже из человеческой категории переходишь совсем в другую, на иврите называется «сеуди», и другого имени тебе нет. «Сеуди» он и есть «сеуди», к нему и отношение другое, и сам он себя уже не так ценит. Странно, да? Такое ведь простое дело, подумаешь, поссать-посрать, а вот не можешь сам — и все, прежнего человека больше нет.

Я и в этом смысле вполне на Татьяну полагался, не сейчас, конечно, а в отношении отдаленного будущего. Когда моложе был и неизвестно было, как разовьется моя болезнь, врачи предупреждали, что до этого может дойти, хотя теперь ясно, что развитие замедлилось, если бы только не балалаечник проклятый. А Татьяна и с этим может справиться без нанесения психологической травмы, потому что в ней жалости много. То есть было много, а теперь уже не для меня.

А в больнице и без того, как только ты туда попал, с тобой уже как с полноценной личностью не разговаривают. Я и раньше замечал, тебя уже не за человека считают, а типа ребенка или недоразвитого. Но в прошлый раз я посамостоятельней был, хоть и страдал, а все главное сам за собой мог. А в этот раз вон как, да еще при Ириске.

16

Тем временем уже к полночи пошло.

И все это время я не расставался с нашим свадебным фото. Штаны-то у меня были сняты, а рубаха сперва оставалась, и я его на груди под рубахой держал, и на рентгене, и в приемном покое, и никто не обращал внимания. А тут повезли меня опять в другое помещение, перевалили с одной каталки на другую и стали раздевать. Галину с Азамом туда не пустили, а Ириска со мной пришла и помогала тамошней сестре. Рубаху сняли, а там портрет. Сестра хочет его забрать, но я не даю. Она говорит, нельзя, а я ей, кому он мешает? Сестра говорит, сюда никаких посторонних предметов нельзя. А я ей, это не посторонний предмет, а самый для меня важный. Она разозлилась и говорит, тогда не будем «умирай» делать, и отошла.

Опять этот «умирай»! А что там в этом помещении находится, я не вижу, потому что лежу боком на каталке и оглянуться не могу. Спрашиваю Ириску:

— Что за «умирай» такой? Что хотят делать?

Смеется:

— Эм-Ар-Ай! Не бойся, это не больно. Вроде рентгена, только гораздо лучше. Что на рентгене не нашли, здесь найдут. А ты не капризничай, будь хорошим мальчиком, — вот она, больница! разве дома она так со мной разговаривала? — это очень дорогостоящее исследование, и доктор Сегев с большим трудом протолкнул тебя без очереди. Дай подержу портрет, сейчас врач придет, быстренько сделаем, и отдам тебе обратно.

Ловко у меня выхватила и кричит сестре:

— Больной готов!

А сама смотрит на фотографию и говорит:

— Ой, какие вы здесь красивые! И ты совсем прямой! А коса у Татьяны, какая коса! Это когда же вы снимались?

— На свадьбе, — говорю, — ты, главное, не потеряй! И не уходи никуда!

— Что ты, я здесь, не бойся, — опять говорит, как маленькому, решила, что я этого эмарая испугался. Но я, понятное дело, совсем другого боюсь.

Подошла сестра, говорит ласковым ихним больничным голосом:

— Ну, и зачем упрямился? Вот теперь молодец, — и накрывает меня обратно узорчатой простынкой, а весь узор состоит в основном из названия больницы.

Кричит куда-то:

— Доктор! Я ввожу больного в аппарат! — и надевает мне на голову толстые наушники.

Чего ввожу? Куда ввожу? Зачем наушники?!

Пошевелиться, спросить не успел, уже меня стали задвигать. От одной беспомощности этой спятить можно.

119

Живой же человек, хоть и пациент! Я же только недавно хозяин своей жизни был! Решения принимал! У меня события происходили, да еще какие! Ничего не сказали, не объяснили, взяли и стали задвигать куда-то.

И задвинули. Затолкали в узкую такую длинную нору и в ногах последнее отверстие закрыли. Лежу, темнота полнейшая, что вокруг меня — понятия не имею, чувствую только, над самой головой что-то и по бокам тоже пространства нет, но потрогать не решаюсь — вдруг там провода какие-нибудь или еще что. И что будут со мной делать? Темно, душно, и оттого, что уши заткнуты, еще теснее кажется. Дикое такое ощущение, не страх даже, а вот как будто сейчас мозги помутятся и начну орать и все кругом крушить.

Уже все тело для этого изготовилось, все мышцы напряглись, но от этого сразу болевой удар, и паника ликвидировалась.

Говорю себе, спокойно, Миша, подумай головой. Тут и до тебя были люди, и не покрушили, аппарат стоит. Опасности никакой быть не может, значит, возьми себя в руки. Если это как рентген, то, наверно, уже что-то происходит, просто я не чувствую. Правда, рентген — это секунда, и все, а я тут уже минут пять нахожусь. Может, они уже все сделали и забыли меня вынуть? С них станется. Или еще не начинали? Только бы Ириска не вздумала уйти с моим портретом.

Жаль, водички попить не попросил перед процедурой...

И вдруг как загрохочет!

17

Вытащили меня минут через сорок. Сорок минут этой пытки! Уж на что в последние полгода меня шумом изводили, но разве сравнить.

Без всякого предупреждения, прямо у меня под самым ухом загрохотал отбойный молоток. И не один, а штук двадцать сразу. Я дернулся от неожиданности, боль по всему телу как электричеством ударила. Хотел ухо отвернуть в другую сторону — и там то же самое, даже сильнее. И сверху, и снизу, и с боков, отовсюду. Грохочут неровными очередями, а позади них как будто маховик огромный ворочается и бухает не в ритм. А поверх всего как бы визг, такой высокий, то ли его слышишь, то ли нет, но ухо чувствует и просто разрывается, а в глазах мелькают белые зигзаги.

Сперва я кричать начал, выньте меня отсюда, прекратите, ничего не надо, домой пойду! Но немного притерпелся и думаю, они и так нас за детей неразумных держат, не дам я им этого удовольствия, надо мной посмеяться. Покажу, какие из России мужики бывают.

А потом и совсем без волнения стал переносить. Оно себе грохочет и даже словно бы заглушает боль, а я себе лежу и свое думаю. С одной стороны, беспокоюсь, найдут ли перелом и будут ли делать операцию, а если будут, то как сойдет. С другой стороны, опять себя ругаю. Что-то часто я самокритику стал наводить, к чему бы это?

Врачишка этот зелененький мне сразу очень понравился. Молодец Ириска, знала, кого привести, вызывает доверие. Как он усатого Джорджа распушил! И полностью на своем настоял, хотел эмарай делать, и вот делают, а сам половина его размера. К такому не страшно и под нож лечь. Между прочим, этот Джордж явно араб. И имя такое, они там все любят себя Джорджами называть, а сам небось обыкновенный Махмуд. Говорили, они врачи хорошие, но этот вон чуть меня домой не отправил. Я думаю, его держат, просто чтоб не получилась дискриминация. Мы ведь такой народ.

А ругаю, что взял с собой портрет. Паникнул сгоряча, побоялся дома оставлять надолго. Воображал, что все время при себе буду держать, но это же больница, я уже забыл, тебя тут с места на место перебрасывают, то оденут, то разденут, то мыться, то процедуры, а еще если операция, то вообще.

И чего, спрашивается, я так забеспокоился? Была ведь идея полностью развязаться с этим делом и отдать камни им, Азаму с Галкой. Музыкант, что ли, мне мозги так перебалалаил? А теперь от грохота они на место встали? Ну и отдам. Вот сейчас выберусь из этой пещеры, возьму обратно у Ириски и, как увижу Галину, сразу отдам. Больше того. Выну фото, ей отдам только рамку, пусть вставит для близиру какую-нибудь картинку. А портрет положу в сумку, как Галка предлагала, и никуда он не денется. Пусть будет при мне.

18

Вытащили меня оттуда, подошел тамошний врач, глянул мне в лицо, сказал «все в порядке», а что в порядке — мне, как положено, не сказали и стали обратно на другую каталку переваливать, чтоб везти не знаю куда. До чего они ловко навострились! Меня вон уже сколько раз валяли, и ничего, боль терпимая. Но я вцепился в халат этой сестры и не даюсь.

— Где, — говорю, — Ирис?

Она мне:

— Пусти, мы тебя и без Ирис аккуратно переложим.

— Без Ирис, — говорю, — не поеду. Где она?

— Ушла в свое отделение. Да ты не волнуйся, она тебя еще навестит.

— А где мои вещи?

Она показывает мне мою рубаху со штанами, в ногах у меня лежат.

— А остальное? Где моя фотография?

— Ах да, — говорит, — она велела тебе передать.

И шарит у меня в ногах. Потом говорит санитару, который должен меня везти:

— Моти, ты куда ее положил?

— Кого?

— Фотографию, Ирис из хирургии алеф оставила.

— А, — говорит Моти и улыбается, — лохматенькая такая фотка! А я ее ему на каталку в ноги положил.

— Здесь нету.

Моти подумал-подумал и говорит:

— Ты сказала, положи на каталку в ноги, я и положил.

— На эту каталку?

Моти опять подумал:

— Вроде на эту. Их тут две было, вторую Шуки забрал.

122

Ну, так и есть. И где теперь искать?!

Тут прибегает мой зелененький врачишка и издали еще кричит здешнему врачу:

— Ну, что мой спондилайтис?

А тот ему:

— Погоди, обработаю показания. Определенно могу сказать одно, спондилайтис ярко выраженный, а перелома что-то не нахожу.

— Ну, давай обрабатывай, должен быть! — И ко мне: — Видишь, ты какой, никто не может найти. Что делать будем?

Весело так говорит, а мне не до веселья. И перелома не найдут, и фото пропало, а с ним и остальное.

— Что делать будете, — говорю мрачно, — это вам решать. Домой, что ли, пошлете?

— А ты, — говорит, — домой хочешь?

— Надо, так и пойду. Только фотографию мою найдите.

— Надо? — и смеется. — Кому это надо, чтоб ты дома от гангрены скончался? Или просто от болевого шока? Мне не надо. Будем искать.

И хочет бежать дальше, но остановился и спрашивает:

— Какую фотографию?

Сестра ему объяснила.

— Ого! — говорит. — Свадебная фотография. Ты, значит, к нам собрался всерьез и надолго!

— Как мог, так и собрался, — отвечаю. Очень уж мне скверно было. И снимок, между прочим, жалко, у меня другого нет.

Он ко мне опять поближе подошел и говорит, не смеется уже:

— Ты не сердись, случай твой действительно серьезный. Мы потому и перелом не можем отыскать, что в суставах сильные изменения, затемняют картину. Но найдем, не беспокойся. И ногу починим, я знаю, как тебе ноги нужны. И фотография твоя отыщется, куда ей деваться. Вот сестра поищет, верно?

По голове меня потрепал и убежал. И хоть вижу я, что не очень-то эта сестра станет искать, но ободрил он меня не передать как. За симулянта считаться удобно, когда не очень страдаешь, а когда на самом деле такая боль, то сильно угнетает. А он серьезность признал, и у меня сразу повысилось настроение. Как будто он мне что-то ценное дал. Смешно человек устроен, очень ему хочется из общей массы выделиться, хоть чем-нибудь, хоть серьезной болезнью. Тем более в больнице.

Теперь только фотку найти, действительно, куда ей деваться.

19

В любой большой больнице главное место — это коридоры, а в этой особенно. И возят тебя, и возят, с этажа на этаж, направо, налево и кругом, из одного коридора в другой, как только не запутаются. А ты лежишь, только стены мимо несутся.

С этими стенками не соскучишься, все сплошь увешаны картинами, прямо тебе музей. То есть репродукции, но качество высокое, совсем как настоящие. Я их еще в прошлый раз подробно изучил, в основном художники по имени Шагал и Миро, хотя есть и другие. На каждом этаже Шагал—Миро, Миро—Шагал, но они оба много картин нарисовали, поэтому разнообразие все же есть.

Насчет Шагала трудно сказать, что такое, все как-то не по жизни, косо да криво и много всего без порядка навалено. То ли он рисовать не умел, то ли не совсем в себе был, а говорят, знаменитый. Зато Миро мне очень нравится, и я даже думаю панно сделать по какой-нибудь его картине. Работа отчетливая и цвета чистые, и понимать ничего не надо, просто красивое человек рисовал.

Пока Моти вез меня по этим коридорам, я с ним договорился, что он сразу пойдет искать Шуки с его каталкой. Оказался наш человек, и тоже Михаил, как я, но его для отличия перекрестили в Моти, потому что у них там среди низшего медперсонала очень уж много Миш.

В общем, закатил он меня обратно в приемный покой. Значит, я все еще по-прежнему здесь на птичьих правах. А совсем поздно уже, и травмированных стало прибывать гораздо меньше, но свет горит вовсю, как раньше. Так, видно, и придется здесь ночевать.

Подходят Галина с Азамом и, слышу, между собой спорят. Вернее, Галка на чем-то настаивает, а Азам мягким своим голосом ее убеждает:

— Пусть пока спокойно полежит.

А она:

— Да пусть себе лежит спокойно, но зачем чтоб время зря проходило.

Он опять:

— Нет, не надо его сейчас беспокоить.

— Какое ему беспокойство? Смешной ты человек, Азам. Сами все сделаем, а он выздоровеет и как раз на готовенькое придет.

Моти-санитар мне шепчет:

— Это твоя дочка?

— Ну да, — говорю и поторапливаю его, чтобы скорей шел искать.

— Во даешь! А парень этот сй кто?

Я как бы не слышу, от боли мучаюсь.

— Он что, араб?

Я постанывать начал и прошу его, чтобы шел скорее и по дороге сказал там, кому надо, чтоб укольчик сделали. А он на Галину мою уставился и никак не может уйти. Я ему говорю тихо:

— Найдешь портрет, познакомлю. Беги, ищи скорей.

Не идет. Говорю:

— Стольник дам. Беги.

Ушел наконец.

Галина наклоняется ко мне и говорит:

— Утром обещали перевести тебя в палату. А пока мы с Азамом с тобой посидим. И братишка утром придет. Ты кушать будешь? — поднимает поштучно с подноса и показывает мне манную кашу подсохшую в голубой мисочке, половинку зеленого перца, плавленый сырок в обертке и баночку йогурта.

— Не буду, — говорю. — Я бы чаю выпил и таблетку какую-нибудь посильнее. Еще лучше, укол. Не могу больше терпеть.

Азам пошел за чаем, а она оправила мне постель, носки надела, а то ноги занемели и мерзнут, несмотря на теплую погоду. Я все лежу, как мне доктор Сегев показал, на боку и прижимаю колено к животу, но уже мало помогает. Она подперла мне подушкой больное бедро, волосы рукой пригладила. И присела на кровать рядом.

Присела, и чувствую, собирается с мыслями заговорить со мной о деле.

— Папа, — говорит, и по тону слышу, что не ошибся.

Я ее сразу перебил:

— Матери сообщила?

— Я раньше звонила, никого не было. Видно, гулять ушли. А теперь уже поздно.

— Гулять? Когда это твоя мать гулять ходила?

— А вот теперь ходит.

— Ну, предположим. На отвечалку наговорила?

— Знаешь, неудобно как-то, она ведь там не одна. И чего ее посреди ночи дергать. Утром сообщу.

— Неудобно! Отец в тяжелом состоянии, а ей неудобно! Она тебе этого не простит.

— Авось простит.

— Ну, так я не прощу.

— Ладно, папа, — говорит решительно. — Я понимаю, тебе больно, и ты говоришь сам не знаешь что. Сейчас тебе сделают укол, будешь спать. Но сначала...

Тут подошел Азам, несет кружку с чаем. Только глянул на нее, на меня, одной рукой поставил кружку на тумбочку у меня под носом, а другой обнял сзади Галку за плечи и поднимает с моей кровати.

Она ему:

— Ты чего, чего? — и упирается.

— Пойдем, — говорит, — покурим.

Поднял и увел.

Может, он и не такая мягкая глина, как мне сначала показалось? Запросто с Галиной моей справился и не дал ей заговорить о деле. Но, надо сказать, досадно смотреть, как они в эти три дня близко сошлись, хотя и красиво.

20

Вот все утверждают, как трудно бросить курить. Мучаются, мол, на стенки лезут, испытывают отрицательные физические явления и душевное беспокойство. А по-моему, это просто избалованность и недостаток силы воли.

Я всегда говорю: если не можешь бросить курить в любой момент, нечего было и начинать. Взять хоть меня: я курю с двенадцати лет, и всегда твердо знал, захочу — и брошу, без всякого напряжения. Да я и бросал сколько раз, и всегда успешно. Ну конечно, поначалу неприятно, не хватает чего-то, рука все время сама шарит — я в такие периоды сигареты не выбрасываю, а, наоборот, кладу на видное место вместе с зажигалкой, но не трогаю.

Некоторые начинают спасаться едой и прибавляют в весе, но я и других-то толстых не люблю, а себе и подавно не позволю. Сам я употребляю для этого семечки, руки и рот заняты, а калорий в организм поступает не так много.

Надо сказать, что Татьяна всегда неважно переносила эти периоды, дня через три-четыре начинала: Мишенька, может, закуришь, закури, Мишенька. Сама не курит, но дыма ей моего не хватало, что ли? Сперва отмахиваешься, но пройдет еще пара дней, язык от семечек распухает, а там и сам вижу, что цель достигнута, курить я бросил, то есть и ежу ясно, что могу бросить в любой момент, по желанию. И одна-две сигареты уже не составляют разницы, а тут баба пристает. Можно себе позволить, потому что совесть чиста.

И такое удовольствие затянуться первый раз! Хотя голова слегка кружится, но это быстро проходит. Не то чтобы снова начать курить, нет, а просто иногда, для развлечения. Под рюмочку там или просто под разговор. Ну, и постепенно втягиваешься, конечно, но при этом всегда знаешь из практики, что бросить тебе ничего не стоит.

А то, видишь ли, «не могу», да «тяжело», да «привычка». Нельзя быть рабом своей привычки.

К тому же мне один врач говорил, еще в России, что полностью бросать мне и не следует. То есть, конечно, лучше бы не надо, но, говорит, ты от этого удовольствие получаешь? А как же, говорю. Ну и кури, говорит, в твоем положении удовольствие первое дело. И много ли их у тебя, этих удовольствий.

Можно подумать, что у него их так много.

И вот теперь, как Галина с Азамом пошли покурить, мне тоже ужасно захотелось. Мне и все время хотелось, особенно когда лежал один и плакал, что выпишут. Дали бы покурить, так наверняка и плакать бы не стал. Но теперь в больнице, говорят, совсем нельзя, не знаю, где и они-то курят. Как же я теперь в таком состоянии буду столько времени находиться без курева? Тоска меня опять взяла. Да не может быть, думаю, наверняка есть уголок, как вернутся, попрошу, чтоб меня свозили.

От тоски стал было пить чай, но вкус противный и неудобно на боку, разлил. Пришла сестра с уколом, увидела и укорила меня для порядка, но убирать не стала, воткнула мне иглу в задницу и ушла.

Галка с Азамом вернулись, стал было я их просить насчет покурить, но язык уже едва ворочается. Спрашиваю Галину:

— Вы там в коридоре Моти не видели, санитара, который меня привез?

— Нет, — говорит — а что?

— Мне его надо, — бормочу, а сам глаз не могу открыть.

— Ничего тебе не надо, — говорит, накрыла меня простыней и занавеску вокруг меня задернула.

21

Я человек думающий. Делать только не люблю, это меня раздражает, а думать всегда любил. Я и книгу люблю почитать, если интересная, только интересную трудно найти, хорошие иногда бывают, а интересных мало. Но думать все-таки больше люблю, потому что собственные мысли как-то ближе к телу.

И вот в больнице, где делать все равно ничего не надо, я много времени посвящал мыслям. Причем не только по двум основным темам, к которым у меня личный интерес, то есть камни и Татьяна, но и в общем разрезе жизни. До конца продумать ничего не удалось, потому что в больнице никакого пратиюта нет, все время хождение, шум и разговоры, но все же.

Например, такой вопрос. Откуда я сюда приехал, там в прежней жизни положение в стране было всегда хорошее. И по газетам, и по телевидению раньше видно было, что за исключением отдельных недостатков, иногда и крупных, все остальное цвело и развивалось. Это потом там произошел беспредел, но я давно уехал и теперь уже плохо разбираюсь. А раньше был порядок и движение к прогрессу. Но в то же время отдельным людям, как метко шутила народная мудрость, все время не хватало отдельной колбасы.

А здесь положение в стране ужасное. То есть по радио и телевидению здесь вообще кроме крупных недостатков ничего нет. Правда, еще и мелкие имеются. Порядка никакого нет и в помине, хотя раньше, говорят, был, но поверить трудно. И это не принимая во внимание тот факт, что вообще в любой момент арабы могут нас затопить и сбросить в море. Как, например, сейчас. Теракт за терактом.

Но при этом колбасы завались. Я это, конечно, просто для примера говорю «колбаса», потому что всего завались, даже слишком. Говорят, были времена, когда и здесь якобы голодали — ну, это они зря, о голоде настоящем они понятия не имеют, поели бы они свекольного пирога со ржаными обсевками, мы там в колхозе, когда ездили на уборку, то пробовали, но есть никто не мог. А деревенские ели, и не когда-нибудь в войну, а при Брежневе уже. Да, но все же и здесь, в этой стране, было когда-то скудно, и колбасы не было — и это как раз в те времена, когда у них, по их словам, был порядок.

Почему это так, либо порядок, либо колбаса, почему нельзя, чтоб вместе?

Я так понимаю, что это вопрос правильного идеологического режима. А идеологический режим здесь мне не вполне ясный. Откуда я приехал, там раньше и идеология, и режим были простые и понятные. Сказано было — строим коммунизм, ну и строили, это и ежу понятно. Что из этого получалось, это уже другой вопрос. Теперь они при своем беспределе неизвестно чего строят, но тоже наверное что-нибудь.

А здесь, я так понимаю, строят сионизм. Сейчас, правда, это слово вышло из моды, но нового пока не придумали. Много лет строили и по инерции продолжают. И, надо сказать, в смысле колбасы очень многого добились, хотя общепринятая колбаса здесь невкусная в связи с кашерностью, лично я признаю только некашерную из русского магазина. Но настоящего успеха не добились и добиться не могут по одной простой причине (арабский фактор я пока отбрасываю, для удобства рассуждения).

А именно из-за изма. Я не так хорошо разбираюсь, но, кажется, со всеми измами всегда накладка получалась. Правда, капитализм вот вроде успешно развивается кое-где, но капиталисты хитрые, они свой режим никогда измом и не называют, а называют свободное предпринимательство или рыночная экономика. Или еще проще, демократия.

(Этими всеми размышлениями я уже в палате занимался, на покое, когда уже знал, что меня скоро будут оперировать. Меня к обезболиванию подключили, и стал я спокойный-спокойный, и мысли пошли сплошняком.)

Вот и здесь тоже вместо сионизма часто говорят демократия. Вроде как это одно и то же, только без изма. Насчет демократии я раньше свободно понимал, например, в соцстранах была народная демократия, то есть строили такой же изм, как и у нас. Но здесь демократия другая, не народная, а еврейская, и понять труднее.

Вся демократия тут делится на две половины, левую и правую.

Я еще со школы помню, что левые это прогрессивные, которые борются за интересы трудящихся. Но здесь это которые борются за интересы арабов. И борются, как видно, плохо, потому что арабы совсем им не благодарны и недовольны результатами, а вон что творят. А за интересы трудящихся борются, наоборот, правые, но левые почему-то против и называют это «популизм». Это когда трудящимся обламывается, например перед выборами.

130

(Занятно, как у меня мысли одна в другую легко перетекают... очень удачно думается, и без всякого напряжения с моей стороны...)

Так где я остановился? Да, что обламывается... Например — подарки. Для меня раньше слово «подарок» относилось к Новому году или там ко дню рождения, вообще, к праздничному случаю. То есть что-то приятное и довольно редкое. А теперь слышать я этого слова не могу. Мы тут просто объелись подарками, из ушей лезут. В любой рекламе так и говорится: «море подарков». То есть купи что-нибудь, а тебе, лапочке, за это подарок. Застрахуйся — тебе подарок. Счет в банке открой — подарок. Просто утопаем в море подарков.

А еще есть полуподарки. То есть купи что-нибудь по дорогой цене, а потом приплати совсем немного, и сунут еще какое-нибудь говнецо.

Да нужен мне твой подарок как свинье апельсин, ты лучше бы цену спустил, чем подарок мне хреновый за мои же деньги пихать.

Тем более апельсины я теперь совсем разлюбил. Вообще цитрусовые перестал есть. Хотя они здесь неплохие, и дешево...

(Как это я до апельсинов доехал? Уже не помню, с чего начал, но это и не важно...)

А вот яблоки плохие. Деревянистые, хотя израильтяне только такие и любят, поскольку других не нюхали... Они и помидоры признают только самые каменные, а если он мягкий и сочный, то уже не берут...

Или, например, клубника. Ее тут до того усовершенствовали, такой твердой шкурой обрастили, да с колючками, что хоть месяц пролежит, для экспорта хорошо. А для еды не очень. Прочность она приобрела и размеры соответственные, а вкус и запах потеряла. Ну, запах ей как-то вернули, очень сладко пахнет, но это обман зрения. Помоешь ее, и нету запаха...

Что касается запаха, то в больнице здесь даже больницей не пахнет, потому что очень чисто, все время ходят уборщики и щетками по полу возят...

И ходят, и ходят... и возят, и возят...

Это я перед операцией так размечтался, совсем меня от вливания развезло.

Врачишка мой зелененький разыскал-таки у меня перелом, и разыскал-то просто на рентгене. Сам меня туда с утра пораньше отвез, сам долго укладывал то так, то этак, предупредил, больно будет, но ты уж терпи. Я и терпел, потому что вижу, что по делу. Рентгентехник даже ворчать начал, столько он меня крутил и вертел. Ну и наконец несет снимок, а сам весь сияет. Любуется на него, показывает мне и говорит радостно:

— Вот он, красавец, где затаился!

Я, конечно, ничего не разглядел, но верю, что перелом у меня красавец, даже приятно.

— Готовься, — говорит, — не ешь ничего, скоро буду тебя резать. И не волнуйся, все будет хорошо.

А мне чего волноваться? Я и сам знаю, что будет хорошо. Полностью ему доверяю.

Пришел за мной вчерашний Моти, повез. Я, конечно, сразу спросил про портрет. Порядок, говорит, я знаю, где он. Сейчас моя смена кончится, пойду и принесу. Готовь, говорит, стольник.

Я боялся, что он меня закатит обратно в приемный покой, но нет, приехали в отделение, и, значит, я теперь здесь законный пациент.

Подвез меня к стойке дежурной сестры, а она улыбается:

— Ты вон еще не прибыл, а у тебя уже гости!

Я так и крикнул:

— Ирис! — уверен был, что это она, и очень обрадовался.

Въехали в палату, и вижу, что не она. Около пустой кровати стоит Кармела и смотрит на нас.

— Какая еще Ирис? — говорит.

— Кармела! А ты как сюда попала?

Стали они меня на кровать переваливать, Кармела с мускулами своими тоже сунулась помогать, и так больно мне сделала, что я криком закричал.

— Не надо, — кричу, — не надо, Кармела, уйди!

Она аж руки отдернула, отскочила в сторонку.

Улегся я кое-как, колено к животу подтянул, Моти с сестрой ушли, а она все ахает, говорит что-то, но я, пока боль не унялась, плохо слушал. Что-то насчет того, как она испугалась, когда меня не нашла (у нее есть запасной ключ от нашей квартиры), да что соседи сказали, да как обзванивала больницы. А сама гладит меня по щеке тихонько, пугливо так. И это мне хотя и не больно, но приятности особой тоже нет, совсем у меня к ней чувство пропало.

— Ладно, — говорю, — Кармела, спасибо за беспокойство, не катастрофа. Перелом шейки бедра, это сейчас запросто чинят. И врач у меня хороший.

— А боли сильные? — спрашивает.

— Да уж неслабые, — говорю, — но теперь недолго терпеть.

— А где Татьяна?

— Татьяна сейчас придет, — говорю, хотя вовсе в этом не уверен. — А меня скоро оперировать будут, так что ты ступай.

Она гладить меня перестала, но не уходит.

— Тебе же на работу пора? — говорю. — А я в порядке, мне ничего не надо.

Не уходит, сидит. Пугливость ласковая сразу с нее слетела, улыбаться начала, а руку в свою сумку запустила.

— Ты чего? — спрашиваю.

Сидит, улыбается, пошевеливает в сумке рукой.

— Так тебе, — говорит, — ничего не надо? — и включает свой обычный громкий смех.

Что за черт, думаю, с какой стати так развеселилась. Больница все-таки. Хоть бы уж уходила поскорей, ведь и впрямь надеюсь, что Татьяна придет, совсем мне Кармела в данный момент не нужна.

Хохочет и руку из сумки вытащила, держит кулаком.

— А это, — говорит, — тебе тоже не надо?

Разжала кулак и тут же опять зажала. А в кулаке мелькнула красная искра.

Сперва ничего не понял, одна досада, надо же, вот разыгралась кобылка, да еще у постели больного.

И вдруг сердце так и ухнуло.

Неужели он?

Как, каким образом? Не может быть. Но вот же, факт, сам видел.

И сразу мозги закрутились, что ей говорить.

А она кулак откроет — и закроет, откроет — и закроет. Он, он!

Красный мой фонарик прекрасный, знаменитый Красный Адамант! Чистый и блестящий, словно и не побывал в системе канализации.

Я руку протянул — она отдернула. И заливается своим несдержанным хохотом, даже больные на соседних кроватях зашевелились, там их еще двое.

— Тише ты, — говорю. — Дай сюда!

Она кулак открыла, но руку в сторону отвела, мне не достать. Давится своим хихиканьем и бормочет:

— И ради этого... ради этой побрякушки... ты в говне копался! Коврик раздирал!

— Дай, — говорю, — дай сюда!

Она камушком у меня перед глазами поигрывает, но не дает и говорит:

— А ты мне за это что? Я сантехнику знаешь сколько заплатила!

Сантехнику! Сантехника вызывала! Хочу сказать ей, мол, заплачу, сколько хочешь, но вместо этого делаю улыбку и говорю:

— А я тебя за это поцелую.

— Ишь ты, какой щедрый, — говорит. — Нужны мне твои поцелуи.

— Ну, что другое, что тебе нужно. За мной не пропадет.

— Ладно, — говорит — насчет чего другого посмотрим. Только потому и отдаю, что ты раненый лежишь, а то бы ты у меня поплясал. На. Это что, стекло или пластик такой тяжелый?

Я взял, разглядывать при ней не стал, положил под подушку.

— Бриллиант, — говорю.

— А, ну тогда понятно, — смеется. — Тогда конечно. Что же ты плохо искал-то свой бриллиант? У меня там в туалете такая пробка была, давно, видно, копилась, а вчера весь коридор залило. Покопался бы поглубже и нашел бы.

Вон как все просто оказалось. Действительно, я тогда преждевременно отступился. Но кто же знал про ее пробку! Я уверен был, что прямо в трубу ушло. И она не давала, силой вытащила меня из туалета.

— Нет, правда, чем тебе эта стекляшка так дорога? — спрашивает.

— Говорю же, бриллиант.

— Нет, серьезно. И зачем она в коврике оказалась?

— А это уж мой секрет. Тебе все знать надо?

— Надо не надо, а скажи. Скажи, а то...

— А то — что?

— А то, что обратно отниму.

Я руку под подушку сунул, камушек зажал, но вижу, что смех смехом, а ведь отнимет у беспомощного запросто, и начинаю ей плести:

— Это мой... — хотел сказать «амулет», но не знаю слова и сказал по-здешнему, — моя камея.

Они здесь камеями этими очень увлекаются, особенно восточные, но только «камея» у них совсем не то, что у нас, не головка, вырезанная на колечке, а бумажка со словами, или ниточка, или какой-нибудь мелкий предмет на шею вешать, над которым большой раввин пошептал, и они это держат на счастье, или от болезни, или для исполнения желания, и очень в это верят, прямо как дикие африканские племена, короче, именно что амулет.

Она так и встрепенулась.

— Камея? — говорит. — От кого? Кто благословлял?

— Ты не знаешь, — говорю, — еще в России.

— Вон у вас какие в России камеи... Значит, у вас там и раввины есть?

— В России все есть.

— Наверное, не настоящие все же, — говорит. — А от чего она помогает, твоя камея? И в коврик ты ее заплел, с

135

какой целью, а? — и хихикает игриво. — Говори, от чего она помогает! От сглаза, что ли?

— Да, от сглаза...

— Или... — опять хихикает, — приворотная?

Что я в этих камеях понимаю? Ляпнул сдуру:

— Ну да, и приворотная.

Сообразил, что зря, но поздно.

Улыбается, хотя уже и не так весело, и спрашивает:

— И кого же ты хотел приворожить?

Тут бы в самый раз сказать — тебя, но никак невозможно, не сходится, почему отнять хотел. А выдумывать сил уже нет.

— Ты, — говорю, — просто ошибочно взяла чужой коврик.

— Чужой? — Улыбка у нее стала совсем кривая. — Для кого же ты этот коврик делал?

— Была такая просьба, коврик на подушку.

— На подушку? Чья же это просьба была?

Устал я от этой мороки невозможно, изворачиваться все время, и бедро от всех пертурбаций мозжит со страшной силой.

— Ну, не все ли тебе равно... — говорю, — Кармела, ты меня прости, я очень устал.

Но ее разве остановишь?

— Это, — говорит, — от женщины была просьба. А ты камею туда засадил. Чтоб поближе к голове. У тебя, значит, еще женщина есть? Ирис какая-то?

Очень мне хотелось отвязаться, и говорю шуткой:

— При чем тут Ирис? Ясно, что есть женщина. Это всем известно.

— А! — говорит и как будто обрадовалась. — Татьяна то есть? Это она просила коврик?

— Ну да, — говорю.

— И ты решил ее покрепче приворожить? Так я и знала! Значит, правильно я догадывалась! С первого же раза почувствовала, что у вас с ней не в порядке. То-то ты на меня так тогда накинулся. И теперь вон тоже — ты в больнице, а ее при тебе нет.

Я уж не стал ей напоминать, кто на кого накинулся. А тут как раз пришли меня к капельнице подключать и переодевать в халат с разрезом сзади, она меня в лобик поцеловала и ушла.

Уфф! Слава Тебе Господи, развязался. Сказала, забежит после работы, но теперь легче. Все разъяснено, никаких недоразумений, никаких подозрений. Правда, обиделась.

А глупая все-таки баба. Все внимание на постель да на любовь, а серьезное, что у нее под самым носом — и в руках держала и даже с мылом мыла, но не увидела. На мое счастье.

Жаль только, Татьяну приплел. Словно я за этот камушек свою Татьяну чужой бабе продал. Хотя какую там свою, она сама меня чужому мужику продала, и вообще ни за что.

Но как приятно камушек мой красненький в руке держать! Я руку под подушку засунул, держу его, поглаживаю, и то ли и вправду сила в нем какая-то есть, то ли под действием лекарства, но успокоился я быстро, как бы даже забыл всю актуальность, и мысли потекли совсем посторонние, несущественные и легкие, вот как я раньше описывал.

24

Да. Расквасило меня неслабо.

Словно я вообще не я стал. То есть в полном сознании, но как бы отделился и смотрю на себя снаружи. И боль тоже — чувствую, что у меня болит, и сильно, а мне все равно, как будто бы и не у меня. И я эту боль снаружи рассматриваю и констатирую, как она красным пульсом бьется и трассирующими пулями по всему правому боку вниз и вверх стреляет, а мне хоть бы что.

Сын пришел, я его едва-едва рукой сообразил поприветствовать. Вижу, вот мой сын Алексей, и говорит что-то, ну хорошо, а отвечать даже в голову не приходит.

Это еще в палате.

А когда на столе очутился и мне прямо в спинной столб вогнали большой укол, так и вовсе от меня половина осталась. Верхняя есть, хотя и слабо за нее держусь, а нижней как не бывало. Просто, как будто ниже пояса у меня пустое место.

Лежу, врачишка мой с ассистентом где-то там далеко-далеко в этом пустом месте ковыряется, пилит, долбит и все время что-то объясняет и велит мне в телевизор смотреть, чтобы я знал, что он делает. А я в телевизоре ничего разглядеть не могу, но мне и неохота за этим наблюдать, а охота продолжать свои мысли, и он меня своими приказами только отвлекает.

...Вот говорят, у каждого человека есть свое «я», и, пока он жив, оно всегда при нем находится. Я так понимаю, что это «я» и есть его душа. Но считается, «я» — это нехорошо, ячество раньше называлось, а проще сказать, эгоизм. И с этим своим «я» высовываться нечего, нужно его подавлять, отказываться от него в пользу других, в школе, помнится, училка всегда твердила, Чериковер, не забывай, «я» — последняя буква в алфавите. И еще присказка была: «я равняется свинья». Это что же, значит, душа моя — свинья? душу свою подавлять надо? От души отказываться? Это даже ни по какой религии так не получается.

Но вот что интересно, что это там на столе лежало под влиянием лекарств? Разве я помнил, что я это я? Ничуть не похоже на меня. Постороннее какое-то тело, да и то всего половина, а я отдельно...

Я иногда удивляюсь, как это получилось, что я — это я. Не то чтобы я какой-нибудь уж очень особенный, но есть коренная разница между мной и всеми другими людьми. Потому что во всем мире я один-единственный меня изнутри чувствую. Именно я смотрю на себя и на весь свет изнутри, а все остальные и все остальное находится снаружи. Словно я в клетке сижу, а все прочее на воле гуляет.

А тут под влиянием химии мое «я» пошло гулять свободно, зато другие в своих клетках сидят и на меня изнутри смотрят... И выходит, что все это «я» исключительно зависит от химии.

...И вовсе они на меня не смотрят, а на телевизор и заняты своим делом, а я своим...

Другие, ясно, так же про себя считают, что они это они, но про меня чувствую только я один. И вот, как же это, что из всех миллионов-миллионов людей, которые из меня могли получиться, из меня получился именно я? Почему я родился именно в форме меня, а не кого-нибудь другого, когда выбор такой огромный. Говорят — игра случая. Но это с каждым так, и, значит, все люди — игра случая. И вообще всё. Примириться с этим трудно, и на этот предмет и появился Бог. То ли его человек просто выдумал себе для утешения, а то ли и в самом деле «игра случая» это он и есть?

— Ты спишь, что ли? — мой доктор Сегев говорит. — Не спи, а разговаривай, что чувствуешь.

И сразу мое «я» обратно в мои полтела влетело. Так мне стало досадно!

— Ничего не чувствую, — говорю и жду, чтобы отстал. — Все нормально.

Вот жалость, больше никак не получается. Отделиться больше не могу. Видно, химия начала уже потихоньку ослабевать. А он мне:

— Тогда смотри, сейчас самое главное будем делать.

25

Эти хирурги ужасные похабники. Люди по большей части проходят операции под общим усыплением и не знают, как хирурги в бессознательном состоянии над ними измываются. Он еще в самом начале что ассистенту сказал? Вообще-то, говорит, я больше сзади люблю в них входить, удовольствия больше, но тут придется спереди, его на живот не положишь.

А теперь говорит мне:

— Видишь, у тебя головка сустава чуть не напрочь отскочила. Если тебя не прооперировать, то и само со временем срастется, но ходить уж вряд ли будешь. А я сделаю, что ты у меня завтра встанешь.

Завтра! Ладно, надо же человеку похвастаться. А он дальше.

— Вот, — говорит, — я тебе вот этот штырь титановый вставляю, сейчас шурупами затяну, и порядок. — И прибавляет: — Пока на столе, давай, что еще починить? Может, в него тоже штырь вставить?

И догадываюсь, что он на мой колокольчик там внизу показывает.

— Смотри, — говорит, — какой он у тебя скукоженный лежит.

Скукожишься тут!

— А я, — говорит, — вставлю титановый штырь, и будешь ты постоянно в боевой готовности.

Да серьезно так говорит, а сам что-то делает. Шутит, конечно, но мне даже в шутку страшно вспомнить, как я пацаном постоянно в боевой готовности ходил!

— Ладно, — говорю, — доктор, затягивайте быстрей свои шурупы, а то я уже что-то чувствовать начинаю.

— Врешь, — говорит, — ничего ты не чувствуешь.

И чем-то где-то там по мне постукал. Я звук услышал, а чувствовать действительно ничего не чувствую.

— Это я, — говорит, — уже по нему стучу. Видишь, какой твердый стал?

Инструменты бросил, зашивать оставил ассистенту.

Снимает перчатки, и слышу, он ногой раз, другой по полу шаркнул, что-то маленькое гоняет, потом поднял и говорит ассистенту:

— Это до каких пор в стерильном помещении будет валяться всякая дрянь?

Ассистент глянул и говорит:

— Наверно, Таделы дочка уронила, уборщицы нашей эфиопской, она часто девчонку с собой на работу приводит.

Я все это равнодушно слушаю, от дури стал уже немного отходить, и даже подташнивать начало. Лежу носом кверху, внизу и по бокам ничего не вижу. Сегев говорит злобно, совсем не похоже на моего веселого врачишку:

— Скажи ей, никаких детей в операционной! Этого только не хватало.

И бросает что-то на поднос с кровавыми операционными отходами. Об металл звонко стукнуло.

И как стукнуло, мне сразу в башку ударило. Я ведь как лежал в палате с бессознательно зажатым кулаком, так и в операционную поехал. А в кулаке он, мой Красненький.

И все время так держал, кулак даже судорогой свело, я и не чувствовал. Но разжимаю — пусто!

— Доктор, — кричу и пытаюсь поднять голову, — доктор, что вы там нашли?

— Да ерунда, — говорит, — не беспокойся. Инфекции испугался? Не бойся, от тебя далеко. Стекляшка на полу валялась, бусина детская.

— Красная, блестящая?

— Красная, — отвечает, — блестящая.

Видно, в какой-то момент я все-таки разжал на секунду и не заметил.

— Это мое, — кричу, — отдайте мне!

— Да ты что? — говорит встревоженно. — Что с тобой, Михаэль? Тебе плохо? Все уже, конец, успокойся.

И на монитор смотрит. И говорит второму что-то про повышенную сердечную деятельность.

— Деятельность в порядке! — кричу. — Выньте и дайте мне! Это я уронил! Это мой... мой талисман!

Засмеялся и говорит:

— А, вон что? Так ты, значит, нам не доверяешь? Талисманом запасся? Доктор, расшивай его обратно!

Однако покопался, не побрезговал. Бусину не вижу, но вижу, что вынул, жидкостью какой-то полил и запихнул в резиновую стерильную перчатку. Перчатку завязал узлом и положил мне в руку .

— Держи, — говорит. — Пусть тебе твой талисман помогает выздоравливать.

А мне вообще показалось, что я уже выздоровел.

26

Но дудки.

Как в послеоперационную привезли, тут и затошнило сильней, и низ отмораживаться стал. А с ним и боль начала тихонечко просыпаться. Сперва нежная такая, слабая, терпеть можно, и я больше на тошноте сосредоточился.

Лежу в одиночестве, в послеоперационной тихо и пусто.

И вдруг через нее один врач пробежал, второй, на меня даже не глянули. За ними сестра бежит, хотел попросить что-нибудь, куда блевать, никакого внимания и дверь оставила открытую. А за дверью слышу шум, и сквозь тошноту прорывается слово «теумим! теумим!» — «близнецы» на иврите.

Родилка, что ли, рядом? Ну, близнецы, значит, у кого-то родились. Тоже мне событие. Это что, причина операционного больного без всякой помощи бросать?

Такое чувство, что от шума в коридоре еще сильней тошнит. Я глаза закрыл и борюсь изо всех сил. А рвота уже к горлу подступает, хотя в желудке со вчерашнего дня пусто.

И тут слышу на фоне криков, кто-то меня тихо зовет:

— Мишенька!

Открыл глаза — Татьяна надо мной наклонилась.

Ну и не удержался, меня прорвало. Прямо чуть ей не в физиономию. Называется, встретил.

Если б не она, мог бы и задохнуться без помощи — подняться-то, повернуться не в состоянии. А Таня привычная, голову мне моментально повернула, тряпку какую-то подсунула, и скоро прошло. Она тряпку убрала, рот и грудь мне вытерла, обняла меня за плечи и подушку подпихнула, чтоб я лежал повыше.

— Легче теперь? — спрашивает.

— Все в порядке, — бормочу. — Чего это так кричат?

— Там телевизор в коридоре, в Америке теракт, не обращай внимания. Лежи тихо, а то опять затошнит.

Мне в этот момент не до терактов было, тем более американских. Тошнота меньше, но боль разгорается с каждой минутой, а главное, Татьяна. Столько обдумывал, заготовил все слова, чтоб ей сказать, и такая некрасивая встреча. Но простит больному, а теперь надо все эти недоразумения между нами сразу ликвидировать.

— Какая ты, — говорю, — у меня, Танечка, интересная.

Усмехнулась, слава Богу, а то очень уж серьезная была.

— Чего ты такого интересного вдруг нашел.

— Очень интересная как женщина.

— А...

— И я тебе сейчас, под действием химического влияния, говорю откровенно, чего раньше не собрался: я тебя всегда очень высоко ценил!

Молчит, брови свела домиком и отводит глаза.

— Да, — говорю, — ценил. И... и... любил...

27

Конец света.

Нет, в прямом смысле конец света.

Чтобы Америку так разделали, это представить себе невозможно. Америку, которую все так обожают и мечтают в ней жить!

Хотя где-то даже можно понять. Америка большая, но все же не резиновая, всем там жить никак нельзя, тем более так, как живут сами американцы. В результате у других развивается зависть и злоба. И возникает желание все порушить — мне не досталось, так не доставайся же никому. Я когда еще в Союзе жил, то в перестройку, бывало, фермы всякие жгли, кооперативы там, то есть если у соседа что-то хорошее появилось, чего у меня нет, то не себе такое же сделать, а порушить, чтобы и у него не было. Я думал, что это тамошняя национальная черта такая. Но, оказывается, это распространенная международная черта. Ну, вот и до Америки дело дошло.

Ужас, конечно, ужас и кошмар. Как в научно-фантастическом фильме. Подумать только, что в этих башнях-близнецах люди, может, на совещании каком-нибудь сидели, пили минеральную воду или чертиков рисовали, кому-нибудь, может, в туалет хотелось, а другой думал, как он после работы к посторонней жене сгоняет и что соврать своей. И вдруг прямо в помещение вмазывается террористический самолет — и бабах! Всему конец — люди летят в пропасть, а на них валятся все сто этажей бетона и стекла.

Да, людей, конечно, жалко. То есть не по-настоящему жалко, кто их знал и любил, тому по-настоящему, а мне не то что жалко, а дрожь пробирает.

Но сказать по правде? Есть где-то, не знаю, как назвать, удовлетворение как бы. Очень уж эти американцы заносились со своим уровнем жизни и везде наводили свой диктат. Уровень жизни, конечно, завидный, но что они, лучше всех, что ли? Вот и получается, что я правильно сделал, что не выбрал Америку, хотя все отговаривали и советовали, что лучше и безопаснее. Но Таня была тогда в упрямом настроении и поставила на своем. И вот теперь и американцы понюхали, что такое теракт, теперь-то они поймут, как мы от терактов страдаем, а то мы им все время говорили, а они как бы не верили и нас же обвиняли.

А масштабы, а масштабы! У них от этих терактов враз столько народу погибло, сколько у нас и за все годы, наверно, не было. Но это, что называется, по Сеньке и шапка. В пропорциональном отношении. И даже, я бы сказал, меньше. Потому что сперва называли всякие цифры — двадцать тысяч, пятнадцать тысяч, двенадцать — здания-то огромные, и народу в них должно было быть видимо-невидимо. Но потом, когда окончательно подсчитали, получилось, вместе с Пентагоном, всего три тысячи с чем-то.

И вот что интересно. Все ведь смотрят по телевизору и ужасаются, а когда в конце оказывается, что в численном отношении надо ужасаться меньше, то даже как-то досадно. Если уж страшный теракт, так чтоб уж жертв было навалом. То есть никто в жизнь не признается, и между собой говорят, мол, хоть то хорошо, что рано утром, а днем было бы гораздо больше жертв, а подсознательно ждут, чтоб и было как можно больше. И вовсе не от жестокости, нет, а чтоб уж если ужасаться, так на всю катушку. Тем более это все-таки далеко, и люди в телевизоре не люди, а вроде актеров. Но конечно, если вытащат из-под развалин кого живого, то все искренне радуются, и некоторые даже плачут.

И так поплакать — одно удовольствие, но только не много пришлось. Мало кого живого вытащили, а как трупы вытаскивали, этого вообще не показали. Небось в таком виде были, что просто уже неприлично. Но по-моему, зря не показали, ужас, так уж полностью, а что зритель, мол, не выдержит — зритель все выдержит, что не с ним происходит, и на все с жадностью будет смотреть. Эти башни-близнецы сколько раз показывали, одна уже взорванная стоит, эту никто не ждал и мало снимали, зато вторую — все уже свои камеры нацелили и со всех сторон сняли, как самолет летит, и как подлетает, и как в стену вмазывается, и как с другой стороны вылетает огненный шар. И справа снимали, и слева, и под таким углом, и под другим, и показывали, наверное, раз сто — а люди всё сидели у своих телевизоров и оторваться не могли.

И все-таки удовольствие от этого ужаса не совсем настоящее, а с примесью, по той простой причине, что ужас настоящий.

28

Ну, я-то вообще никакого удовольствия от этой ситуации не получил, учитывая, в каком состоянии я ее увидел.

Но увидел уже потом, позже.

А тогда, только я начал с Татьяной исполадки наши утрясать, пришли и покатили меня в палату. А мне тем временем стало совсем больно, Шагал-Миро настенный мимо вращается, и опять начало мутить. Я закрыл глаза и слегка отключился.

А когда перевалили на кровать, тут от боли глаза сами открылись, и прямо мне в физиономию таращится телевизор. Это пока меня резали, сынишка мне в палату к кровати телевизор заказал. Мелькает что-то без звука, что именно, конечно, не разглядел, но заметил, что все, кто рядом стоит — и сын, и Галка с Азамом, и медсестра, и даже Татьяна, — больше внимания уделяют отдаленным международным событиям, чем больному, который у них под носом. Постонал немного, медсестра спохватилась и включила мне капельницу с анальгетиком.

И скоро мне захорошело опять.

Молодежь увидела, что я в норме и что Татьяна при мне, и все быстро разбежались, причем на ходу вовсе не обо мне говорили, а что в телевизоре произошло.

А мне всё не до телевизора, я все еще не знаю, что там конкретно творится, и настроен дальше с Татьяной выяснять. Но она никак не присядет, суетится возле моей кровати, поправляет что-то, капельницу проверила, спрашивает, не надо ли утку.

— Не утку мне надо, а сядь.

— А попить не хочешь? Я соку смородинного принесла.

Я немного попил и опять говорю — сядь.

Не садится. Говорит, с врачом надо поговорить.

— Да успеешь, — говорю. — Со мной сперва поговори.

— Ну, мы же говорим.

— Нет, ты сядь, нам по-настоящему поговорить надо.

— О чем?

— Как о чем? А об нас с тобой!

— Ну, — говорит, — Миша, это ты себя сейчас не беспокой.

И выражение лица точно как было тогда в кухне, как будто она меня локтем от себя тихонечко отодвинула и локтем этим загородилась.

— Ты, — говорит, — лучше отдохни, поспи немного, пока анальгетик капает. Скоро ведь кончится, опять болеть начнет.

И кладет мне под лодыжку больной ноги свернутый валиком халат, действительно лучше, пятку не так мозжит. Я ее за рукав ухватил:

— Теперь садись, — говорю.

И тут является Моти-санитар.

Улыбка во всю физиономию, в руках полиэтиленовый пакет. Подошел к кровати, спросил, как себя чувствую, кивнул на телевизор, говорит:

— Во кошмар, а?

И что они все с этим кошмаром? Надо будет, думаю, глянуть, и спрашиваю:

— Принес?

Он пакет держит, смотрит на Татьяну, говорит:

— Вас годы ничуть не испортили! Совсем как на фото.

Она, конечно, ничего не понимает, стоит молча, только брови приподняла.

Он дальше:

— Знаете, сколько мне этот ваш портрет искать пришлось? В чем копаться?

— Кончай разговоры, — говорю, — давай сюда. Таня, у тебя сотня есть? Дай ему.

— Сотни нет, — говорит растерянно. — Шекелей восемьдесят...

— Ладно, — говорю, — сколько есть. Потом добавлю. Моти, давай.

Моти открывает пакет и произносит:

— Пам-пам! Вот вам ваш портрет ненаглядный! — и подает мне портрет.

То есть именно портрет.

Все на месте — фотография, какие мы молодые и красивые, сзади картонка, спереди чистое стекло, все аккуратно зажимами скреплено.

Портрет есть. Портрет как таковой.

А рамки нету.

Мохнатенькой моей рамки с кистями — нету.

29

Я и не ожидал, что на Татьяну так подействует. Портрет я с собой в больницу взял из конкретных целей надежности, и никаких побочных мыслей у меня не было. А тут вижу, стоит, смотрит, и слезка по щеке потекла. Она отвернулась, слезку поскорей вытерла, чтобы Моти не заметил. Но я-то заметил. Сперва думаю, чего это она, а потом понял, прошибло ее, что я наш свадебный портрет в минуту жизни трудную взял с собой. Это хорошо, но в данный момент развивать тему некогда.

— А рамка где? — говорю.

Моти говорит:

— Да ты скажи спасибо, что портрет вытащил. Он знаешь где уже был? Я его едва дезинфекцией оттер. А рамку твою мохнатую даже в руки брать опасно. Это все уже в прачечную пошло, разом с грязным бельем. Мне там едва удалось их уговорить, чтоб пустили порыться, хорошо, на контейнере была надпись нашего отделения. А больные у нас всякие бывают, и рамка твоя теперь сплошной рассадник бактерий.

Я даже про боль забыл, пытаюсь подняться.

— Мне рамка нужна! — кричу. — Иди найди рамку!

Татьяна наклонилась ко мне, за плечи держит, что ты, Мишенька, что с тобой, какая еще рамка.

— Такой типа футляр! Я его специально сделал! Для нашего портрета!

— Специально... — отпустила меня, и смотрю, опять в глазу блестит.

Моти говорит:

— Да плюнь ты на эту тряпку, тоже сокровище, новую сделаешь. Главное, выздоравливай поскорей. Ну, я пошел... — и смотрит выжидательно на Татьяну, денег ждет.

Татьяна этого не замечает и спрашивает:

— А как оно выглядит? Я схожу поищу.

— Сходи, — кричу, — сходи, Таня! Выглядит просто, такое черно-голубое макраме косичками и с окошком для фото. А снизу типа бахромы, и на концах висят бомбошки разной величины.

Моти даже сплюнул:

— Бомбошки твои теперь просто комья грязи. Черт-те что туда впиталось.

И повернулся к двери.

— Иди, Таня, скорей. Может, еще не запустили. Беги! И деньги ему отдай.

Таня бросилась за ним, деньги из сумочки на бегу вынимает.

Только бы успела.

Интересно, сообразила она, что это за бомбошки, или из-за одних только чувств пошла?

30

Смешно все-таки человек устроен.

Сколько раз я за последние дни решал про себя, что не нужны мне эти стекляшки и вся эта возня, а между тем голова все время чем занята? И даже в такие решающие моменты, как операционный период, и особенно когда жена бросила.

Что мне, эти стекляшки важней, чем Татьяна? Да никоим образом. Мне ее вернуть необходимо, и особенно в создавшейся ситуации. Однако вот видел, как она размягчилась от портрета, понимал, что нужно воспользоваться моментом и дальше давить на эту точку, и что же? Вместо этого послал ее спасать все те же стекляшки. Если найдет и принесет, то сразу опять охладится, а если нет...

Если нет, то окончательно решаю плюнуть и больше не искать.

Их там в прачечной при разборке белья выкинут с прочим мусором, и туда им и дорога.

А сам сконцентрирую все усилия на выздоровлении и на Татьяне. Что это я, в самом деле. Какую кутерьму в жизни у себя навел. Положим, не по своей инициативе, а по случайности судьбы. Но я своей судьбе всегда был хозяин, что ж теперь-то так? Нет, надо напрячься и восстановить все, как было.

Ногу буду упорно разрабатывать, упражнения я все нужные знаю. А Татьяна сейчас беспомощного уж наверно не бросит, а там посмотрим. Ей ведь потом и дома придется за мной ухаживать, и привыкнет опять, а я учту опыт и почаще буду ей слова говорить, и Кармелу-соседку полностью исключу, разве что блюдо какое иногда. И пойдет у нас прежняя хорошая жизнь...

А если отыщет и принесет?

И даже если принесет, все равно выкину.

Те все выкину и оставлю себе только один. Самый большой и красивый, Красный мой Адамант. Вот он у меня под рукой, в перчатке завязан. Теперь уж не потеряю. Покатал его в пальцах, даже сквозь резину грани ощущаются. Делать с ним ничего не буду, оставлю себе, пусть и правда будет мой талисман. А может быть, со временем, когда все забудется, Татьяне подарю. Ювелиру отдавать опасно, я сам проволочки золотые или серебряные раздобуду и сплету ей нашейное колье, и пусть носит открыто, все равно никто не подумает, что настоящий камень. Вот потеха будет! Моя жена будет носить на **шее** знаменитый миллионный бриллиант, и никому даже и в голову не придет!

Так меня эти мысли развеселили и успокоили, что начал задремывать, тем более из капельницы все время лекарство поступает. Но вспомнил про телевизор. Надел наушники и повернул его к себе.

31

У-ау! — как здесь говорят.

Описывать не буду. Просто невозможно. Да и все видели.

Все видели, как арабы подорвали самолетами высотные башни-близнецы в центре Манхэттена. А кто не видел, тому и описать нельзя, потому что очень похоже, как сегодня в кино компьютерами делают, но ощущение совсем другое.

Сперва-то мне показалось, что это действительно какой-то фильм ужасов, даже досадно, что пропустил теракт, но послушал немного — опять «теумим, теумим», близнецы, близнецы, и понял, что не пропустил.

Это никакие не близнецы родились, а, наоборот, весь наш мир начал погибать.

Не то чтобы совсем погибать и уничтожаться, а просто будет теперь совсем не так, как раньше.

Если кто думает, что это я под влиянием боли и лекарств запаниковал и преувеличиваю, то он ошибается.

Я, наоборот, панике не поддаюсь, и рассуждал хладнокровно. Смотрел, как раз за разом это событие показывают, ужасался, но при этом рассуждал совершенно хладнокровно.

Я ведь здесь, на Западе, не первый год живу, тем более что вообще в Израиле. И все это время не только о ковриках да о камушках размышлял. Кое-что понял. А за последние годы, когда теракты у нас чуть не каждый день, особенно. Я, может, и занят был своими неважными делами, но над головой всегда висело. Но у меня есть на этот счет своя философия жизни, только я ее не выражал, а вот когда «близнецы» эти произошли, я окончательно пришел к выводу.

Америка очень долго раскачивалась, очень не хотелось свой уровень жизни тревожить. По всему миру — то тут взрыв, то там взрыв, иногда и у них что-нибудь подорвут, но на фоне их собственной преступной статистики им все казалось не так чтоб. Но она и во Вторую мировую войну, я читал, долго раскачивалась. Но уж когда присоединилась к войне, то пошло-о! Вот и теперь она, я предполагаю, подымется наконец. Зашевелится. Да так, что зашатается весь мир. Будет бороться как бы против исламского терроризма, а на самом деле это обожравшиеся от недожравших будут отбиваться. Все-таки, чему нас учили в школе насчет классовой борьбы, что-то в этом было. И протянется это долго, и кто победит, тоже неизвестно, у обожравшихся больше техники и материальных ценностей, недожравшим зато терять нечего, у них ярость в душе кипит и мышцы жиром не заросли.

Вижу только, что нашей маленькой, но солнечной странишке в этой заварухе несдобровать.

Ну и что же?

Что я должен в такой ситуации делать? Пессимизм проявлять? Отчаиваться, трястись от страха? Придумывать, куда сбежать в безопасное место?

Вот уж нет. Где оно сейчас, это безопасное место на нашей земле? А от пессимизма вообще никакого удовольствия. И для здоровья очень вредно. А здоровье свое сейчас надо особенно беречь, и не для того, чтобы прожить подольше, это уж как выйдет, а именно для того, чтобы сегодня получить от жизни максимум удовольствия. И это, я считаю, вполне можно даже сейчас, пока жив. Раньше еще можно было откладывать, а теперь не стоит.

Вот это и есть вся моя философия.

По-моему, никакого другого смысла в жизни и вообще нет, а теперь в частности. Я и всегда по этой философии старался жить, и болезнь моя именно этого требовала, так что в принципе ничего не меняется.

Одно только.

Какое-то удовольствие можно, конечно, и во всяком положении получить.

Но без денег это так, мелочи жизни. И слишком много всяких бытовых трудностей, которые только портят удовольствие.

А вот если есть деньги... Если есть хорошие деньги...

Это что же, значит, опять менять внутренние установки? Качать обратно?

Очень хотел я дождаться Татьяны, но от всего вместе так устал, что в глазах совсем помутилось. Не успел даже наушники снять, морфинный наркотик полностью меня одолел.

32

Я в молодости к старикам неплохо относился. К таким, которые не окончательно еще развалины, а то, что теперь называется «пожилые люди». Это раньше про стариков говорилось «старики», а пожилыми считались вот как я скоро буду, под пятьдесят или чуть больше. А еще раньше в книжках вообще писали «старик лет пятидесяти». Но теперь пошла другая мода, живут долго, и стариков расплодилась хренова туча, неудобно стало чуть не половину населения стариками называть, вот и выдумали для уважения, до девяноста всё пожилыми кличут. Думают, если назвать, то так оно и будет, ха.

Но в молодости я неплохо относился. Все кругом вечно бегут куда-то, суетятся, делают что-нибудь непрерывно и думают только о своем, а старику бежать уже некуда и думать не о чем. Времени у него полно, с ним и посидеть можно, поговорить, дела свои обсудить, и он все выслушает, ему все про тебя интересно. Это если добрый старик, слабый то есть. То есть так я в молодости думал, что ему про тебя интересно, потому и относился хорошо, а теперь знаю, ему все равно, лишь бы внимание обратили, поговорили с ним, никто ведь не хочет. А злой, сильный старикан, это противнее нету, такой и напакостить может не хуже молодого.

Относился я неплохо и разговаривал, но одного не мог никогда понять, и это насчет уважения, за что их надо уважать.

Получается так, что, пока человек целый и нормально соображающий, уважать его надо с большим разбором. Посмотреть еще, есть ли за что. А вот когда разваливаться начнет, слюни пускать и нести всякую херню, тогда надо уважать безо всяких. А за что? Что прожил кое-как свою жизнь? Ну, прожил, и флаг ему в руки. А не повезло бы, помер бы преждевременно, так и уважать бы не за что. Так получается.

А по-моему, не так. Я если чего боюсь по-настоящему, так это старости. Не войны, и не тюрьмы, и не сумы, а именно старости. По-моему, старость вещь идиотская и противная, и нечего тут замазывать и уважение изображать. Уважение! Пожилые, мол, люди, да золотой возраст. Сказал бы я, какой это возраст, только язык марать неохота. Вранье одно, а не уважение.

И жалеть их особенно тоже нечего. Не говорю не помочь, почему же, помочь можно, но жалеть? Как бы даже нахально выходит, типа свысока. Какое уж там уважение. Это вроде как, ах он бедолага, что с ним стряслось, как будто ты лучше его и с тобой такого никогда не будет! (Ко мне многие так относятся почти всю жизнь, но тут они глубоко ошибаются.)

А по-моему, максимум посмеяться можно над стариком, гораздо полезнее для психики. Не говорю в лицо, но про себя. Ну, разве не смех, как он зубами пустыми жует, брюхом отвисшим трясет и тонкими ножками перебирает — зарядку делает, и анализы по поликлиникам носит, все выясняет, что это с ним такое, никак не поймет что. Как будто от этого вылечиться можно.

А по больницам сколько их! Половина врачей только тем и заняты, что пожилые полутрупы оживляют, сколько трудов, расходов, а кому это надо?

Ясное дело, я и сам в эту категорию попаду, если доживу, и такой же буду, и так же уважения ни за что буду ждать, и жить-жить захочу. Но пока не попал, хоть посмеюсь.

33

Вот и со мной в палате один «пожилой» дедок лежал. Лет, наверно, семьдесят, но только не из слабых и добрых. С ним мне как раз не до смеху пришлось.

Я хотя и сплю наркотическим сном, но иногда выплываю отчасти, а ни пошевелиться, ни сказать ничего не могу. В какой-то момент слышу, Татьяна стоит между кроватями и разговаривает с дедом, мне, говорит, пора на дежурство, вот я ему, мне то есть, записку тут на тумбочке оставила.

А рамку нашла, спрашиваю, но она меня не слышит. Напрягаюсь и спрашиваю опять, а она говорит деду, я попозже забегу, пусть, мол, спит, сон ему теперь лучшее лекарство, ногу мне поправила и ушла. Хотел крикнуть ей вслед, но тут же провалился обратно.

А проснулся от боли. Головой слегка поворочал, сообразил, где и почему нахожусь. Вечер уже, электричество горит, а мне тем временем капельницу отключили, экономят лекарство. Боль не так чтоб терпеть нельзя, но надоело уже. Я человек предусмотрительный, когда мы с Ириской в «эмарай» ехали, я у нее выпросил таблеточку, отличное такое лекарство, называется перкосет, не хуже морфия. Должна у меня под подушкой в бумажке лежать, начинаю шарить, но трудно, не поворачиваясь.

И тут дедуля вступает.

— Что, — говорит, — прочухался? А жена твоя приходила и опять ушла.

Я сразу вспомнил про записку, стал руку к тумбочке тянуть. И не дотянусь никак, а подвинуться поближе не могу, нога лежит тумба тумбой и мозжит как неоперированная.

— Слушай, сосед, — говорю, — подай вон там записку, будь другом.

— А ты, — говорит, — позови сестру, позвони, вон у тебя справа на одеяле звонок.

Нащупал звонок, позвонил, заодно, думаю, и таблетку попрошу, а свою приберегу.

Никто не идет.

А мне не терпится записку прочесть, и боль возрастает.

— Ты что, — говорю соседу, — тоже встать не можешь?

— Почему не могу, — говорит, — надо будет, встану. А обслуживать тебя не обязан, такой же больной, как и ты, может, и похуже еще.

Я удивился такому хамскому разговору, но спорить не стал.

154

И все никто не идет. Позвонил еще раз и опять пытаюсь дотянуться до тумбочки. Но от этого такая боль резнула, что про все забыл и стал скорее под подушкой шарить. А дед взял костыль, что у него рядом стоял, и давай им записку ко мне толкать. Ну и столкнул, и она полетела на пол. Он ругнулся и слез с кровати, а сам на костыль опирается и за голову держится.

Поднял записку, бросил мне на грудь и говорит:

— Ну, чего охаешь? Чего корежишься? Что у тебя там под подушкой?

— Таблетка...

Сунул руку ко мне под подушку, ширкнул там и вытаскивает — перчатку хирургическую, узлом завязанную.

34

Потом уже, когда его выгнали, я про него все узнал.

У него была простенькая трещина в ноге, шел к клиенту и на переходе велосипед задел, пустяк, даже не оперировали, а так, наложили на всякий случай гипсовую повязку и хотели сразу выписать. Но он уперся, что ходить не может, жаловался на тошноту и головокружение и в глазах, говорит, темнеет, сотрясение мозга, а я, говорит, еще работаю, и работа тонкая и связана со зрением, и все это для того, чтобы страховки как можно больше отхватить. Такая досада, у меня травма куда серьезнее, а компенсацию взять не с кого. Может, с городских властей, что музыкантов этих так безобразно распустили?

Держит перчатку за один палец и говорит:

— Здесь, что ли, твоя таблетка?

И тут же развязывать.

— Нет, — кричу, — это дай сюда, а там найди в бумажке, — и руку протягиваю.

Но он уже развязал и держит двумя пальцами мой красненький.

— Давай это сюда и достань таблетку, — рычу, — я терпеть больше не могу.

А на самом деле мог бы и потерпеть. Про пратиют надо было помнить, что нету его в этой стране, а особенно в больнице. Тут тебе не то что под подушку, а в душу с ногами влезут и не спросятся. Помнить надо было, что́ там лежит, и не давать кому попало под мою подушку лезть.

Он меня как не слышит, катает камушек в пальцах, уставился на него и говорит:

— Эт-то что такое?

— Брильянт, — говорю, — брильянт, не видишь, что ли? Дай сюда.

С Кармелой сработало, и сейчас, думаю, сработает. А он мне:

— Вижу, что брильянт! Да еще какой! У королевы английской такого брильянта нет!

Костыль бросил посреди палаты, про голову забыл, поскакал к своей тумбочке, повыкидывал из нее всякое барахло, вытащил чемоданчик, копается, бормочет что-то, а у самого руки дрожат, и вытаскивает прибор такой ювелирный, увеличительное стекло в трубочке, в глаз вставлять. Вставил в глаз, подскакал поближе к свету, вертит мой камушек, рассматривает и бормочет:

— Или тяжеловат... А? Нет, без весов не поймешь... Но даже если и цирконий... или все же... Нет, конечно, наверняка цирконий... не может быть... а все же, скорее всего... и без единого порока! эх, света мало...

Я ему криком уже кричу:

— Отдай сейчас же! Отдай мой талисман!

А взвешивает его в руке и хихикает при этом, как ненормальный:

— Ничего себе талисман... Сейчас посмотрим, что за талисман...

Опять стал в своем чемоданчике копаться, вынул что-то и скачет от одного света к другому, ищет, где лучше видно. Я нажал на звонок изо всей силы, и тут же появляется мой врачишка вместе с сестрой.

— Чего, — говорит, — трезвонишь?

Я ответить не успел, он глянул, что в палате творится, костыль на полу, из тумбочки соседа все вывалено, а сам сосед метнулся было к кровати и застыл посреди палаты с этой своей штукой в глазу, стоит и смотрит, как пойманный. Да и есть пойманный, потому что доктор говорит ему:

156

— А ты что здесь делаешь? На тебя с самого утра оформлена выписка. Сестра, что это значит? Почему больной все еще здесь?

Сестра начала бекать-мекать, мол, жаловался очень, невропатолога просил, и покраснела даже, видно, как она моего доктора Сегева боится. И дедуля тоже заныл, как у него все болит, и ходить не может, и в глазах мухи летают.

— Ага, — говорит врач, — то-то ты по палате без костыля бегаешь. Давай-ка, собирайся быстро, подбери манатки и марш домой. Твою кровать будут сейчас перестилать, следующий уже дожидается. Деньги есть на такси?

Эй, думаю, да его сейчас отсюда выпрут, и унесет он мой камушек как пить дать!

— Доктор! — говорю. — Доктор, скажите ему...

Тут третий больной, который все время лежал тихо, подает голос:

— Это он с оперированным сражался, отнимал у него что-то.

— Да, он у меня мой талисман отнял! Скажите ему...

Засмеялся мой врачишка:

— Детский сад! Взял и отнял? Невезучий твой талисман. — И к деду: — Чего хулиганишь? Отдавай ему его игрушку!

А тот камушек мой в кулаке зажал и говорит:

— Игрушку? Да вы знаете, что это за игрушка?

Сегев рукой машет:

— Знаю, знаю, видел. Дай сюда.

Дед прямо взмолился:

— Только одну маленькую проверку сделать! Сейчас найду местечко весы поставить, взвешу, измерю, одна минута, и точно будем знать!

Вспылил мой врачишка. Воображаю, какой он бывает, если разозлится по-настоящему.

— Ты от меня на выписку какую справку просил? Чтоб со всеми твоими жалобами? Головокружение, тошнота, искры в глазах? Вот такая тебя внизу дожидается. А могу и новую написать, другую, хочешь? Нет? Тогда убирайся сию минуту.

И подставил ладонь. Дед разжал кулак, выронил камушек и говорит:

— Эх, не понимаете вы ничего. Спросите его хотя бы... Это же...

— Вон!

Вот это по-нашему. Это я понимаю, уважение к сединам.

Сестра уже белье с его кровати сдернула, стелит чистое. Куда дедуле деваться, стал собирать манатки.

А доктор Сегев подошел ко мне, камушек мне из рук в руки и говорит:

— Ну, как мой специальный пациент?

Простыню откинул и прямо берется за больную ногу, приподнимает ее за колено без всяких церемоний. А она у меня даже не загипсованная, только наклейка большая положена на рану. Но я к нему такую любовь чувствую и такое доверие, что что угодно ему позволю. Он мне ближе отца родного, хотя и моложе меня. Его специальный пациент! Да я его теперь... я ему...

— Чего молчишь, герой, не больно разве?

— Больно, — говорю, — но могу стерпеть.

Он взял и ногу мою дернул, и не так уж слабо. И что удивительно, боли особой не прибавил. Но я все-таки охнул слегка, в основном от страха.

— Ну, то-то, — говорит, и еще мою ногу из стороны в сторону поводил и пальцы пощупал. — Порядок, завтра будем тебя подымать. А терпеть не надо, сейчас тебе сестра перкосета даст. — И смеется: — Ты у меня, — говорит, — растяпа, хотя и герой. Лучше надо талисман свой беречь!

— Буду, доктор, буду, — заверяю его, а сам прямо чуть не заплакал от чувств.

35

И прав он, надо лучше беречь. Но как тут убережешь?

Прочитал я Танину записку, и хоть караул кричи. «Миша, — она пишет, — бегу в свое отделение, загляну к тебе попозже. Макраме твое нашла, часть бомбошек отлетела, я их выбросила, но в целом ничего, намочу с хлоркой и выстираю. Подумай на завтра, чего приготовить, чего бы тебе хотелось покушать».

Покушать!

Баба она и есть баба, хоть гори все синим пламенем, а она только и знает про покушать. С другой стороны, наш брат за делами забывает, кто же и позаботится, если не она.

Но ведь надо соображать, что делаешь. «Часть бомбошек выбросила» — и покушать! Хотя, тоже отдать справедливость, сам виноват, не оказал доверия, не объяснил вовремя что к чему. Теперь переживай, какую она еще глупость сотворит. С хлоркой постирает!

Тут сестра принесла лекарство, сразу две таблетки мне дала. Чудесный этот перкосет! Морфий, он тебе быстро мозги с ног сбивает — и в сон. И опять же наркотик, опасно. Я наркотиков всегда избегал, потому что хорошо понимаю опасность. И не нужны мне наркотики, они тем нужны, у кого характер слабый, неустройство в жизни и плохое общение с людьми, а у меня, слава Богу, с этим порядок.

Но это лекарство ласковое такое, и боль снимает, и успокаивает, и настроение приподымает — не то чтобы весело становится или что, а просто спокойно на душе и все воспринимаешь с удовольствием, а это ведь главное. И спать не обязательно, а глаза прикроешь и думаешь легкие мысли.

Не буду, думаю, Татьяну за бомбошки ругать, ну, выбросила сколько-то, теперь не найти, а я ведь уже решил, что мне их вообще не надо.

И ведь что-то осталось. Ну, постирает с хлоркой, еще сколько-то вывалится, эти уж не выбросит, сообразит.

Но я и эти, что остались, отдам Азаму, и пусть делает, что хочет. Кроме Красного, конечно. Повезет ему, добудет какие-то деньги — даже в долю с ним входить не стану, пусть убирается поскорее в свой Лондон и учится там чему угодно, и братьев своих пусть обучает, сколько их ни есть. Только бы с глаз долой, подальше от Галки. Пусть хоть какая-то польза будет от камушков.

А не добудет, заметут его, то ли с законной стороны, то ли с противозаконной — тоже польза, так и так, избавлюсь от него, сил нет смотреть на эту их с Галкой дружбу народов.

Есть, конечно, некоторая опасность, что он и меня в таком случае замарает, но вряд ли, насколько я понял его характер. Не станет он Галкиного папашу подводить под монастырь.

Если расколется, так и без меня легко все объяснить, просто рассказать все как было. Что хозяину ресторанному поступил звонок, и он сунул что-то Коби-официанту, а тот спрятал в ножке столика, а тут опять звонок, и Коби перепрятал в мешок с тряпками, что у подъезда стоял, неизвестно чей, а тут приехали двое и увели Коби. Ну, мол, он, Азам, и полюбопытствовал в мешке, и вот нашел. А что не все нашел — про это он ничего не знает, взял что было, спрашивайте хозяина либо Коби, он в руках держал и копался там. А спрашивать-то и некого и возразить некому будет, поскольку Коби с хозяином вовремя друг друга нейтрализовали.

Так и внушу ему, когда буду отдавать, а он парень толковый, поймет, что так объяснять проще и для него же безопаснее. Ну, и фактор любви.

Да, может, еще и не поймают.

А Татьяну совсем ругать не буду. Чего ее ругать, она ничего не знает, а, наоборот, хочет мне покушать принести. У самой ночное дежурство до часу дня, а она еще готовить мне собирается. Скажу, пусть не возится, просто купит колбаски и пива, что ли. Нет, с таблетками, наверно, нехорошо, тогда просто квасу в том же русском магазине. Сейчас совсем ничего не хочется, но знаю, что завтра захочется. А между прочим, интересно, где она готовить собиралась, у нас дома или там, у этого своего пейсатого?

36

У подавляющей части людей совершенно неправильное понятие о деньгах, кому они достаются и почему. Отсюда множество претензий, жалоб на судьбу и на общество, да та же классовая борьба, хоть сегодня и не принято.

А мне тем более легко от своей доли отказаться, что у меня понятие давно уже выработано правильное.

Деньги вещь в этом мире совсем особенная. Хотя выдумал их сам человек для своей как будто пользы, но они от него совершенно отделились, живут своей жизнью и управляют человеком, как хотят. Это при том, что для нормального протекания человеческого процесса они как бы вовсе и не нужны и ни для чего не годятся. Их не съешь, не выпьешь, на себя не наденешь и в постель с ними не ляжешь. Разве что подтереться. А между тем без них и не поешь и не попьешь. Короче, занятная штука, совсем как Господь Бог — тоже самим человеком выдуман для собственного удобства и тоже для житейского употребления не годится, а между тем без него ни шагу, особенно в нашем государстве.

Но это все так, философия, а у меня на деньги взгляд практический, в результате чего на судьбу не жалуюсь и живу без всяких претензий.

Я давно сделал вывод, что уровень жизни у каждого человека определен заранее, он с ним рождается. То есть родится-то он, может, в самой что ни на есть низкой нищете, но если ему положено, то деньги у него обязательно будут. То ли сам будет стараться и добиваться, стартап какой-нибудь откроет, то есть компанию для хайтека, то ли дуриком на него свалятся, но будут.

А кому не положено, он, может, точно так же будет стараться и даже не узнает никогда, что зря.

А третий, скажем, родился в роскошном дворце и отец у него, скажем, берет подряды на вывоз мусора, и сынок рассчитывает всю жизнь пировать, но нет, изначально ему не положено, денежки от него уйдут, он только удивляться будет.

Какой-нибудь уровень жизни каждому положен, то есть сколько-то денег. И кому положено много, у того и будет много, кому средне — у того прилично, но не слишком, а кому мало, тот и будет всегда колебаться в пределах чуть меньше — чуть больше. А бывают и такие, что уровень жизни у них практически никакой, особенно в странах третьего мира.

Все это, конечно, если не вмешается какое-нибудь сверхъестественное событие, скажем, война, или большой выигрыш по лотерее, или просто биржа ухнет. Тогда все может смешаться наоборот, но исключение правила не нарушает.

Справедливости тут никакой нет, и от характера мало зависит, и от окружающих обстоятельств тоже — обстоятельства у каждого такие и складываются, какие ему положены.

Лично я свой уровень понял рано: самый что ни на есть средненький, но терпимый. И соответственно, могу не волноваться. Из своей шкуры не выскочишь, но мне и в ней удобно. Всю жизнь мне какие-нибудь деньги поступали, небольшие, но когда нужно, и практически без усилий с моей стороны. Пока с матерью жил — мать обеспечивала, трудиться не хотелось — заболел и инвалидность стали платить, ну и Татьяна всегда трудилась, несла в дом. Сюда приехал — то же самое. А тут еще коврики подвернулись — работа, конечно, но если нравится, то ничего. Тем более разбогатеть на них все равно невозможно, так что нахожусь по-прежнему в своих пределах. Поддерживаю положенный мне уровень жизни.

А вот с камушками этими вроде как выскочить захотелось. Размечтался тогда под душем — вилла, да машина, да две женщины... Так ведь знаю же, что все равно не выскочу! Не положено мне много денег! Ну и нечего.

Кстати интересно, если Татьяна меня и впрямь бросит, в чем уверен что нет, то могу ли я как инвалид стребовать с нее алименты?

37

Ночь проспал кое-как и не так от боли страдал, как от того, что мочевой пузырь переполнен, а облегчиться не в состоянии. Попросил санитара, он подставил утку, полчаса я, наверно, с ней пролежал, но ничего не вышло, он сказал, ничего, не беспокойся, убрал и ушел. Легко сказать, не беспокойся. После операции обычное дело, знаю, но все равно такое чувство, что полная катастрофа, никогда уже не смогу, так и лопну.

А поздно ночью пришла Татьяна и безо всяких разговоров первым делом опять подставила. Ну, она-то знает, что делать. Сперва пустила воду в умывальнике тонкой струйкой, и я уже почувствовал, что близко. Потом сунула руку под простыню, стала мне низ живота массировать и приговаривает шепотом, как маленькому:

— Пись-пись, Мишенька, пись-пись...

Я расслабился, и пошло безболезненно.

Лежу счастливый и с благодарностью ей говорю:

— Ты мне, Танюша, на завтра ничего не готовь, максимум купи...

Но она мне:

— Ш-шш... Не разговаривай, спят все... И ты спи давай.

И тихонько меня по волосам гладит, еле касается. Совсем моя прежняя Танечка, какая всю жизнь была!

Нет, не могу я поверить, что она меня разлюбила. Вот не могу и не могу. Просто дурь на нее напала, прощается с женской долей перед климаксом. Всю дорогу держалась, а напоследок захотелось погулять, и тем более что смолоду не гуляла. Обидно мне до смерти, ревность зеленая грызет при мысли, но надо преодолеть. А я мало от нее гулял? Себя не ограничивал. И всегда она молчала, скандалов мне не устраивала, замолчит на время, там, глядишь, и отойдет. Значит, понимала и все равно меня любила. Так и мне надо, понять и простить, и любить все равно. Так и сделаю и даже упрекать воздержусь.

Заснул под ее лаской и не слышал, как она ушла.

Но поспать, конечно, не дали. Кажется, ежу известно, что больным в первую очередь необходим покой, но я более дерганого места, чем больница, не знаю. Всю ночь по коридору сестры копытами своими стучат, хоть бы тряпками обворачивали, что ли, ненавижу я эту их теперешнюю платформенную моду, и громко при этом разъясняют друг дружке свои дела. А дверь в палату всегда должна стоять открытая, такое правило.

Однако кое-как спал, пока не пришли ставить градусник — семи еще не было. Я и с градусником спал, и не почувствовал, как вынули, и дальше бы спал, тем более нога болит несильно. Хотя кругом шум пошел и деятельность, но у меня в это время самый сон, и общий шум только убаюкивает. Под него вполне можно спать, особенно если ночью недоспал.

Подчеркиваю — общий шум.

И тут они... ах, мать твою переломать! Тут они музыку! Муз-ззыку включили!

Барабан замолотил, зазвякало что-то, затренькало, и хриплый женский голос заныл, сперва медленно, да все быстрее, быстрее, греческий танец, что ли. Они тут греческим фольклором очень увлекаются и на свой лад перекладывают и выдают за свое. Раньше с русскими песнями так делали, а теперь русские не в моде, за греков взялись.

Я спросонок подумал, неужели и сюда музыкантов проклятых пустили, или просто чудится, или от лекарств. Открыл глаза — нет, отчетливо из коридора несется, и на тумбочке ложка в стакане реагирует. И соседи мои по палате на своих койках задергались.

А ты что думал? Так тебя на целую неделю или больше оставят без музыкального сопровождения? Нет, это ты, голубчик, извини. Хочешь не хочешь, мы тебе бодрость духа подымем.

Мелькнул мимо двери белый халатик с крахмальной наколкой, складный такой, я даже подумал, не Ирис ли, и заорал благим матом, чтоб музыку переорать:

— Сестра!!

Она чуть не споткнулась на бегу, сунулась к нам в палату. Какая там Ирис! Страшная грымза, в крашеных волосах густой черный пробор. А фигурка ничего. И почему они тут все в блондинок переделываются? Я, например, брюнеточек больше уважаю. Тогда хотя бы черных корней не допускали!

— Что случилось?

— Выключите музыку! Спятили вы тут все, что ли, с утра пораньше.

Ухмыляется:

— Вам не нравится? А говорят, все русские музыку любят.

— Не нравится. Хочу, чтоб было тихо. Выключите!

— Другие больные любят, им без музыки скучно.

— А мне музыка мешает! Выключайте!

— Придет врачебный обход, говорите с ними.

— Позовите доктора Сегева! Мне плохо! Или Ирис из хирургии алеф!

— Ничего, ничего, успокойтесь. Отдыхайте пока. А доктор Сегев давно домой ушел.

И убежала. Музыку, конечно, не выключила. Отдыхайте пока!

38

А следующий белый халатик, который к нам в палату заглянул — как раз и была Ирис. Тянет за собой кресло-коляску и сияет всеми своими перламутровыми зубками.

— Как дела, Михаэль?

Я так обрадовался, что и про музыку тут же забыл. Какая ирисочка! И креслице заранее мне заготовила. Были бы все сестры такие, никакой музыки не надо, от одного вида дух подымается!

— Сейчас мыться будем, я специально к тебе попросилась.

А, вот это дело, и с полным удовольствием жду, что она будет меня обтирать спиртом или чем. Она коляску подтянула, подошла вплотную, сунула мне руки под мышки и обхватила за спину, думаю, хочет меня повыше положить. А она говорит:

— И ты меня обними.

Ах, с полнейшим моим удовольствием! Обнял за спину, одну руку даже ненароком пониже талии спустил.

— Ты, — говорит, — руку оттуда убери, держись за спину крепче.

Крепче? Облапил как следует и жму к себе, в бедре так и дернуло, но мне не до того. Спинка у нее мускулистая и мягкая в то же время. Носом, естественно, уткнулся ей в грудь, и грудка тоже мягкая и упругая, ах, прелесть!

Чувствую, она тянет меня вверх. Упираюсь здоровой ногой, помогаю ей. Уже почти сижу, а она тянет дальше. Говорю ей:

— Хорошо уже, Ириска, хватит!

— Сейчас, — говорит, — в кресло сядешь, и будет еще лучше.

В кресло?! Сейчас? Суток не прошло, как меня резали!
— Стой, стой, — кричу, — больно! Зачем в кресло?
— А в душ поедем, — говорит. И она туда же, с душем этим ихним! Я грязный, что ли? Вчера только мылся... нет, позавчера...

Напряглась, крякнула даже тихонько и — рраз! всю мою верхнюю часть подняла и в кресло перенесла. Бедро согнулось, и боль, даже слезы выступили. Но короткая, и чувствую, что ничего не повредилось. Ай да ирисочка, маленькая такая! Прижимаюсь к ней по-прежнему и постанываю для порядка. Она мне говорит:
— Все, можешь отпустить.

Я бормочу прямо ей в грудь:
— Могу, но не хочу.
— Отпусти, будем твои ноги перекладывать.
— Чего их перекладывать, пусть остаются там, а мы с тобой здесь.

Сосед на ближней койке что-то сказал и засмеялся. Не хочу, чтоб над Ирисочкой смеялись, отпустил.
— Расслабься полностью, — говорит, — и не будет больно. И ничего сам не делай.

Это я сколько угодно. Расслабился, сижу в кресле, как студень.

Она мне сперва здоровую ногу перевела на подножку, а потом больную приподняла, держит выпрямленную на весу и развернула меня вместе с коляской. Подставила под колено руку ребром, второй рукой за икру придержала, плавно согнула от колена вниз и поставила на подножку. Не тряхнула, не дернула. Все суставы аккуратно согнуты, и ничего! Сижу полностью! Жаль, доктор Сегев не видел, как Ириска классно оперированного пересадила.

Она начинает толкать мое кресло к выходу, и тут вспоминаю про Адамант. Опять он останется в одиночестве у меня под подушкой! Да еще, гляди, постель будут перестилать. Нельзя.
— Ирис, стой, — говорю, — подвези обратно. Мне надо кое-что взять.

— Что тебе надо? Мыло там есть, полотенце я взяла.

— Нет, не мыло. Вези обратно.

— Зубную щетку тоже взяла. Бриться, что ли? Завтра побреешься.

— Не бриться. Вези обратно.

— Да скажи, я принесу.

— Вези.

— Капризный ты больной оказался!

Вот так, всегда был образцовый больной, а теперь из-за камушка оказался капризный.

Но вернулись, я вынул и зажал в кулаке.

И покатила меня в туалет с душем, прямо около палаты. Туалет с душем при каждой палате, высшее достижение культуры!

Тут только почувствовал, что сиденье с дыркой, понятно зачем. Она меня на время оставила в туалете одного, и я с радостью все свои дела там сделал.

Правда, пока над толчком сидел, кулак с Адамантом все время держал на отлете, у нас с ним плохой туалетный опыт, а положить некуда.

Опять проблема. Сейчас Ирис войдет, разденет меня и будет мыть, а куда я его дену? В кулаке всю дорогу не продержишь, она заметит, спросит, волынка. Пощупал наклейку на ране, чуть-чуть нажал — вроде не больно. Наклейка большая и толстая и плотно к коже приклеена, но я с одного края, как раз на тазобедренном сгибе ближе к паху, подковырнул слегка, палец туда ввинтил поглубже и в эту норку посадил свой красный камень и наклейку обратно прижал. Вроде как опухоль небольшая образовалась у меня под животом, но заметно только мне.

Тут вошла Ириска, раздела меня и всю больную область накрыла мне пластиком, совсем ничего не видно. Подкатила меня под душ и стала помогать мыться.

В процессе мытья со мной случилась некоторая неловкость, но я не виноват, очень уж она приятно водила по мне мыльной рукой. Водила, водила и довела. Это меня каждый мужик поймет. Но она даже глазом не моргнула, ее ничем не смутишь, медработник все-таки. И она умная девочка, понимает пратиют и болтать на эту тему не станет. А я и подавно.

39

Лежу чистый, пустой и довольный, хоть и не по себе немного. Может, она и нарочно меня довела, из медицинских соображений, мне ведь теперь нескоро придется.

Боль вполне терпимая, а обычные мои боли вообще почти не чувствуются. Ириска сказала, к вечеру может разболеться, но дадут таблеточку. И уже есть захотелось, а особенно курить. Завтрак уже разносить начали, а покурить просил Ириску, сказала — рано, и посидеть в коляске не дала, перевалила обратно в постель и убежала. Хоть бы кто навестил поскорее, свозил покурить. Или бросить пока?

Но что огорчает, это не изменил ли я немного Татьяне. В сложившейся ситуации совершенно лишнее. Не знаю, как считать, но думаю, что нет.

Решил позвонить ей для укрепления отношений, но мобильник мой в сумке в тумбочке, и мне самому не достать. Кроме того, решил положить Адамант пока тоже в сумку, и отдать Татьяне, когда придет, все равно ведь хотел ей подарить. А пропадет, и хрен с ним, хватит мне с ним чикаться.

На ближней койке сосед лежит с головой под простыней, а на дальней сидит парнишка, полузакрыт занавеской, но, кажется, ходячий. Прошу его:

— Парень, ты мне сумку из тумбочки не подашь?

Молча встал, подошел поближе, совсем пацан, лет, может, четырнадцать. Надо же, как мне последнее время на них везет! Арабчонок. Я сразу опознал, хотя на нем надета какая-то хитрая штука, держит ему шею и голову. Подошел, не наклоняясь согнул коленки, вынул сумку, положил мне на кровать, повернулся и пошел. И все молча.

— Спасибо, — говорю. — Тебя как зовут?

Буркнул что-то, влез на свою кровать и занавеску задернул.

Ишь, думаю, какой, лежит в нашей больнице и даже разговаривать не желает. Или он плохо понимает по-нашему?

Потом уже Азам с ним поговорил и мне рассказал. Его, оказывается, наши подстрелили в какой-то заварушке. Прямо в спину — убегал, значит. А что он вообще там делал? Ясное дело, камни бросал в солдат. Пуля задела ему позвоночник, и он парализовался, но не до конца. Доктор Сегев долго его чинил, и можно не сомневаться, починил-таки. Парень пошел, хотя ему еще лечиться и лечиться.

И тогда такой вопрос. Вот он лежит тут уже третий месяц, занимает место нормального больного. Если рассматривать как ребенка, то нечего было в него стрелять, порядочный солдат в детей не стреляет, даже если камни, а расправляется другими методами. А стреляют во врагов, и если рассматривать как врага, то нечего с ним цацкаться. Пусть его свои, то есть враги наши, и лечат. Или — или, одно из двух.

Но мы конечно же хотим и рыбку съесть, и на машине покататься, и пострелять, и гуманитарность свою показать. Мы же подстрелили, и мы же костьми ляжем, но вылечим. Как будто нас кто-то за это похвалит. Про раненого ребенка весь мир по телику увидит, а как доктор Сегев с ним возился, сколько крови еврейской в него перелили, сколько средств потратили — про это никто не узнает, а если узнает, только плечами пожмет.

На иврите называется бизбуз, то есть пустое разбазаривание денег.

40

Вон, например, принесли завтрак, а он даже есть не хочет, отворачивается.

Завтрак, конечно, не Бог весть что, говорят, в больнице на все питание в день отпускается не то пять, не то семь шекелей на голову, не очень разбежишься. Крутое яичко, простокваши баночка, брынзы кусочек, полперца либо помидор. Ну, и, так сказать, кофе. Но я свой завтрак съел полностью, вкусно не вкусно, но в нем все есть, белки, витамины, минералы и микроэлементы, все, что нужно для организма. К тому же оголодал сильно.

А от арабчонка все нетронутое обратно унесли. Сестра ему ласково так говорит, поешь, мол, почему не ешь, он промолчал, только головой качнул, она и унесла.

И оказалось, не зря он не стал есть. Привалила к нему целая хамула посетителей, все семейство с малыми детьми, человек, наверное, десять набилось, дышать стало нечем. И ничего, всех пустили, и даже без халатов, как в России требовалось. Чего они только с собой не несут, каких болезней, и прямо в больницу. А может, среди них и террористы есть, но не станут же подрывать больницу, пока он тут лежит. Они нанесли ему еды, банок, мисочек, стали его кормить и в том числе нас с соседом угощать. Но я вежливо отказался, хотя еду здешнюю восточную ужасно полюбил, всегда говорю Татьяне, положи приправ побольше, но она, кроме лука и чеснока, так ничему и не научилась.

Лежу среди всех этих запахов, и курить хочется все сильнее. Почти двое суток уже не курю, измучился весь. Думал было бросить на время, но, пожалуй, не стоит, это сейчас только дополнительный стресс для организма. Звоню Татьяне, может, забежит на минутку, свозит меня. Нет, говорит, сейчас никак, скоро обход, да и не надо тебе пока, Мишенька. Скоро к тебе придут, а я уж после дежурства. Голос усталый, но ласковый, заботливый, и Мишенькой зовет по-прежнему.

Лежу, жду, кто ко мне придет. Скорее всего, Галка, у нее работа привольнее всех, отпустят. И конечно, Азама с собой притащит. И очень хорошо. Во-первых, рабсила, и уступчивый, свозит покурить. А главное, сразу скажу ему свои намерения, пусть сходит к Татьяне и возьмет себе рамку и все, что там осталось. И пусть сбывает, куда хочет, за сколько сумеет, лишь бы отчаливал в свой Лондон поскорей. Обрадуется небось, когда скажу, что отказываюсь от своей доли! Вообще-то он парень деликатный и будет, скорее всего, настаивать. Если сильно будет настаивать, тогда сколько-то возьму — если, конечно, его не загребут в процессе. А вот еще идея: дать ему денег на дорогу, и пусть едет сразу, там, наверно, и сбыть легче. Обязательно предложу, только бы развязаться поскорее.

В ожидании включил телевизор без наушников, но там опять «теумим». Опять летят, опять врезаются, опять все валится в прах и дым. В немом виде еще сильнее производит. Как во сне.

Да, это теперь всерьез и надолго. Надо скорей залечивать ногу, вернуть назад Татьяну и получать полное удовольствие от жизни. Зашевелился опять вопрос, что с деньгами куда веселее, но я его сразу подавил, потому что все уже решено.

41

Помимо денег, все люди на свете делятся на слабых и сильных.

И это не означает физической силы, хотя она очень помогает. Взять, к примеру, моего врачишку — маленький и хилявенький, ветром сдует, а силен! И от ума не зависит, сколько я умных слабаков встречал. Конечно, и сила помогает, и ум, и физическая внешность даже, но не решает, взять хоть мою Танечку, красавица была, и все равно. Помогать все это помогает, но только на поверхности, по обстоятельствам, а внутри ничего не меняет, все равно остается — либо сильный, либо слабый, и это от рождения. Такой естественный отбор.

Я это разделение понял с детства. У нас в школе, еще в младших классах, был один, Юлик, много книжек читал и нам пересказывал, и все его слушали. Однажды он рассказал нам про рабов в древнем римском мире и про цезарей. Всем понравилось, и стали в это играть. Что, разве его в цезари пустили, хотя он был зачинщик? Нет, цезарем стал Толян Грузиков, просто стал, и все. И выбрал себе в царицы самую завидную девочку, Светку Шикину, она даже не пикнула. Половина класса получились рабы, тоже сами собой получились, с рабами Толян обращался как хотел, поставит двоих на карачки, это, значит, трон и они на нем со Светкой сидят, спереди двое плашмя лежат, и на них они ноги ставят, а еще двое стоят у них сзади на коленях и руки вперед вытянут, в роли спинки с подлокотниками.

171

Нескольких Толян оставил вольняшками, есть такие, в которых сила либо слабость не сразу ясно проявляются, эти были в стороне, сами с собой, даже в игре не очень участвовали. А сверху выделилась головка, пять человек приближенных, и каждый тоже выбрал себе пару из девочек получше, назывались матроны. А Юлик этот и учился хорошо, и спортом занимался, фехтованием, но все равно слабина в нем чувствовалась, сделался простым прислужником-вольняшкой, спасибо, что не рабом. Между прочим, еврей по матери, но не из-за этого, вот и я ведь тоже, а считался среди сильных. Цезарем я не стал, слишком хлопотно, но ходил в самых приближенных, и в пару взял неплохую девчонку, а хотел Светку Шикину, и она хотела, но Толян перехватил. Потом-то у нас с ней все было, только завершилось неудачно, но я не жалею, благодаря этому у меня Танечка есть.

Вообще, я одно время думал, что Светка очень красивенькая и другой такой нет. Но приехал сюда, гляжу, что все полуевреи, и евреи даже, массу таких Светок с собой навезли. И все они так похожи друг на друга, просто один тип, видно, у евреев к этому типу склонность, а моя Татьяна все-таки совсем другая, настоящая русская красавица.

Так вот. В детстве я считался среди сильных, и в молодости тоже, а потом, в результате инвалидности, люди стали автоматически считать меня за слабого, а я и не рыпался, мне же удобнее, а про себя всегда знал свое. Вот только сейчас сомнение небольшое появилось, но это временное.

Сейчас вообще все как-то немного сместилось. Взять хотя бы ту же Татьяну. Всю жизнь по всем признакам проявлялась как слабая и сама понимала и вела себя соответственно, а теперь даже и не знаю, как считать. Вроде бы какая была, такая и осталась, а видится иначе. Сынок у меня в мать, и даже, можно сказать, слабее, хотя парень веселый. С Галкой все ясно — это сила. А вот Азам этот — что-то я не разберу. По всем своим показателям должен быть слабый, уже одно то, что араб в еврейской стране. И ничего у него нет, ни денег, ни специальности, кроме этого его лунгистика, или как там, и держится скромно, как

172

ему и положено, но при этом уверенно в себе, как будто и у него какое-то достоинство имеется. Может ли оказаться, что мое разделение неправильное и что люди одновременно бывают и сильные и слабые, или иногда такие, иногда такие, или меняются со временем? Нет, думаю, что нет, одна только видимость, а в основе все то же. Всю жизнь я этим правилом руководился и менять взгляды не собираюсь.

И прямо к этому примыкает вопрос о доброте.

Вот Татьяна сказала, ей, мол, захотелось с добрым человеком пожить, а я, мол, не добрый. И правильно сказала, потому что добрый это слабый. Говорят «добрый», а хотят просто сказать «не злой». И я, конечно, вовсе не злой, потому что злость тоже признак слабости. Но с добротой этой, я считаю, люди сильно преувеличивают и привирают. Все свои добрые поступки люди делают просто потому, что им так лучше, полезнее, чтоб совесть не мучила, или чтоб окружающие видели, или со страху, или просто отказать не умеют. Короче, для собственного удобства. Все это очень хорошо, и пусть, я и сам так иногда, только нечего добротой прикрываться. Нечего слабость добротой называть. Хотя Татьяна моя всегда по-настоящему добрая была, а теперь, говорю же, не знаю, что и думать...

Но что она с добротой своей учудила, этого я никак не предвидел.

42

Лежу, жду чего-нибудь. В больнице, когда не спишь и не процедуры, всегда чего-нибудь ждешь.

Поскольку я у двери, мне слышно, что происходит в коридоре. Слышу, из соседней палаты вышло несколько человек народу, остановились в коридоре, спорят на медицинские темы. Обход. Сейчас увижу врачишку моего дорогого, похвастаюсь ему, как я быстро выздоравливаю — и садился, и мылся, и болит не так уж.

Заглядывает к нам в палату какой-то в кипе, ищет глазами кого-то. Ясно, что не к арабчонку, зову соседа, это, мол, не к тебе? А сосед все под простыней накрытый лежит, пока выпутался, пришли врачи и оттеснили кипастого посетителя обратно в коридор. Арабскую хамулу тоже в коридор попросили, и какая досада, нету с врачами моего доктора Сегева, а есть зато усатый Джордж. Белых халатов целая толпа, это они студентов привели с собой на нас обучаться, среди них даже один китаец.

Когда до меня дошли, я сразу спросил про доктора Сегева, но мне сестра говорит, тихо, тебя сам профессор будет осматривать.

Этот профессор мне даже в лицо не глянул, осматривал меня, будто перед ним бревно какое-то лежит, в котором только один сучок представляет интерес, то есть моя нога. Осматривает, щупает и все время говорит, говорит, объясняет, какой я интересный случай в связи с имеющимся заболеванием и какие мне грозят осложнения, не знает, что я по медицине почти все понимаю. Я осложнений не ожидаю после такой замечательной операции, но вижу в какой-то момент, что он кивает с одобрением в сторону усатого Джорджа. Нет, говорю, это не он, а доктор Сегев, а он наоборот, он хотел меня выписать, и хочу все им объяснить, но они уже пошли дальше. Только медсестрица, грымза эта крашеная, накрыла меня и говорит: лежи спокойно, отдыхай, вон к тебе сейчас твой брат придет.

Да еще стажер-китаец — увидел мою перекошенную физиономию, остановился, хихикнул и говорит на ломаном иврите:

— Плохо чувствуешь, а? Больно, хи-хи?

— Вали, — говорю, — отсюда, фря китайская! — по-русски, естественно.

Он опять хихикнул, поклонился мне и отвалил.

Брат? Какой еще брат? Нету у меня братьев и не было никогда.

В палату потянулась снова арабская компания, а за ними тот кипастый, что раньше заглядывал.

Вошел, стоит и водит глазами с меня на соседа и обратно. Сосед на него не реагирует. Хорошего роста, с меня примерно, и в моем возрасте, пиджак, как у них положено, несмотря на жару, из-под пиджака веревочки эти ихние слегка свисают, а в руках у него...

А в руках у него авоська!

И авоську эту я узнаю! Я прекрасно знаю эту авоську!

Здесь таких вообще нет, а эта особенно, я ее лично сплел для Татьяны из скрученных зеленых и красных лоскутов.

А он стоит, переминается и смотрит прямо на меня.

— Вы, — говорит, — Михаэль?

— Я, — говорю.

И начинаю уже догадываться, кто это такой.

Догадываюсь и сам себе не верю. Невозможно поверить, что она мне такое устроила.

Подходит и говорит:

— Я вам тут принес к обеду...

И ставит осторожно авоську у меня в ногах. И стоит, смотрит на меня сверху вниз. А я на него, снизу вверх. И такую неловкость чувствую, что не передать. Однако виду не подаю, спрашиваю более-менее спокойно:

— А вы, простите, кто?

— Я, — говорит, — Йехезкель. Я... меня Татьяна просила вам отнести... Тут суп грибной, она сказала, вы любите... И печенка куриная, не знаю, как вам понравится, я остро готовлю, но она сказала, вы любите... А как вы себя чувствуете?

Как я себя чувствую, это лучше не спрашивать. Лежу перед ним распластанный, и он на меня сверху вниз может смотреть! Мало того, что она его ко мне послала, она его еще и стряпать для меня заставила! И я теперь должен ему говорить спасибо! Когда, по чести рассуждая, надо было бы ему врезать как следует, чтоб чужих жен не сманивал, и еще религиозный.

— Спасибо, — говорю, — но зачем же вы беспокоились. Мне ничего не нужно, здесь кормят сносно.

Он улыбнулся, и не могу отрицать — улыбка симпатичная.

— Ну, какое там сносно. Вам сейчас необходимо хорошо питаться, а она к обеду никак не успевала. Она к вам после дежурства забежит, примерно через час-полтора.

— Я знаю.

Ну, и все, и больше сказать нечего. Но он не уходит. Развязывает авоську, достает банки с едой и спрашивает:

— Подать вам, будете сейчас кушать?

А уже, я слышу, в коридоре гремит обеденная тележка, здесь обед рано начинается, но до нашей палаты когда еще очередь дойдет.

— Да нет, — говорю, — спасибо, я еще не голодный.

— А то покушайте, пока горячее, я завернул в газету для тепла. И сметаны принес к супу, она велела...

— Нет, я вообще-то устал немного... Хочу подремать, пока обед принесут.

Он голову наклонил, завертывает обратно банки в газету, а у самого руки дрожат. Тоже нервничает.

Я глаза прикрыл, но не совсем и рассматриваю моего конкурента. И вижу, что не случайно на него подумали, что брат. Похож, так что даже удивительно. Только бороду убрать, и волосом темнее, и глаза черные, а у меня серые. Ну, и фигура, ясно, попрямее, хотя сложение похоже — плечи широкие, и брюхо не висит.

Смотрю на него и думаю: и стоило тебе, Татьяна, шило на мыло менять. Чем он меня лучше? И не моложе, и не интереснее, и по-русски не говорит, и религиозный. Правда, здоровый и прямой. Неужели из-за этого? Как-то ей такое даже не подходит. Да еще гиюр ей понадобился!

Положим, гиюр и я бы позволил, если так уж приспичило. Хотя кашерность эта, две раковины, раздельный холодильник... Еще посмотреть, какой и он-то религиозный — одна только кипа да веревочки, даже без пейсов, или, может, маленькие за уши заложены, и не заметно. И сметаны мне принес вместе с печенкой! Ничего себе кашрут. Она велела! Подкаблучник настоящий.

Принесли мне больничный суп, куриный как бы бульон с овощами. Откинули от тумбочки доску прямо мне под подбородок, удобно есть в лежачем состоянии.

— А может, — он говорит, — все-таки грибного? Вы же любите. Я бы подогрел.

И так смотрит, даже вроде жалко стало.

— Нет, — говорю, — я лучше еврейского пенициллина похлебаю. Легче для желудка и, говорят, помогает заживлению. А грибного, может, к вечеру.

Обрадовался. Побежал еду в холодильник ставить.

43

Мне с этим Йехезкелем, а проще говоря Хези, потом много дела пришлось иметь.

И что это за человек оказался — я, стыдно сказать, потом даже удивляться перестал, что Татьяна на него запала. И даже теорию свою насчет доброты слегка пересмотрел. То есть такой доброты человек, каких я нигде не встречал. И главное, в душу не лезет, а просто смотрит на тебя так, словно заранее тебе все твои пакости простил, да еще и посочувствовал. Но про себя. И доброту проявляет не тогда, когда ему хочется, а всегда, у него это идет автоматом. Конечно, он свое добро тоже для собственного удовольствия творит, но в том-то и дело, что для него именно в этом удовольствие, а не в чем другом. И даже на жизнь зарабатывает чем-то таким, где доброта первое дело, травами исцеляет, разговорами, что-то в этом роде. Я во все это шаманство не верю, но кто верит, говорят, очень помогает, и тут, конечно, без доброты вообще ничего не получится.

И я к нему, опять же признаться неловко, сильно привязался. Правда, у меня и выхода не было, так обстоятельства сошлись. Да и он ко мне.

В одном только я оказался прав, что Татьяна непременно несчастненького подцепит. Хотя его и несчастненьким-то назвать язык не поворачивается, разве уж просто несчастливым. Но в жизни ему до Татьяны не очень везло. Да и с Татьяной... но это все потом.

Я думал, он вдовец, но оказалось, что жена у него жива. Жива, но все равно, что и нету, находится в таком заведении, откуда уж и не выйдет никогда. Родила ему троих детей и после каждых родов становилась все хуже и хуже. Долго ее лечили, он не хотел ее никуда отдавать, пока она однажды чуть не задушила младшего сынишку. И тогда отдал, но разводиться не стал, хотя в таких случаях даже по их правилам можно. И много лет жил холостяком, сам растил детей, и к жене чуть не каждый день ездил, и до сих пор ездит, хотя она уже совсем на человека не похожа.

Сам он о прежней своей жизни никогда не говорил, мне Татьяна постепенно рассказала. Там они и познакомились, когда Татьяна в этой психушке нянькой работала, тому будет уж лет семь. Однако тогда ничего у них не было, ни малейшего даже намека, у него дети тогда были подростки, и наши тоже, и я в Татьяне никакого охлаждения к себе не замечал. Только последнее время... И как только я просмотрел? Как раз в последнее-то время чувствовал, но не придал значения, и эту потерю бдительности ставлю себе в большой минус.

Но мало было Йехезкелю такой жены, у него и сын один получился не вполне. Называется аутист, то есть ты с ним говоришь, а он на тебя даже не смотрит. То ли слышит, то ли нет, то ли понимает, то ли нет, но без всякой реакции. Но Хези даже этого аутиста сумел довести до ума и все научил делать за собой, и тот даже рисовать начал. Теперь старшие дети из дома уже ушли, а аутист этот живет с ним и, видно, уж всегда будет.

Между прочим, интересно, сколько у евреев всяких идиотов, дефективных и недоделанных, и вот особенно у религиозных. Когда я еще в автобусах ездил, бывало, проезжаешь через религиозный район, иной раз таких физиономий насмотришься — рот разинут, губы красные слюнявые, язык во рту не умещается. Да и другие, хоть и с закрытыми ртами... И главное, у них положено, чтоб всякий обязательно женился и детей плодил, а ведь за такого нормальная девушка не пойдет, значит, выищут ему такую же убоженьку, можно себе вообразить, что от них родится.

Да и все они там среди своих наперекрест женятся, и особенно в прошлом, когда в густых местечках жили, так что в конце концов все друг другу близкие родственники, так что идиотизм этот понемножку распространился среди всех.

Это я только так говорю, религиозные, но на самом деле мы и все от них произошли, и всех затронуло, больше или меньше.

А такая мы, считается, мозговитая нация, самая, говорят, грамотная на свете! Видно, грамота человеку даром не проходит.

А может, настоящее-то идиотство плохо, но если в сильном разбавлении, то и получается особая острота ума? Считается, в истории три великих еврея исключительно повлияли, и мы всем их в нос тыкаем, наши, мол, гении человечества, это Маркс, Эйнштейн и третий, забыл сейчас, насчет душевных заболеваний — и что, разве не психи были?

Ко мне, положим, все это не относится, повезло, поскольку подмешана русская половина. Хотя... вон как они там в России кричат: генофонд, генофонд, тоже недоделанных хватает, только у них это не так способствует остроте ума.

А здесь, когда началось государство Израиль, стали жить просторнее и больше следить за здоровьем. И жениться стали более отдаленно, и часто даже из разных стран. И идиотизм уже так сильно разбавился, что в массе уже положительно не действует, зато отрицательно сколько угодно. Но это всего лишь мои догадки, научно не подкрепленные.

В общем, съел я суп. Второе, сказал, не надо, все-таки организм еще много не принимает. И лежу, надеюсь, что Йехезкель этот больше не вернется, скоро ведь Татьяна должна прийти, оба вместе у моей постели — это уж действительно чересчур. И кроме того, начал чувствовать себя не так хорошо, очень устал.

И заснул. А просыпаться начал оттого, что слышу, в головах у меня какая-то возня. Очень не хотелось глаза открывать, но открыл. У кровати у самой моей головы стоит кто-то с костылем, мне не видно, и пытается руку мне под подушку пропихнуть. Тут уж я почти полностью проснулся, хотя под подушкой у меня ничего нет. Но язык еще не ворочается.

А тот руку глубоко под подушку запустил и шарит там. И морда его прямо против моих глаз, и я узнаю вчерашнего противного деда. Ко мне сразу вернулся голос, шиплю.

— Отзынь, гнида старая!

А он шарит под подушкой и тоже шипит мне прямо в ухо:

— Где он? Где? Не отдашь, тебе же хуже.

Я воздуху в грудь набрал и как крикну:

— Помогите! — И тут же вскакивает в палату Йехезкель, видно, в коридоре Татьяну дожидался.

— Что случилось?

Старикан руку из-под подушки вынул, выпрямился и сладко так улыбается:

— Да вы что, друзья, почему паника? — И к Йехезкелю: — Я ведь сам тут вчера лежал, и мы с вашим родственником очень подружились. Я ему, пока он спал, хотел под подушку сюрприз положить, камею, он такие штучки любит.

И показывает в кулаке хирургическую перчатку, выдавливает из нее большую красную бусину. На мой Адамант ничуть не похоже, но размер тот же.

— Сейчас, — говорит, — положу и уйду, если мешаю.

И снова сует руку ко мне под подушку.

— Йехезкель! — говорю громко. — Что этому человеку нужно? Он меня трясет, и мне больно. Скажите ему, чтоб оставил меня в покое.

Йехезкель подошел, отвел его за плечо от кровати и говорит вежливо:

— Да ведь он уже не спит, можете отдать прямо ему.

Старикан роль выдержать не сумел, злобно глянул на Йехезкеля, бросил бусину вместе с перчаткой мне на грудь и быстро уковылял из палаты.

— Вот настырная гнида, — говорю. — И чего он ко мне прилепился?

Йехезкель помолчал и говорит негромко:

— Вам надо быть осторожнее.

Осторожнее? Осторожнее?!

Жду, что дальше скажет. Молчит.

Может, не про это? Делаю вид, что не понимаю:

— Зачем он мне этот дрек принес? Я его и знать не знаю. Ненормальный какой-то.

Йехезкель говорит:

— Не беспокойтесь, я посижу в коридоре, больше его не пущу. А вы постарайтесь спрятать получше.

И ушел.

Так. Вот еще и этот знает. А я-то надеялся, что Татьяна не будет болтать.

44

Дочь Галина утверждает, что я в моего доктора Сегева влюбился. Положим, влюбиться не влюбился, это не моя склонность, меня эта мода не колышет. Но чувство возникло, признаю, и ничего плохого в этом не вижу. А именно уважение.

Честно сказать, я в своей жизни мало кого уважал — как-то не за что было. Уважение — это авторитет, когда доверяешь человеку, что он понимает лучше, чем ты. А я таких людей в своей жизни не встречал и больше всех доверяю лично себе. Ну, разве что мать — все-таки вырастила меня одна, хоть и докучала мне то с учебой, то с работой, но для моей же пользы, как она ее понимала. А в целом редко вмешивалась, очень сдержанная была и под конец тоже характер проявила — решила не ехать с нами и не поехала, сказала, людей не знаю, языка не выучу, не хочу в чужой стране сидеть у вас на шее, буду уж доживать, где всю жизнь прожила. Самостоятельная. Может, и не права была, но что-то в таком подходе есть.

А кроме нее, кого мне было уважать? Учителей затурканных школьных, что ли? Которые сами половины своего учебного материала не понимали и вымещали на нас свои бытовые неполадки? Или сотрудников моих из регистратуры? Даже вспоминать неохота. Или приятелей, с которыми выпивал и телок снимал? Или самих телок? Этих как раз вспомнить приятно, но уважать...

Про уважение к старикам я уже описывал.

Было, конечно, кругом полно всяких уважаемых общественных лиц, руководство там, вожди, писатели, но ведь уважение — оно точно, как любовь. Либо чувствуешь его, либо нет, и силой тут ничего не сделаешь. Не знал я всех этих уважаемых и уважения никакого не питал, а точнее сказать, плевать я на них хотел. И главное, мне это уважение было целиком и полностью ни к чему, я даже и не замечал никогда, что его нет, и спокойно жил без него.

Но доктор Сегев — это совсем другое дело. Он к тебе все с юмором, с шуточками, но самый серьезный человек, какого я знаю. И в глазах у него что-то такое... не шуточки... Я думаю, бабы на него просто падать должны, несмотря что он из себя совсем никуда. Как гляну на него, мне и смеяться хочется, что он такой петушок общипанный, и грустно мне, что я для него хоть и интересный, но всего лишь только пациент, и почему-то даже жалко его немного. И хочется что-нибудь для него сделать, но неизвестно, что. Там в больнице на стенах полно картинок, подарков от благодарных пациентов и горшков с цветами, но это получается подарок больнице, а я бы хотел лично ему, и, уж конечно, не цветочки. Денег он, понятно, не возьмет, да я бы и не стал его обижать, а что-нибудь, что он любит, но как узнаешь.

Вообще, если б только он захотел со мной поговорить как с человеком, а не больным, я бы, кажется, всю душу ему открыл — никогда у меня не было такого желания, душу открывать, даже Татьяне. Но у него свободного времени никогда не бывает, он с тобой говорит, а ты чувствуешь, что его уже в десяти местах ждут. И очень она ему нужна, моя душа.

Выписал он меня из больницы очень быстро и без всяких церемоний. Едва дал неделю после операции побыть. К этому времени он меня уже на ноги поднял и заставил немного ходить с ходунком, только вес на больную ногу не наваливать. Ты, говорит, если бы только не твой спондилайтис, был бы богатырь, так на тебе все прекрасно заживает. И ты, говорит, молодец, сохранил мускулы, не позволил им атрофироваться, как некоторые в твоем положении. Это мне от него прямо как подарок был, и я порадовался, что всю жизнь делаю зарядку.

Галина при этом была и говорит мне: ну, где же не влюбился, смотри, как расцвел от его комплимента, так тебе ему понравиться хочется.

Ну, хочется. Что в этом такого? Достойный человек, и хочется ему понравиться, но в положении пациента это практически невозможно.

Интересно, а если бы не пациент, а просто по жизни? Был бы у меня шанс с ним поближе познакомиться? Вряд ли. Он бы на меня и внимания не обратил. Да и я, если б он мне не врач и операцию не делал, я бы, наверно, тоже так сильно не относился. Они там в больнице в белых халатах все для нас как боги, а халат снимет, может, и ничего особенного. Но это вопрос теоретический, я его теперь больше и не увижу. Может, один раз еще, когда швы снимать, да и то, скорее всего, сестра или стажер.

Между прочим, вот кому стоило бы пожертвовать камушки, если б только это можно было законно оформить — на медицинские опыты, типа. Он бы разработал новую редкую операцию, а ему за это Нобелевскую премию. Вот это было бы действительно употребление. Но это, конечно, так, мечты.

Часть третья
СУДНЫЙ ДЕНЬ

1

Я теперь настоящий султан-богдыхан. Живу, окруженный женской заботой. Не одна женщина за мной ухаживает и не две, а целых четыре.

Кармела к моему возвращению устроила мне царский прием. Прибрала в квартире, даже цветных воздушных шариков навешала, как тут принято, и большой плакат против двери: **ДОБРО ПОЖАЛОВАТЬ ДОМОЙ, МИШЕНКА!**

И еды нанесла массу, самых вкусных своих блюд. Как раз был Эрев Рошашана, канун еврейского Нового года, Алексей пришел с женой и ребеночком, все сошлись вокруг моей кровати, включая Татьяну, выпили сладкого вина по рюмочке, хорошо посидели.

И дочка совсем сменила гнев на милость, каждый день после работы забегает: не нужно ли чего, папаня. Правда, больше сама кофе пьет, а то и питается, однако, видно, испугалась все-таки. Правда, есть догадка, что не только в этом дело.

И с Ириской мы много времени проводим. У нее, оказывается, квалификация по лечебной физкультуре, поэтому теперь уже не только от Татьяны приходит, но и по официальной линии, разрабатывать мою ногу. В какой-то момент она все-таки спросила в разговоре, зачем ко мне тогда приходила полиция, я равнодушно ответил, что драка во дворе была, а у меня украли мешок с материалами, но все это уже проехало и забыто. Ладно, говорит, если будут опять беспокоить, ты меня к ним пошли, я им сделаю внушение. И посмеялись оба.

Но главное — сама Татьяна. Я все правильно рассчитал, что она меня в таком положении не сможет бросить.

Конечно, пока трудно сказать, вернулась ли она ко мне полностью, или только временная забота о больном. Но почти все свободное от работы время она здесь, при мне, и привычка свое возьмет. Правда, когда ночует, то спит на диване в салоне, но это и правильно, мне и раньше было тесно вдвоем, а при моей травме тем более.

Нога прогрессирует семимильными шагами. Наклейку сняли, там длинный ровный шов, и не ниткой сшито, а скрепками стянуто, редкой красоты шов, чистенький, неинфицированный, только припухлость и легкое покраснение. Очень аккуратно доктор Сегев сделал.

С ходунком уже сам в уборную потихоньку ползаю и малое дело нормально справляю сам, а большое садиться пока трудно, Татьяна помогает.

Ирис говорит, к костылю не приучайся, скоро с палкой будешь ходить, и палку принесла с четырьмя лапками, стариковскую, но я с такой палкой по улице не пойду, только дома. Она вообще меня здорово гоняет, в кресле ездить совсем не дает, тебя, говорит, Татьяна разбаловала, я тебя в форму приведу. Это предположим, но свои формы она бережет строго, за меня во время упражнений хватается, где хочет, а мне ни-ни. Просил ее помочь мне помыться, а она мне — раздеться помогу, а мыться ты сам можешь, только дверь не закрывай. Вот так вот. Казалось бы, случай непростой, серьезная травма наложилась на тяжелое хроническое заболевание, но она обращается, как будто это обыкновенный перелом, как будто в остальном я здоровый. Обидно, с одной стороны, но с другой — довольно приятно.

Боли, конечно, есть. В больнице состояние все время было возбужденное, и чувствовал только свежую боль, да и ту успешно забивали новейшими достижениями. А дома и старые пробудились, плечи тянет, шею щемит, плюс шейка бедра ноет постоянно, а к вечеру просто ломить начинает. Но я не переживаю. У меня теперь есть перкосет, мне выписали, а понадобится, и еще выпишут.

Курю, сколько хочу и когда хочу, но в меру. В больнице так изголодался, что сперва накуриться не мог, но это лишнее, снизил норму до десятка в день и редко превышаю.

Ицик заглядывает каждый день, хочешь, говорит, я тебе книжку почитаю? Или в шеш-беш давай, в нарды то есть. А хочешь, на компьютере поучимся? Но мне пока что ничего не хочется, приходи, говорю ему, завтра.

И даже музыки я что-то последнее время не слышу, говорят, балалаю ранило в теракте. Хорошо, что не погиб, я ему смерти не желаю, но какая-то справедливость на свете все же есть, хотя наверняка выздоровеет и вернется. Со дня на день жду флейтиста, не пойму, куда девался, в отпуск ушел, что ли? Но и о нем думаю без прежней злости, похоже, больница нервы мне тоже подправила.

Ресторан по-прежнему наглухо закрыт, висит табличка, что сдается помещение, но сейчас времена для бизнеса плохие, и надеюсь, что сдастся нескоро.

Короче, все складывается нормально. Лучше, чем можно бы ожидать в создавшейся ситуации. Правильно говорят, что только когда случится что-нибудь, человек понимает, как он хорошо и прекрасно живет.

Если б только не одно.

Если б не камни треклятые.

2

Очень мне дома хорошо показалось.

Тихо, никто не дергает, постель широкая, простыни прохладные, пища вкусная, пепельница под рукой. И нога заживает, и ясно, что ходить буду, и Танечка ничего не упоминает, что уйдет, и Йехезкеля этого я не вижу, и бабенки кругом мельтешатся — так хорошо показалось, что вот ничего больше пока не надо, и про камни готов забыть.

Но забудешь тут.

Устроился я дома, расположился, отдохнул немного, и очень скоро Татьяна вручила мне обратно все: и макраме постиранное, и что из него вывалилось, и даже Красный, который я ей в больнице передал. Вручила молча, без комментариев. Я посчитал — потерялось всего пять штук, двадцать семь налицо, не считая Красного.

— Красный, — говорю, — оставь себе, я тебе его дарю.

Головой покачала:

— Нет, не надо.

— Ты что, — говорю, — неужели не нравится? Смотри, какой красивый.

— Не хочу.

— Глупая, ты спрячь его куда-нибудь пока, а потом посмотрим. Может, я тебе кулон сделаю.

— Нет, не хочу.

— Да бери, Таня, чего ты, я ведь от души.

— Нет. И тебе то же самое скажу.

— Какое?

— Выкинь.

— Выкинь? Как это выкинь?

— В помойку. И из головы.

В помойку? Драгоценнейшие бриллианты выкинуть в помойку?

Ну, это уж как-то...

А что, думаю.

Что, думаю, Миша, слабо тебе?

Вот взять сейчас все, не разглядывая завернуть в старую газетку, и в ведро. Из ведра пойдет в мусорный контейнер. А там приедет машина, свалят в нее, она все пережует, спрессует и выплюнет на свалке. И уж там никто никогда не найдет. Правда, рассказывают, там живут особые бомжи, мусор перебирают, ценности ищут. И говорят, находят. Когда-нибудь, глядишь, один найдет такую блестяшечку — вот счастье привалило! Но вряд ли, кто такую мелочь увидит, а увидит — и внимания не обратит. А со временем эту свалку засыплют землей, сделают красивый холм, разобьют на этом месте парк, и уже никто никогда, и концы в воду. А? Слабо?

Был такой момент и прошел.

Позвонили в дверь, явилась Галка со своим Азамом. Я все сгреб, и куда же еще — под подушку.

А зачем, спрашивается?

Зачем спрятал? Я ведь еще в больнице решил все ему отдать? И Таня говорит — выкинь? Вот тут бы сразу и отдать ему, и с плеч долой, все равно что на помойку выкинуть. Но нет, инстинктивно спрятал. Видно, одно дело больница, а другое дома, и решения тут другие.

Все эти дни в больнице ни Азам, ни Галина ко мне с этим делом не приступались, скорее всего, он ее удерживал, оберегал покой больного. Но сейчас, понимаю, не избежать.

Что ж, я готов. Нет, решения своего не меняю, отдам, но к чему такая спешка, послушаем сперва, что они скажут. Я ведь в больницу загремел как раз в тот вечер, когда Азам хотел сообщить мне что-то важное. По телефону тогда сказал: я знаю, что делать с камнями. Вот и поглядим, что он такое знает, а то поспешишь — людей насмешишь.

Несмотря что мне глубоко не нравится сам факт их общения, опять не мог не отметить, как они красиво смотрятся вместе. Она у меня такая вся белокожая, в мать, и небольшой румянец на щеках так и светится, здесь это у девушек большая редкость, натуральный румянец. А он рядом такой смуглый, и волосы у обоих одинаковые до плеч, крутыми кудрями, только у него черные, а у нее светло-русые. Прямо два ангелочка, позитив и негатив. И одеты. У Галки всегда был вкус в одежде, от меня переняла, если не считать того, что голизны много. Но этот-то, Азам, откуда у него вкус? Одет еще лучше, чем в тот первый раз. Темно-красная рубашка, причем явно не ширпотреб, а настоящая фирма, куплено в дорогом магазине где-нибудь в Тель-Авиве. Откуда только деньги берет, а жалуется, что учиться не на что. И не побоялся в наш дорогой магазин зайти!

Это вообще удивительно, как они совершенно не боятся среди нас ходить, я еще в больнице отметил, что посетители к тому арабчонку ходили, как к себе домой. Женщины в белых платках и в своих этих длинных серых платьях-пальто, сразу отличишь. Ходили не стесняясь, совершенно не ожидали, что кто-нибудь их тронет или хоть слово скажет. А мы среди них боимся, и даже руководство предупреждает, чтобы в их места не соваться. Такое отсутствие баланса — это неправильно. Мы здесь национальное большинство, а боимся к меньшинству даже сунуться. Тогда бы и они должны были бояться, и им тоже должно быть от руководства параллельное указание, но этого нет.

Но в каком виде Азам ходит, его никто не отличит. Потому, видно, и не боится или для этого специально так одевается. Не то художник, не то артист, но уж никак не араб. Еще отметил, что усики-то он действительно сбрил, как Галка требовала.

Я лежу, а они оба стоят надо мной, красивые, чистенькие такие, свежие, словно тонким лаком покрытые, против воли глаз радуется.

Но на самом деле не радоваться надо было, а «караул» кричать и рвать на себе волосы.

3

Я себя сионистом не считаю, меня не устраивает их идеология. Да и никакая идеология не устраивает, кроме моей собственной. Но одно у меня есть, и это патриотизм. Меня к патриотизму еще там приучили, и не вижу причины, чтоб отказываться.

Многие надо мной смеются, говорят, вот сионист нашелся. А другие говорят, ты настоящий совок, не можешь расстаться с советской ментальностью. Не видят, что без патриотизма это будет интернационализм, то есть самая настоящая совковая ментальность, в которую все равно никто не верил, только болтали.

А патриотизм для меня значит, в какой стране ты живешь и пользуешься, обсирать ее нечего, и без тебя найдется кому. Я и там так жил и критику на строй никогда не наводил, хотя все видел не хуже других. Ничего от критики не изменится, кроме неприятностей, тем более этот строй меня хоть и плохо, но социально обеспечивал. А здесь вроде своя страна, так тем более. Я и детям старался это внушить, и сын усвоил, а Галка нет. Поэтому сын живет и доволен, а эта наводит критику и все куда-то рвется.

И разве она одна рвется. В связи с патриотизмом я озабочен судьбой этого государства, и что же вижу? Которые помоложе и поактивнее, норовят отсюда свалить, как правило, в ту же Америку, которая их ждет не дождется, но они не спрашивают. Из наших тоже много молодых отчалили, а стариков своих, понятно, оставили здесь, потому что здесь тоже социально обеспечивают, хотя и средне, а в Америке еще поглядеть, особенно если больные или неполноценные. Больных же и неполноценных здесь я уже говорил сколько, также и стариков, да еще мы подсыпали как следует, взять того же меня. В Америке, говорят, иммигрантов проверяют на вшивость, то есть нет ли туберкулеза и других заразных болезней, а также психов. В Канаде вообще берут только молодых и с хорошей специальностью, губа не дура, и в Австралии тоже. А здесь никого не проверяют, всех берут, приведу тех же эфиопов с ихним спидом. Это и есть сионистская идеология, чтоб как можно больше, хотя есть слух, что собираются изменить. Изменят или нет, но пока результат назревает такой, что в стране в конце концов останутся одни старики, дефективные, эфиопы и арабы. Ну, еще, может, марокканцы в городах так называемого развития. И тогда стране можно будет дать другое название в честь главной организации, не Эрец-Исраэль как сейчас, а Битуах-Леуми, то есть именно социальное обеспечение. А деньги на него та же Америка даст с радостью, потому что это куда дешевле, чем поддерживать ближневосточный конфликт, которому тогда придет конец.

Но меня благодаря патриотизму такое положение беспокоит. Потому что мне здесь жить в общем нравится, во всяком случае, не хуже, чем было в России, а может, даже и лучше, особенно как там теперь. А в стране Битуах-Леуми я бы жить не хотел, хотя лично для меня организация очень полезная. Поэтому я не одобряю кто уезжает, и тут мы с сионистской идеологией сходимся.

А Галина с Азамом мне что преподнесли?

Стоят они оба, сияют, как медные пятаки, и Галка кричит в кухню:

— Мать!

— Аюшки?

— Ползи сюда скорей!

Татьяна прибежала, спрашивает испуганно:

— Что случилось?

Галка говорит:

— Сейчас узнаешь. — И берет Азама за руку. — Мама, папаня, поздравьте нас. Мы с Азамом решили пожениться.

Что после этого было, легко себе представить. Ясно, какая у нас была реакция, чтоб в этой стране с арабом жениться. А когда накричались, а мать и наплакалась, и успокоились немного, и привели им все доводы против и всё обрисовали, какая жизнь их ждет, тут они бросили следующую бомбу. Галка говорит:

— Никакой такой ужасной жизни у нас не будет, потому что мы все, все члены обоих наших семейств, уезжаем из этой страны. Родные Азама уже знают и согласны.

4

Знают и согласны! Как это мило с их стороны!

Вот тебе, думаю, и Азам, мягкая глина. В три счета охмурил дуру-девку, заморочил ей голову, наобещал вздора какого-то, и уже его родные согласны! Еще бы они были несогласны, такую девку отхватить... тем более с выездом в перспективе. Значит, и их сумел обработать, на израильтянку согласны!

Но тут я ошибся. Весь план принадлежал моей дочери Галине. И жениться тоже по ее инициативе, она ему сделала предложение, а не он ей.

Татьяна вся исплаканная убежала на работу, а Галка услала Азама в салон, присела ко мне на кровать и говорит:

— Сейчас все тебе объясню.

Говорю ей:

— Я и слушать не хочу, можешь не стараться.

Но доченьку мою разве остановишь. Воспользовалась, что я беспомощно лежу, настояла на своем и стала мне излагать.

Сначала они едут на Кипр и там венчаются гражданским браком. Возвращаются и потихоньку помогают нам всем собираться. У Азама в Лондоне есть двоюродный брат, он пустит пожить первое время, и он же знает очень дошлого адвоката, который поможет все оформить законным порядком. Азама уже приняли в Лондонский университет на подготовительный курс, подучится английскому, хотя он и так знает. Сперва они туда поедут, потом она пригласит в гости Алексея, сына моего, с женой и ребенком, а Азам своих братишек. Алексей с его профессией себе работу везде найдет, а там и мы, старики, поедем.

И будем мы все жить-поживать в европейской цивилизованной стране, в прекрасном городе Лондоне, и никто не посмотрит, евреи мы, арабы, русские или кто еще. Не жизнь, а разлюли-малина.

— Так, — говорю, — все ясно. Ты все замечательно обдумала. И за нас, и за брата, и за арабских родственничков. Теперь скажи мне только одно.

— Что, папаня?

— На какие шиши ты собираешься все это производить? Не говорю про переезд для такой кучи народу, не говорю даже, на что там жить, но адвокат этот оформляющий, он что, по знакомству будет делать? Или у твоего Азама денег очень много?

— У Азама есть тысяча долларов.

— Да, — говорю, — су-урьезная сумма.

— Ладно, папаня, не смейся, мы на эти деньги на Кипр слетаем. Правда, маловато, и если бы ты подкинул пару сотен, то было бы хорошо, а не плохо.

— А-ха, — говорю, — пару сотен. А если не подкину?

— Жаль будет, но все равно.

— Ты мне можешь объяснить, почему такая срочность? Неужели, не дай Бог, успела, беременная уже?

— Нет, — смеется, — не успела. Но собираюсь. Представляешь, каких мы наделаем красавчиков смешанной расы!

— Дворняжек, — говорю.

— Пусть дворняжек, но многих благородных кровей.

— Но тогда почему такая срочность? Поживите так, ладно уж, если загорелось.

А она мне в ответ теми же словами, как я когда-то говорил:

— Нет, мне настоящий муж нужен, а не так. Иначе одна нервотрепка.

— Почему, — говорю, — нервотрепка? — хотя теоретически с ней согласен. — Познакомитесь хотя бы. Может, тебе тогда и в Лондон расхочется. В крайнем случае поедете в Лондон, там и поженитесь, если не одумаешься.

— Нет, папаня, — говорит твердо. — В Лондон ехать надо в порядке, уже поженившись. И он именно тот муж, которого мне надо. Я хочу жить с ним всегда, и жить хорошо, и чтоб вам всем было хорошо. Поэтому мы сделаем так, как я говорю. Мы с Азамом поженимся, и все мы уедем в Лондон.

Вон какая у меня дочка! Никуда я ехать не собираюсь, и весь план ее детский и глубоко не отвечает существующей действительности, но какова! Вся в меня. И отчасти в Татьяну.

5

Точно, больница меня очень расслабила.

Вместо того чтобы злиться на глупую девку, которая решает за других, никого не спросясь, составляет нереалистический план действий и даже не принимает во внимание ситуацию с Татьяной — как она это видит, мы все уедем, а Татьяна останется здесь с хахалем? или хахаль тоже с нами поедет? — вместо того чтобы выругать и послать подальше, смотрю на нее и не могу не любоваться.

Но вопрос денег по-прежнему стоит на повестке дня, и я намерен до конца ей все разжевать, чтобы поняла наконец, какую выдумала бредятину. И говорю:

— Ну, ладно. Предположим, я позволю тебе выйти замуж. (Тут она немного улыбнулась, но смолчала.) И даже в Лондон уехать. И дам пару сот долларов на Кипр. (Спасибо, папаня, говорит.) И предположим, все мы согласимся уехать. Но все же скажи мне, на какие деньги ты будешь нас переселять? Хотя учти, лично я категорически против и не сдвинусь с места.

Она как сидела рядом на кровати, так и уткнула мне голову в грудь.

— Папа, — говорит мне прямо в пижаму и, слышу, со слезами, — я знаю, ты ко мне не так хорошо относишься и считаешь, что я гадюка неблагодарная. А мне не будет счастья, если я вас тут брошу. И Азам то же думает про своих. Мы не можем вас бросить.

Тут уж и я чуть слезку не пустил, спасибо, ей не видно. Глажу ее по голове и говорю:

— Да где же не отношусь, чего выдумываешь. А что мы с тобой цапаемся, не обращай внимания. Я тебе по молодости прощаю.

Она подняла голову, смахнула слезы и говорит:

— Правда? Я так рада.

— И я, — говорю, — рад.

— Я тебя обниму?

— Обними, — говорю.

Пообнимала она меня, а я ее снова по голове погладил, но обнимать не стал, слишком много на ней голизны. Потом отпустила и опять села напротив.

— Папа, — говорит (папаней звать перестала!), — ты себе не представляешь, как я его люблю! Ты не представляешь... — и даже кулаки стиснула.

— Ладно, — говорю, — ладно.

Меня от всего этого немного корежить начало.

— Нет, ты не представляешь, какой это человек! Он такой... такой... таких больше нет на свете!

— Ну ладно, ладно, — говорю, потому что ей в этот момент разумного слова не втолковать.

— И ты не должен отказываться, потому что мне счастье только с ним, а здесь никак нельзя, замучат, а там я сама замучаюсь за вас, какое же это будет счастье, и ты должен согласиться, и мама, потому что...

Мне стало совсем не по себе. Столько чувств, и это от дочери Галки, от которой кто бы мог ожидать. К тому же и притомился порядком, и травма разбаливается все сильней. Хотелось бы проявить деликатность, но она никак не принимает во внимание, что у меня все еще слабость, и дальше продолжает меня убеждать на ту же тему. Пришлось перебить:

— Галочка, принеси стакан воды, лекарство приму.

Она крикнула:

— Азам, пожалуйста, принеси отцу водички! — И начала было продолжать, но спохватилась наконец: — Ты не устал, папа?

— Есть немного, — отвечаю.

Азам принес воды, я проглотил перкосетину и говорю им:

— Все, друзья, на сегодня серьезные разговоры придется закончить. Я буду отдыхать. А ты, дочка, подумай, какой я тебе вопрос задал, что вы на эту тему думаете делать.

Галина поднялась с кровати, взяла своего Азама за руку и говорит:

— Сейчас уйдем. А на эту тему мы уже всё обдумали и знаем как. Азам всё выяснил и просчитал. Ты отдыхай, а мы попозже зайдем, и он тебе объяснит все детали.

— Какие детали, о чем ты говоришь?

— Ну, папа, понятно же о чем. О твоих камешках.

6

Так разволновался, что первый перкосет подействовал слабо. Даже боль мало смягчил, тем более нервы. Пришлось принять еще таблетку, только тогда создалось нужное настроение.

Я еще раньше описывал, какое это прекрасное лекарство, как оно поворачивает тебя лицом в положительную сторону. Правда, последнее время начинаю замечать, что действует слабее и приходится увеличивать дозу.

Действие перкосета такое, что неприятности отходят на задний план, а голова остается ясная, но мысли направлять не надо, о чем само думается, о том и думаешь. Организм сам знает, что ему нужно, и в данный момент не позволяет мне рассматривать волнующие меня темы. Лежу, прикрыл глаза и наблюдаю внутри себя, как постепенно сокращается боль.

Наглядно вижу, вот тлеет черно-красный очаг в бедре, иногда посылает языки в разные стороны, и малые очажки в шее и между лопатками, и вот они начинают бледнеть, слабеть, уменьшаться в размерах. Боль не то чтобы проходит, а как будто утекает куда-то в дальний конец длинного туннеля и уже почти не болит, а только нудит. Не проходит, сидит там, но на расстоянии кажется маленькой и нестрашной.

Меня боль вообще давно уже не пугает. Это моя старая не скажу приятельница, но близкая знакомая.

В принципе я считаю, что боль — это исключительно ценное изобретение природы, автоматом предупреждающее нас, что в организме что-то не в порядке. Как что нарушилось, подпортилось, малейшая угроза — палец чуть поцарапаешь, и уже больно. Сразу зажигается красный сигнал. Хотя, казалось бы, что такое царапина на пальце, большое дело, но живое устройство очень себя оберегает. А вдруг из царапины вытечет много драгоценной крови? А вдруг туда заражение какое-нибудь попадет? Так что к сигналам этим нужно прислушиваться. Да и поневоле прислушаешься, природа так устроила, что не прослушаешь, сквозь сон услышишь. Ничто так не привлекает внимания к собственному организму, как боль. Когда она есть, ничего другого вокруг словно и нету.

Но я эти предупреждения слушаю всю почти жизнь, и по чести сказать, порядком надоело. Ну, предупредили раз, предупредили два, три, десять, наконец, может, хватит уже? Уже знаю, усвоил, что есть серьезный непорядок, и знаю какой, полностью отдаю себе отчет. Что толку предупреждать, когда починить нельзя, ни сам организм не может, ни снаружи никто? Но автомат, он и есть автомат, резонов не понимает, надо не надо — шлет сигналы. Чем сам же себе наносит большой вред, поскольку боль для организма — это яд.

Смолоду я эти сигналы очень тяжело переносил. Такие боли иногда бывали, что думал — как же я с этим жизнь проживу? Мне же еще жить и жить, я не вынесу. И вот, пожалуйста, благополучно подхожу к половине века. А говорят, к боли нельзя привыкнуть. Еще как можно! Если бы у меня в молодом возрасте так болело, как я теперь каждое утро просыпаюсь, я бы в панику пришел. И приходил, хотя тогда совсем не каждое утро бывало. А теперь принимаю в порядке вещей и просто делаю зарядку. Поэтому и новую боль от травмы принял относительно спокойно, и если и переживал в начале, то больше от тревоги, какой у меня будет прогноз. А когда понял, что прогноз нормальный, то теперь отношусь без суеты, тем более у меня есть перкосет.

Прежде, когда там жил, хороших средств от боли не было, а только такие, которые разрушают пищеварительный тракт, но я терпел и избегал по возможности, благодаря чему пищеварение сохранил.

У боли, вообще у болезни, есть еще одно положительное качество. Я имею в виду хроническую боль и болезнь, а не такую, которая внезапно и остро. И конечно, не такую, которая приводит к трагическому концу, а как у меня.

Такая болезнь, как у меня, дает человеку совсем другой взгляд на жизнь. Во-первых, лучше других осознаешь, что все там будем, и больше ценишь, пока здесь. Меня в здешней больнице, еще вначале, врач-психолог все расспрашивал, как я страдаю и нет ли у меня суицидных мыслей, все порывался мне объяснить, что это не надо, и почему, и как с этим бороться.

А мне просто смешно было слушать. Я бы сам мог ему сделать терапию на этот счет. Я за жизнь держусь очень крепко и считаю, что это хоть и подпорченный, но исключительно ценный подарок, который один раз случайно дали, но больше не проси. И выбросить его по своей воле мне никогда и в голову не придет. А боль — ну, что же, это и есть конкретная плата за подарок, вернее будет назвать, полуподарок, так уж совсем даром нигде не дают, ни в какой самой сниженной распродаже.

И во-вторых, хотя возможности твои ограниченны по сравнению со здоровыми, но при этом удовольствия от всякой ерунды, какую здоровый принимает как должное и даже недоволен, получаешь гораздо больше.

Верно, что, когда боль есть, ничего другого вокруг словно и нету, но когда она проходит! Да хоть одно то, что временно прошла, уже радость. Мне кажется, от боли, то есть когда ее нет, и всякое удовольствие гораздо острее. А кто совсем не знает боли, тот и удовольствия от жизни получает меньше, но таких людей на свете практически нет.

Вот, скажем, здоровый вкусного чего-нибудь поел — брюхо набил и дальше побежал по делам. А я то же самое съем, и не просто, а прочувствую каждый кусочек.

Я лоскуты свои разноцветные сложу вместе и любуюсь, как цвета красиво сошлись — радость! а другой и не заметит даже.

Или, например, сон. Для здорового сон это просто отдых от усталости. Выспался, вскочил и опять же по делам. А я, когда боли нет, в сон ухожу, как в праздник. И каждая минута засыпания для меня — просто цепочка чистого удовольствия, оттого и шум так меня терзал.

Про секс что и говорить, если его с приятной женщиной поиметь. Но здоровые перебирают, предъявляют требования и создают себе психологические проблемы, а для меня неприятных женщин практически и нет, разве что слишком уж старая либо совсем стерва — хотя и в них имеется свой цимес. (И как же это я только Танечку недооценил, из-за привычки, что ли? вот теперь и кусай локти...)

Такое мировоззрение я себе давно уже составил. Рассуждал разумно, вот и жил до недавнего времени правильно. Хорошо жил.

А теперь что? Сам, своими руками накликал на себя неприятности и беды... Посмотри правде в глаза, Миша. Никакого плана в твоей жизни не стало, и ты ею больше не управляешь. С женой ситуация мутная, и не известно, что будет. Дочь женится с арабом и хочет уехать, вдобавок хочет все семейство за собой тащить, включая неизвестное арабское число, и все это в расчете на твои камни. Твои... Какой черт тебя тогда попутал, ты можешь это понять? Одна минута, одна-единственная дурацкая минута, и всю свою философию забыл, и вся хорошая жизнь насмарку. Да плюс к тому шейка бедра, хотя это непосредственно не связано, но тоже не известно, когда еще полностью оправишься...

Это перкосет перестал действовать. Все-таки есть в нем то отрицательное качество, что действует, действует, и вдруг незаметно как с горки съезжаешь. То есть боль по-прежнему сдерживает, но мысли пошли уже не те.

7

Поэтому хватит валяться, а надо встать и подготовиться. Скоро должна прийти Ирис, и хочу встретить ее в приличном виде, то есть хотя бы пижамные штаны натянуть, потому что лежу без. Она мне и в этом больше не хочет помогать, сам можешь, говорит. И она права, могу вообще, именно при больной ноге оказалось, что могу больше, чем думал. Вот вам Татьяна, сперва распустила меня, а теперь бросать.

Вставать я научился хорошо, но со штанами по-прежнему много трудностей. Однако планирую даже побриться, Ирис в прошлый раз очень ругала, что лежу небритый.

Вот и звонок в дверь, точно вовремя, как всегда у Ирис. И я все успел, и штаны, и все. Цепляюсь за ходунок и начинаю потихоньку двигаться.

Тут опять звонок. Чего это ей не терпится? Смешная, знает же, что у меня на это уходит много времени. И еще звонок, два подряд.

Ковыляю, тороплюсь, но без всякой осторожности в смысле открыть дверь, только досада на Ирис, что не хочет ждать. Кричу ей: сейчас, сейчас. Уже взялся за ключ, и тут что-то меня подтолкнуло посмотреть в глазок — больше любопытство взглянуть на Ирис, когда она не знает.

Но там вовсе не Ирис. Не Ирис, а эта старая гнида с костылем из моей палаты.

Ну, надо же. И дома меня разыскал, гад такой! Хотя это не трудно, имя с таблички на кровати прочел, и вряд ли в Иерусалиме так много Михаэлей Чериковеров. И костыль ему не помешал, и голова не закружилась, приперся, симулянт вонючий.

Но зря трудился. Так я тебя, гниду, и пустил! Постой, думаю, постой на площадке, покукуй. А долго звонить будешь, надоешь — полицию позову, за приставание и нарушение общественного порядка.

Полицию... нет, пожалуй, полицию не позову. Дождусь, пока Ирис придет, она с ним быстро разберется.

А он еще и стучать начал. Боюсь, опять Ицик выскочит, опять сделает мне медвежью услугу, стучите, мол, сильнее, он всегда дома. Говорю ему через дверь:

— Чего приперся, пошел вон. Все равно не открою.

Он мне с другой стороны ласково говорит:

— Открой, пожалуйста, я по делу.

— Что, — говорю, — еще камею принес? Нет у меня с тобой никаких дел, убирайся.

— Камея, — говорит, — глупость, ошибка, ты уж извини. Нет, у меня серьезное дело.

— Не трать времени.

— Хорошее для тебя.

И что это Ириска не идет? Такая всегда аккуратная девочка.

Опять колотиться начал. Всех соседей мне переполошит!

— Сейчас в полицию позвоню, — говорю.

— Нет, — говорит, — в полицию ты не позвонишь, а лучше открой, у меня есть для тебя предложение.

— Никаких предложений, отваливай.

— Хорошее предложение. Я у тебя твой цирконий куплю.

— Какой еще цирконий?

— А камушек твой красный, замечательная имитация, приличных денег стоит.

— Имитация! Убирайся, дед, а то покажу тебе имитацию!

— Да брось, где тебе. А имитация прекрасная, говорю как старый ювелир. Я таких и не видал никогда.

— И больше не увидишь.

— На что она тебе? А я обработаю, оправлю красиво, и тебе выгода, и мне. Открой!

— Иди отсюда.

Опять я уставать начал, да еще стоя, а Ириски все нет.

— Три тыщи шекелей даю! Наличными.

— Да ты смеешься, дед! — Так меня эта сумма возмутила, что не удержался, дурак.

А он и в самом деле хихикает там за дверью.

— Ну, — говорит, — три пятьсот дам. Только для тебя. Ты что, и правда думал, это бриллиант? — И хихикает изо всех сил.

— Дед, добром говорю, вали отсюда, — больше не поддаюсь на провокацию, говорю мирно, на крик уже сил нет.

— Больше никто не даст, поверь мне.

Обожаю, когда человек говорит «поверь мне», первый показатель, что врет.

Наконец-то хлопнула дверь подъезда, идет Ириска. Торопится, мигом взлетела по лестнице, и слышу ее голосок:

— Вы к Михаэлю?

— К нему, — отвечает дед, — но что-то долго не открывает.

— А он медленно ходит, — смеется, — сейчас мы его поторопим, — и нажимает на звонок.

— Ирис, — говорю громко и отчетливо, — выручай. Гони этого гада в шею.

Вижу в глазок, она растерялась. Смотрит на деда и говорит:

— Михаэль, ты что?

— Пока не уйдет, никому не открою. Гони.

Растерялась ненадолго. Не стала расспрашивать что да почему, а прямо ему говорит:

— Он не хочет вас видеть. Вам придется уйти.

— Миленькая девочка, он же шутит, разве не видите? У вас есть ключ?

— Нет, — кричу прямо в глазок, — я не шучу! Пусть убирается. Я больше стоять не могу.

Ириска свела брови и строго говорит:

— Вы слышали? Попрошу немедленно отойти от двери. Мне срочно нужно к больному.

— А вы врач? — спрашивает. Рассчитывает, гад, что врач побудет и уйдет.

Но Ириска, умница, даже не запнулась:

— Нет, — говорит, — я тут живу.

Дед ухмыляется игриво:

— С ним?

Тут моя Ириска и сама разозлилась:

— А вам какое дело? С кем хочу, с тем живу!

Ах, если бы!

Но дед мотает головой.

— Нет, — говорит, — я его жену видел, ничего женщина. И дочку. А вы, значит, приходящая.

Тут маленькая Ириска с нежным голоском как заорет, не хуже любой марокканки:

— А ну, пошел отсюда, старый козел! Пошел, пошел, пошел! — И плечиком ему в грудь, теснит его к ступенькам.

Он на нее костылем. Она рукой защиту выставила, как в карате, он даже покачнулся. Не дай Бог, сверзится дедуля, хлопот не оберешься!

Но я уже видел, как Ирис умеет с травмированными справляться, чтоб не повредить. Пока он костылем махал, она проскользнула со спины, обхватила за туловище, коленкой под зад и аккуратно спустила его на две ступеньки вниз. Толкнула легонько в спину, катись, говорит, старый, и не возвращайся! Тебя здесь не хотят!

Пошел. Ковыляет со ступеньки на ступеньку, бормочет что-то, потом обернулся к двери и крикнул:

— Меня здесь еще захотят! Да поздно будет! Пожалеешь, Чериковер!

Чего-то еще говорил, но я открыл дверь и впустил Ириску.

8

Как-то я совсем разучился быть один. Происходят какие-то нежелательные изменения.

Всегда любил находиться сам с собой, это подходит к моему характеру, особенно после коммуналки, где мы жили с родителями в детстве, там одному получалось побыть только в туалете, да и то гнали. И у меня вся взрослая жизнь была так устроена, чтоб хоть на время оставаться одному, благодаря болезни была такая возможность, поскольку на работу не ходить. Правда, когда дети были в доме, маленькие еще, случалось иногда удаляться к матери, хоть и не идеальный выход, но все же лучше. За это, как известно, у дочери претензии, но вижу, что повзрослела и у нее проходит.

А здесь последние годы стало совсем хорошо. Дети из дому ушли, а Татьяна иной раз как закатится на две смены подряд — у меня просторное время чуть не на сутки.

Что я особенно любил, это что находишься один, но при этом всегда знаешь, что она рано или поздно придет. И я одиночества не только не боялся, наоборот, ждал, чтоб ушла.

По-моему, насчет одиночества, как и во многом, это сильно преувеличено. Некоторые вообще не могут ни минуты оставаться сами с собой и непременно либо телевизор, либо хотят сбиваться в стадо. На миру, говорят, и смерть красна. Не знаю пока, про смерть, может, и так, но жизнь на миру меня не устраивает. И одиночества от этого не меньше, а, наоборот, больше, образуется его тяжелая общая масса, и тогда действительно страшно.

Особенно много про одиночество в книжках, как люди от него переживают и какое это ужасное состояние. А по-моему, совсем не ужасное, а самое нормальное. Как и должно быть. Я уже говорил про клетки, как человек каждый в самом себе как в клетке сидит и наружу только выглядывает, а по-настоящему изнутри знает только про себя и с другими соприкоснуться не может. Так это устроено, и спорить не приходится, потому что не с кем, а назвать можно как угодно, хоть, пожалуйста, и словом «одиночество». Во всяком случае, я так чувствую. Разбить эту клетку нет никакой возможности и выйти из нее можно только на тот свет или временно под влиянием химии, отсюда наркотики, выпивка и все такое, но одиночества этим не убьешь, только здоровье портить. Разве только некоторым сумасшедшим удается разбить эту клетку, думаю, именно из-за дикой паники, что приходится быть один на один с самим собой. Но там, куда они из нее выскакивают, им уж, я думаю, не до одиночества.

А мне в моей клетке вполне комфортно. И я это называю не одиночество, а духовная свобода. В компании разве только в картишки или выпить иногда, и еще не известно, какой пойдет разговор, скажут ли что-нибудь или так треп. А сам с собой уж точно никогда не соскучишься, во всяком случае я.

Единственно только с женщинами мне никогда не бывает скучно, но это отдельная ситуация. И даже с Татьяной я практически никогда не скучал, хоть и блажил раньше, неинтересно, мол, смотреть. Вот и доблажился. Позвонила с работы и сказала, что вечером домой не придет, отправится, значит, к своему Йехезкелю, а ко мне придет ночевать Галка.

Эта, понятно, приведет Азама, но неужели и он останется ночевать? И этот араб будет с моей дочерью у меня в салоне на диване? Нет, не могу допустить.

Ириска побыла, позанималась со мной, разогрела мне поесть, про старика особо не расспрашивала. Сказала только: могу тебя понять, я его видела в больнице, противный дед. И убежала к своему Эйялю с детками. Славненькая тайманочка, умненькая и красоточка, но ясно, что ей не до меня.

Остался один, и надо же! Мне скучно.

Больница, что ли, меня так разбаловала и все последние события, когда вокруг все время крутился народ? Совсем пропало всякое настроение. И лежать неохота. Работать пока не могу, больно стоять, да и сидеть тоже. Не говоря уже, что просто не хочется, глянул на свои тряпки, и даже противно стало. И начатое панно стоит, скучное, как и было.

Может, Кармелу позвать? Прислушался к себе внимательно, не возникнет ли что. Жена ушла, имею полное право. Про голос Кармелин постарался не вспоминать, а только все хорошее, какой у нее зад круглый и крепкий и как она в больницу приходила, принесла кускус и старалась меня развеселить. Но нет, не возникло, а если и есть немного, то не к ней.

И вообще напрасная идея, все равно я сейчас не гожусь. А просто так, для разговора, мне не Кармелу нужно. И это жаль. Таня правду говорит, Кармела добрая женщина и все умеет. Как вспомнил эти Танины слова, как она сказала, буду, мол, рада, если у вас с ней что-нибудь получится, и совсем стало скучно.

Бедро побаливает, но далеко не так, как раньше. Настоящей причины принимать перкосет еще нет, но подумал, что скоро явится Галка со своим арабом и опять будем сражаться, а я совсем не в форме. И хочу говорить с ними не лежа, а хотя бы сидя, чтоб они надо мной не нависали и не смотрели на меня сверху вниз. Лежа вообще невыгодная позиция для разговора, как будто тебя уже сбили с ног и слова твои ничего не значат. Поэтому все-таки приму одну.

<h1>9</h1>

Конечно же, это было только временное настроение, от усталости, и дед разозлил.

Принял таблетку, отдохнул немного, и все прошло. Опять смотрю на вещи положительно и доволен, что остался один. И с любопытством жду, что Азам придумал, но тем временем решил все-таки найти для камней подходящий тайник.

Отдам или не отдам — это видно будет, а пока под подушкой им делать нечего. Едва уберег их, когда Ириска хотела перестилать постель. Улегся поскорее и сказал, что крошек там нет, все в порядке и мне вставать неохота. Она поругала за капризы, но я лежал твердо, отстала.

Ищу место, ползаю потихоньку по квартире и не нарадуюсь, какая она у нас симпатичная. То есть не у нас, а у меня теперь. Если Татьяна окончательно решит уходить, квартиру ей не отдам. Судиться буду, но не отдам. Но она и не потребует, а уж судиться точно не станет. А главное, и не уйдет.

Но все равно. Моя квартира.

Здесь люди, особенно восточные, которые попроще, про квартиру говорят «дом», «я купил дом», а купил-то всего квартиренку где-нибудь в стандартном строительстве. Но говорят правильно. Это и есть мой дом. Единственная моя защита. Страна — не знаю, город — не знаю, а дом мой. Чтобы я отсюда уехал? Когда здесь каждый уголок обжит и прилажен для моего вкуса и удобства? Опять двигаться, опять где-то обживать? Опять новый язык учить, когда и этот-то только-только? Ни за что.

Эта квартира как-то с самого начала, как я глянул, вижу — моя. И ведь что смешно. В ней ведь до нас люди жили, не одно семейство сменилось, и каждое рассматривало ее как свою. Дети в ней рождались, которые и стен других не знали, вот, как например, у кого мы эту квартиру купили. Люди нам втройне чужие — раз, что вообще незнакомые, два, что здешние, и три, что восточные выходцы, парси, то есть из Ирана, а не европейцы, как мы. С четырьмя детьми в этой квартирке ютились, и вот переезжали в отдельный дом, отец-парси из кожи вон вылез, извернулся, взаймы набрал, где мог, и построил. Не буду говорить, как он меня при этом нагрел, какие долги на квартире оставил, но дети-то его в этой квартире каждую трещинку в потолке знали, каждую плитку на полу, каждый бугорок на стене. Один мальчишка, может быть, лежал ночью, смотрел на этот бугорок, как по нему ходят уличные отсветы, и воображал себе какие-нибудь горы и долины... Ему этот бугорок и вся квартира были свои и родные.

А теперь я точно так же про эту квартиру чувствую, говорю «мой дом», будто ничей другой и не был. И через это мы с ним и с его бандитом-папашей тоже стали вроде как родственники. Но взять долги с этого родственничка нет никакой возможности, я его встретил раз на рынке, а он только смеется, не будь, говорит, фраером.

А ведь квартира — это не просто недвижимая собственность, купил-продал. Если съемная, то тогда, конечно, не так, но собственная — это твое место на земле, твое жизненное пространство, и другого у тебя нет.

И это при том, что квартиры, они изменщицы не хуже женщин. Вот только что в ней жил Хаим и считал, что она совершенно его, Хаимова, квартира, просто разделить их нельзя, и вот съехал Хаим и въехал Эфраим, поставил свою мебель — и тут же она к нему приспособилась и стала как будто его, а от Хаима даже воспоминания не сохранила, тем более сделали ремонт. Кто знает, может, квартиры как воздух, кто им дышит, тому и принадлежит, а на самом деле ничей.

Но про свою квартиру я точно знаю, что она моя, хотя еще пятнадцать лет выплачивать. Просто она нашла наконец своего настоящего хозяина. И она тоже про меня знает и потому так дружелюбно ко мне относится, я с первого взгляда почувствовал. Другие квартиры, что мы до того смотрели, никак не относились, купишь ее, не купишь, ей все равно, или даже враждебно, а эта сразу сказала: покупай, друг, я твоя.

10

И как же мне в своей любимой квартире подходящего тайничка не найти? Нашел, конечно.

В салоне, на той самой стенке, где кровать того мальчишки когда-то стояла, у них была розетка для электричества. Может, он книжки ночью читал, а скорее, матери нужно было для утюга или что. Уродство, розетка прямо посреди стены, но им было плевать.

Мастер поставил нам розетку, где надо, а эту выковырял, и дыру закрыл заподлицо плоской пластмассовой крышкой, и потом все гладко забелили белой краской, так что ее и не видно, тем более у нас там этажерочка стоит, Таня с помойки принесла, а на ней цветок. Мне бы тоже эту дырку не заметить, но я очень целенаправленно думал и вспомнил.

Потащился в спальню, сложил все камушки в пластиковый пакет, синий с зеленым, свернул плотным квадратиком и обтянул резинкой. И опять долго любоваться не стал, как-то я их вроде побаиваться начал, только Красный покатал в пальцах, от него хорошее ощущение. Очень хотелось его отделить, но это опять думать, куда спрятать, завернул вместе с другими.

Теперь только вопрос, не сохранилось ли там внутри этой дырки электричество. Как этот мастер работал, то очень может быть, что сохранилось. Лучше бы всего выключить всю квартиру, но мне до пробок не достать. Скинул старые тапки и надел новые, которые мне Кармела принесла в больницу, на толстой резиновой подошве. Неудачно выбрала, они без задников, а я ноги волочу, могут слететь, но зато подошва от электричества самая надежная, поэтому в кухню за ножом шел, как по льду, обдумывал каждый шаг.

Нашел тоненький сточенный ножик с пластиковой ручкой, самый Танин любимый. В баночку налил немножко молока и кисточку нашел, которой Таня пироги яйцом смазывает. Теперь проблема, как все это нести в салон, когда я обеими руками держусь за ходунок. Кисточку и нож положил в нагрудный карман вместе с пакетиком, но баночку никак. И что же, дошел с одной рукой! Прогресс. Но сильно устал.

Пришлось посидеть на диване, мне ведь еще этажерку двигать. Не намного, но от стены отодвинуть надо, а я и в обычном состоянии ничего не двигаю, только Татьяна. Но теперь надо... а зачем, зачем надо, скажи? Опять суетишься, прячешь, а объясни, от кого? От Азама с Галкой, которым отдать хотел? Нет, говорю себе, отдать — это еще когда, если вообще, а тем временем кто угодно может припереться, как показывает опыт. Сколько себе твердил, как важно соблюдение осторожности — вот и соблюдай.

Подошел, отпустил ходунок, схватился за этажерку, но как двигать? Этажерочка легкая, бамбуковая, но не в тяжести дело, а что у меня нет упора в ногах, не могу стоять без поддержки. И слабость, в руках тоже сила все еще не та. Стою, держусь за этажерку, не знаю, что делать. Больная нога начала дрожать, и здоровая тоже, вся тяжесть на нее.

Обратно сел на диван. Брошу, думаю, ей-богу. Здоровье дороже. Пойду и лягу, давно пора. Посидел и потащился в спальню. А как дошел, тут же и увидел простое техническое решение: мое инвалидное кресло! Мало ли, что Ириска не велит, разок можно и нарушить. Сел и поехал, и руки свободны, и с легкостью отодвинул этажерку вместе с цветком.

Крышечку пластиковую отделил ножиком очень аккуратно, жаль только, кончик лезвия отломался, очень уж тоненькое было. Татьяна огорчится. А может, и не заметит даже.

Заглянул по возможности в дырку, что-то там в глубине торчит, но я быстро вложил не касаясь. Окунул кисточку в молоко и помазал края крышечки изнутри, приложил на место, прижал — сразу схватилось и присохло. Для верности еще поверху помазал молоком, и ничего не заметно, только сырое пятно, но уже через минуту посветлело.

Поставил этажерку на место, собрал инструменты, отвез в кухню, даже баночку сполоснул. Теперь можно и полежать спокойно.

11

Насчет осторожности.

Лежу и думаю про старикана. Подлый его характер могу игнорировать, но специальность не могу. И надо было, чтобы рядом со мной в палате оказался именно ювелир! На ловца, что называется, и зверь бежит, вопрос только, кто тут зверь, кто ловец.

До конца, правда, дедуля не уверен, что он такое видел, настоящую вещь или подделку, цирконий этот самый. Но надеяться, что отстанет, вряд ли. Если подделка, то слишком много денег предложил, значит, почти уверен. А риск для него небольшой, что ему три тысячи, ювелиры богатые. Зато если не подделка, а я поддамся, какой ему фарт! Вот и бегает за мной, и дальше будет, и трещина с головокружением ему не помеха.

Лежу, и против воли закрадывается сомнение. Старикан что-то говорил, взвесить надо, взвесить, и тогда будем знать точно.

Положим, взвешу, хотя у меня и весов таких нет — и что я узнаю? Понятия не имею, сколько то должно весить, а сколько это. Но что, если правда? Если имитация? Замечательная имитация, редкой красоты, и цена ей и трех-то тысяч не наберется? А я за нее столько мучений принимаю? Может, и остальные просто стекляшки, как я вначале и подумал. А я, дурак, ношусь с ними, как с писаной торбой, минуты покоя не знаю, то теряю, то нахожу, прячу и перепрятываю, планы планирую. Всю жизнь свою расстроил, сам замучился и других ввожу в грех.

Но нет, не может быть. Он бы за имитацией так не гонялся. Эти цирконии, их, наверное, делают промышленным способом, чего ему дался именно мой? Но главное, как же тогда вся ситуация с хозяином и Коби? Убили друг друга из-за каких-то циркониев? И полиция из-за них суетится, и тот криминогенный крот? И в интернете все наврано, про знаменитую голландскую фирму, про курьера и пять миллионов страховки? Нет, кому это надо, конечно же нет.

Хотя есть еще версия. В интернете сказано, что курьер «пропал где-то между Тель-Авивом и Роттердамом». Куда он пропал, не известно, а главное, не известно, что в этот момент произошло с камнями. Может, он вместе с ними и пропал, а пустил в обращение замечательную имитацию и обдурил всю заинтересованную публику, и голландскую, и нашу, включая меня. Кто там у этих криминалов умеет взвешивать, да им и в голову бы не пришло.

А... а вдруг еще иначе и все это ловушка? То есть камни-то настоящие, и фирма, и страховка, и похищение, но никто никого не убивал, а давно Коби с хозяином в руках у полиции и уже раскололись, и полиция тиснула в интернет эту дезу про убийство, чтобы я успокоился и потерял бдительность? Теперь сидит и ждет, когда я начну проявляться?

И может быть, старикан тоже от полиции подослан? Или наоборот, от криминалов?! Или, если не от тех и не от других, то пойдет к ним, к тем или к другим, и заложит. Он ведь даже грозился, что хуже будет... Или...

Стоп, Миша. Так нельзя. Если продолжать так думать, версий возникнет без конца, одна другой страшнее. Как ни раскидывай, какую версию ни примеривай, все годятся, но ты думай головой.

Во-первых, старика к тебе в больницу никто не подсылал, он там лежал еще до тебя. Как это могли сделать ему трещину в ноге еще до того, как балалайка сломала тебе шейку бедра? Считай уж тогда, что и балалайка подослана! И что они заранее знали, что ты эту балалайку не полюбишь, и пойдешь прогонять, и он тебя толкнет, и... По-научному это называется «мания преследования».

Затем, чего это ты вдруг так в полицию поверил, решил, что она такая умная и хитрая? Чтоб она придумала такой заковыристый план? Это ты детективов начитался.

Если бы Коби с хозяином были живы и раскололись, не стала бы она с тобой осторожничать, в интернете мусорить, еще не известно, стану ли я в него глядеть. А просто пришла бы и устроила повальный обыск. И то же самое криминогенный элемент. Если б только подумали, что у тебя, давно пришли бы и разнесли в прах всю квартиру и с тобой вместе. Полная логика, что и те, и другие думают на хозяина с Коби, и ломают головы, куда те затырили добычу.

Теперь. С какой стати дед пойдет в полицию? Откуда ему знать, что это полицейское дело? Хотя... ювелир... может, и слышал что, по своим каналам. Да тот же интернет... нет, куда дедуле. Но даже если, все равно, какая ему от этого прибыль? Никакой, а связываться, встревать в темное дело, только чтоб мне насолить, это он вряд ли, несмотря на характер. Скорей всего, будет донимать меня дальше, и как от него отделаться, не знаю. Если будет сюда таскаться, можно, конечно, просто ему не открывать. Ну, а вдруг совсем разозлится и решит, ах так, не доставайся же никому, и подаст сигнал темным силам? Нет, если опять придет, открою и поговорю, попробую заткнуть ему рот...

Жаль, его тогда этот велосипед только слегка повредил. Что стоило, чтоб это был не велосипед, а, скажем, грузовик? Или, как минимум, легковая побольше... А что, если... скажем, намекнуть Азаму... может, он знает каких-нибудь... Эй, эй, эй, Михаил! Куда тебя несет? Не смей в этом направлении даже ни малейшей мысли! Совсем хочешь себя погубить? Ну, беда, ну, беда, до чего докатился!

12

Плохо, что совершенно не с кем посоветоваться.

Всю жизнь я прекрасно обходился без чужих советов, своя голова на плечах. А вот теперь нужно, и не с кем. Советоваться, это кто умнее тебя и кому можно доверять. Доверять в этом деле я никому не могу и умнее себя людей вокруг не вижу.

Не то чтобы я такой умный, а они дураки — нет, я так не считаю. И Галина совсем не дура, и сынишка толковый по своему делу, и даже Татьяна имеет свой умок, хотя у нее сильная сторона другая. И даже Азам, наверное, соображает, иначе Галка бы и не глянула. Но что мне сейчас нужно, тут они ничуть не умнее меня, а то и глупее, и довериться мне некому.

Есть, правда, одна идея... один человек... вот если бы с ним поговорить... Ему, может, и доверился бы... Надо обдумать, это мысль. И он мог бы помочь в отношении деда, оказать влияние...

13

Да, этот Азам соображает совсем даже неплохо.

Начать с того, что про камни он вычислил исключительно сам, никто его, конечно, не посвящал. Он даже мешочка того бархатистого не видел, Коби все время зажимал от него в кулаке. Но Азам сразу сделал правильный вывод, такое маленькое и такое ценное, что это может быть? Наркотики он с ходу отмел, потому что, говорит, с такой небольшой дозой нечего суетиться и прятать, просто спустить в туалет, и все дела.

И что камни у меня, ему тоже легко было определить, он ведь хвастался, какое у него замечательное зрение. Он все время наблюдал за Коби и четко видел, куда тот положил, и куда потом тючки пошли, тоже хорошо видел. И главное, только он один и видел, что положить Коби положил, а взять никак не мог. И видел также, как хозяин с Коби по лестнице поднимались, у нас на лестнице окна и свет горит, и в какую квартиру звонили. А когда они от меня спустились и стали драться во дворе, то понял, что у меня они ничего не нашли, и что хозяин думает на Коби. У меня не нашли, и Коби не взял, но где-то они должны быть? Значит, остались у меня.

А в полиции его совсем недолго держали, слишком ясно, что он не мог ничего знать, притом же разрешение на работу у него есть.

Пару дней он со страху тихо сидел дома, и никаких планов, чтобы ко мне идти, у него не было. Потом опомнился немного и, не дурее меня, заглянул в интернет. Тоже, как я, просто из любопытства, чтобы узнать, что такое бриллиант и какая ему цена. К тому же, может, не бриллианты, а другие какие-нибудь очень драгоценные камни, и он решил выяснить, какие бывают.

Хорошо ему, понимает по-английски.

Он там начитался и, как только они с Галкой пришли ко мне, начал было мне с большим интересом пересказывать всякие тонкости, но я поторопил, что дальше, говорю. А дальше что — он тоже наткнулся на сообщение красными буквами, что бандиты друг друга прикончили и из-за чего, и ему все стало окончательно ясно. И появилась стопроцентная уверенность, а страх пропал, тоже, как у меня.

И тогда у него и возникла идея пойти ко мне и попробовать что-нибудь из меня вытрясти. Риск невелик, тем более инвалид, а не выйдет, так и ладно. Рассказывает он мне это, а сам извиняется, вы, говорит, не сердитесь, что я так про вас думал, я ведь вас тогда не знал и не знал, какая у вас замечательная дочка, а теперь все иначе, и если буду что-либо делать, то исключительно с вашего согласия.

— И под твоим мудрым руководством, — вставляет Галина. Вот теперь обратно узнаю мою замечательную дочку.

— И мне, — говорит Азам, — вообще перед вами очень стыдно, что я к вам тогда пришел и вас вроде как шантажировал, вы могли подумать, что я вообще по таким делам... сам не знаю, что это на меня нашло. Всегда считал себя порядочным человеком, и вот...

Ну, я-то хорошо понимаю, что это на него нашло, у самого точно так же крыша поехала, да еще и похуже.

— Ладно тебе, — говорит Галина и кладет ему руку на плечо. Вообще заметно, что оба едва удерживаются, все время хотят друг друга трогать. Он притянул ее к себе и говорит:

— Но жалеть, что к вам пошел, я никак не могу. — И улыбаются друг другу, как глупые.

— Это все прекрасно, — говорю, — остается только придумать, что именно делать.

— А вот я вам сейчас покажу, — говорит Азам и включает мой компьютер.

Ждем, пока раскачается.

— Тебе, папаня, — Галка говорит, — ничего делать не придется, только денежки тратить. В Лондоне купишь себе новый компьютер, а то просто стыд.

14

Лондон, Лондон, дался ей этот Лондон! Все-таки она совсем как ребенок, моя взрослая решительная дочь. Вынь да положь ей этот Лондон.

И конечно, новый компьютер — это первое, что человеку в Лондоне необходимо.

Здесь, однако, и старый пригодился.

Азам добрался-таки до нужного сайта и говорит:

— Вот, посмотрите сами.

Я подъехал, смотрю — опять красными буквами, и опять, коза их задери, по-английски. Не станешь же при нем вызывать переводную программу. Теперь, значит, я должен перед этим арабом унижаться, объяснять ему, что я по-английски ни бе ни ме. Говорю:

— Ладно, я без очков не вижу, изложи мне кратенько сам.

— Да я, — говорит, — сейчас вам прочту.

И начал читать, все то же, по-английски, а Галка убежала в салон, тут же вернулась и протягивает мне с невинной улыбочкой мои очки:

— Держи, папаня!

Ну, язва, припомню тебе. Кто мою пижаму слезами обливал, в любви объяснялся?

Ладно, я этот красный текст потом переведу, а сейчас важно фасона не ронять. Но ведь эта паршивка не удержится, выдаст арабу родного отца!

Надел очки, а Азам подвинул меня поближе к компьютеру. И стал я смотреть на этот экран, как баран на новые ворота. Вижу следующее:

REWARD — $500,000!
THE LAST APPEAL!

All efforts by the Interpol and the Israeli police, to find and retrieve the famous diamond collection including the great Red Adamant having proved fruitless, we appeal once more directly to the person or persons who may hold, or have acquired, by whatever means, the precious gems.

Our suggestion is simple: deliver them, NO QUESTIONS ASKED, to our insurance company, and GET THE REWARD!

The reward offered for the delivery of the stones is 10% of their insurance value;

for any information leading to their retrieval — 5% of their insurance value.

AS A GUARANTEE OF OUR ABSOLUTE AND COMPLETE DISCRETION, you may consider the following:

Our insurance company is a well-established and highly prosperous enterprise. At least in part, this prosperity is due to our age-old tradition of complete discretion in all matters pertaining to return of property, insured by us, which has been stolen, lost, or otherwise disappeared.

Paying the reward for the delivery of such property is much less damaging to us than paying the insurance in full. At that, we well realize that such property may be returned to us only under the conditions of *absolute probity and discretion*, and should we break these conditions even once, no property would be returned ever again. *This would have been against our best interests.*

Therefore, no information concerning the return of the property may ever reach through us any law-enforcing authorities or any such body whatsoever.

Do not waste time!

In four weeks from this day, the period of grace expires. As soon as we pay the insurance to the owners, this offer becomes invalid.

Contact us either by telephone, or by e-mail, or by regular mail, or directly at our main branch (*telephone numbers, addresses, and names*).

Посмотрел приличное время, как бы почитал. Они оба ждут.

Понял три вещи — пятьсот тысяч долларов, Интерпол и Красный Адамант. И еще внизу номера телефонов и, видимо, адрес.

И что это может быть? Что Интерпол предлагает откупить камень за полмиллиона? Ну, это вряд ли. Они такими методами не действуют, да и кто им поверит. Скорее, что Интерпол искал-искал и не нашел. Но кто-то эти полмиллиона дает, иначе зачем объявление.

И кто же? Брильянтщики? Эта самая фирма Де Меерс? Тоже вряд ли. Им выгоднее ничего не откупать и получить страховку, за которую они уже порядочно заплатили. Русский тайкун, воротила то есть, который хотел приобрести Адамант? Этот может, это в их стиле. Хотя ему куда проще получить от Де Меерса обратно свой задаток, если давал, поскольку товар не доставлен.

А кому же есть смысл?

Конечно, много чего можно предположить, интернет — это такой открытый базар, там все идет с молотка, и кто хочет может купить-продать. Но самый мой верный кандидат — это страховщики. Им-то как раз очень есть смысл заплатить всего полмиллиона, а не пять за страховку, если камни не найдутся.

А эти двое стоят и ждут, причем Азам искренне ждет, чтоб узнать мое мнение, а моя паршивка губки гузочкой сложила, смотрит на меня и тихонько посвистывает.

15

Посреди ночи, когда они уже давно спали, я потихоньку встал и перевел-таки это объявление, хотя все мне было уже ясно. Но просто для верности. Получил очередную порцию бреда, но все мои догадки подтверждаются:

НАГРАДА — $500 000!
ПОСЛЕДНИЙ ПРИЗЫВ!

Все усилия Интерполом и Израильской полицией найти и взять обратно славную бриллиант коллекцию включая великий Красный Адамант имея доказано без фруктов, мы взываем однажды больше прямо к персоне или персоны кто может держать, или имеет приобретен, каким бы ни средством, ценные драгоценные камни.

Наше предложение простое: доставь их, НЕ ВОПРОСЫ СПРОШЕНЫ, в нашу страховую компанию, и ПОЛУЧАТЬ НАГРАДУ!

Награда предложенная для доставки камней есть 10% от их страховой ценности; для любой информации ведя к их возвращению — 5% от их страховой ценности.

КАК ГАРАНТИЯ НАШЕЙ АБСОЛЮТНОЙ СКРОМНОСТЬ И ЧЕСТНОСТЬ, вы можете рассматривать следующее:

Наша страховая компания есть хорошо установленное и высоко процветающее предприятие. По меньшей мере в части, это процветание должно к нашей вековой традиции полной скромности во всех материй принадлежащие к возврату собственности, застрахованного через нас, какое был украден, потерян, или иначе исчезнут.

Платя награду за доставку такой собственности есть много меньше вредя для нас чем платя страхование в полном. Притом мы хорошо реализуем что такая собственность может быть возвращен только под условиями *абсолютной честности и скромности,* и должны бы мы сломать эти условия даже один раз, не собственность была бы возвращена всегда снова. *Это было бы против наших лучших интересов.*

Следовательно, никакая информация для возврата собственность может когда-либо достигнуться через нам любой юридической реализации власти или любые такие тела совершенно.

Не теряй время!

В четыре недели от этого дня, период грации издыхает. Как скоро мы платим страхование к владельцам, это предложение становится инвалидом.

Контакт нам через телефон, или электронная почта, или регулярная почта, или прямо в нашей главной ветке (*номера телефонов, адреса и имена*).

Вот так. Значит, я правильно догадался.

Но это потом, ночью. А накануне, когда просто смотрел без перевода, тогда, конечно, мог только гадать.

Сижу, значит, любуюсь на непонятный красный текст, а они стоят и ждут. Посмотрел я на дочкин ехидный вид и подумал, нет, не дождешься отца уесть.

Отодвинулся от компьютера и говорю так раздумчиво:

— Да... Это интересно... Но только не маловато ли?

Кого, куда, за что маловато — не знаю, но прощупываю.

Дочка ничего не успела сказать, Азам вступает горячо:

— Да, но подумайте, какие преимущества! Быстро и безопасно! И потом, со страховщиками можно и поторговаться!

Вижу, моя догадка в точку. Страховщики. Галина ему говорит:

— Эх ты!

Что, съела? Ей досадно, что он сразу всю суть мне выдал, хотела надо мной еще поизмываться. А он, конечно, не понял и даже внимания не обратил, очень рвался защищать свой проект и стал мне толковать, почему безопасно, почему страховщикам это выгодно, а выдавать нас невыгодно, то есть все то, что я потом ночью прочел в этом «призыве».

А ведь, между прочим, ни он, ни она этих камней еще и в глаза не видали.

Я не спорил, все выслушал, как они откроют на Кипре счет в банке, и как свяжутся со страхкомпанией по интернету, и как все будет просто и прекрасно, и даже практически почти в рамках закона. Не стал даже говорить про то, что самый сложный момент, передачу, они не обдумали и что страховщики-то, может, и не выдадут, но кто знает, не следит ли в десять глаз за этой компанией кто-нибудь другой.

— Теперь, — говорю, — мне надо подумать. Переспать на этой идее ночку. И вообще спать пора, я устал.

И действительно устал, причем до того, что даже забыл прогнать Азама, так они вместе и пошли спать на диване у меня в салоне.

16

Со всеми этими делами совершенно не выспался, а мне с утра пораньше ехать в больницу, рентген и снимать швы.

Была договоренность с Кармелой, что она меня отвезет, она же и по лестнице поможет, причем договаривались вместе с Татьяной, и было само собой, что она тоже поедет, как же иначе. А Татьяны-то и нет.

Правда, и Азам, и Галка тут, спустят как миленького, но что же Татьяна, неужели просто забыла? Или решила, что ее обязанности закончены и пусть ухаживают другие?

А мне как раз совсем скверно, как физически, так и морально. Вытащил коробку с лекарствами, ищу перкосет и вижу, что от целой двойной упаковки осталось всего три штучки. Это когда же я успел съесть остальное? Непременно не забыть, чтобы выписали еще, а то как мне без него.

Азам отстранил Галку, полностью взял дело в свои руки, помог мне помыться, одел, заставил поесть, и все быстро и мягко. Вот кого в няньки нанимать, это бы и мне без сексуальных волнений, и для него самое подходящее занятие, все равно безработный. А то выдумали, Лондон, университет... Сделать, может, ему такое предложение, временно, конечно... А в роли няньки, может, и Галина не станет смотреть на него с таким обожанием...

Явилась Кармела. И немедленно положила глаз на Азама, не знает, что араб. Галина представила: мой жених, а имя получилось невнятно. И Кармела распелась, ах, поздравляю, Галина, да где же таких находят, да нет ли там еще... Адам, вы поедете с нами? Вот замечательно... Но при этом не забывает посматривать на меня, как я реагирую. А я никак не реагирую, мне не до того. Досадно, что Татьяны нет, и волнуюсь перед больницей, у меня созрел план, и надеюсь, что доктор Сегев сам будет снимать швы.

Галка с Азамом взяли меня под руки, хотят вести вниз, но Кармела оттеснила Галку, перехватила мою руку и чуть не на весу потащила меня по лестнице, Азаму осталось только слегка поддерживать. Галка сзади несет мой ходунок и посмеивается, а Азам даже сказал Кармеле комплимент:

— Вы замечательно сильная женщина!

Кармела ему:

— А вы любите сильных женщин?

— Люблю, — говорит, — Галина тоже не из слабеньких.

— А кто сильнее?

Азам улыбается:

— Трудно сказать, без проверки.

Мне даже обидно стало — не за себя, за Галку, что ее араб так охотно проводит флирт с посторонней женщиной. А Кармела тащит меня, начала уже немного задыхаться, но тут же ему в ответ:

— Хотите проверить?

Азам говорит серьезно:

— Как будем проверять? Схватку между вами устроить, кто одолеет?

Тут Галка в голос рассмеялась, Кармела и сама захохотала, даже меня на ступеньку опустила, и говорит Галке:

— Ох, какие вы, нельзя уж и пококетничать, поупражняться немного.

— Нечего-нечего, — говорит Галка, — ты теперь вот на нем упражняйся! — И кивает на меня.

Это она на что намекает? Неужели Татьяна и про Кармелу разболтала? Ну, Танечка, дай только срок, я с тобой поговорю. Сплетни дурацкие разносить! Не ожидал, не ожидал.

Из подъезда вышли, а тут как раз Татьяна подбегает. Растрепанная, запыханная. Кармела меня на нее бросила, та едва успела подхватить, и пошла подгонять машину к подъезду.

17

Из плана моего, конечно, ничего хорошего не вышло.

И не могло выйти, глупый был план, мне просто стыдно за себя. Только лишний показатель, как я распустился и потерял управление над своим поведением. Разве мне раньше когда-нибудь взбрело бы в голову так поступать? Раньше я свои планы тщательно обдумывал, взвешивал все за и против, учитывал шансы. А тут — а, взбрело, ну, и вперед.

Хирургическая сестра в больнице вынула скрепки, помазала шов красной зеленкой и говорит: одевайтесь. Ну и хорошо, думаю, и пусть. И начинаю возиться с брюками, и тут вбегает мой врачишка. Привет, спондилайтис, как дела? Глянул на снимки, глянул на шов, велел мне встать — все отлично, говорит, а упражнения делаешь? Молодец. Если будут проблемы, приходи через шесть недель, а не будет, можешь вообще не приходить. Выздоравливай, герой! И готов бежать дальше. Мне бы сказать спасибо и помахать ручкой. Но я же волновался, готовил разговор... и чувствую, что не надо, но не могу остановиться. Он уже одной ногой за дверью, и тут я все же выдавил из себя хриплым голосом:

— Доктор, а на неврачебную тему можно?

— На неврачебную? — Остановился. — А что такое? Ну, давай, но только в двух словах!

Я показываю глазами на сестру. Он велел ей выйти, дверь закрыл, но вижу, что весь стремится прочь. Я заторопился:

— Дело такое, что у меня в руках оказались очень ценные бриллианты...

— Оказались? Как это оказались? — И хмурит свои незаметные брови.

Хотел ему все, как на духу, но быстро обозрел в уме, как они у меня оказались, и вижу, что ни в двух словах, ни в десяти не расскажешь, и говорю:

— Это долго, но главное, возникла проблема, и не с кем посоветоваться... Может быть, вы... Вы помните, рядом со мной лежал старик ювелир, хулиганистый такой... и вот теперь он... вы имеете на него большое влияние, благодаря справкам, ему для суда, и вообще... нужно, чтобы он... не могли бы вы...

Ясно вижу, что ничего мне не объяснить, а ему не понять, и не его это дело вообще, и сижу я перед ним дурак дураком. Теперь вижу, а что же раньше не сообразил?

Врачишка мой еще больше нахмурился и вдруг как рассмеется:

— Ну как же, как же, помню твой бриллиант. Очень ценный. И что? Неужели опять потерял? Опять старый паршивец отобрал? Ах ты, бедолага! Ну, прости... — заглядывает в мою историю болезни, — Михаэль, теперь ничем не могу помочь, ты уж меня прости. Счастливо!

Хлопнул меня по плечу и убежал.

Вот и весь разговор. Он даже имени моего не запомнил, а меня самого запомнил исключительно в разрезе шейки бедра. И спондилайтиса. И вся любовь.

Сижу в полунадетых штанах и вдруг вспомнил еще важное.

— Доктор! — кричу, — доктор!

Вошла сестра, спрашивает, чего шумлю. И Таня тоже вбежала, я им всем велел ждать в коридоре.

— Позовите его обратно! Я лекарство забыл!

— Какое лекарство?

— От боли! Перкосет!

Сестра пролистнула историю болезни и говорит:

— Нет, перкосет вам больше не нужен. Доктор ничего не написал.

— Как это не нужен? У меня боли! Как это...

— Да, — говорит сестра, — небольшие боли еще будут некоторое время. Можете принимать акамол, он без рецепта. В крайнем случае акамол форте.

— Да вы что! — кричу. — Что мне ваш акамол! У меня знаете какие боли? Позовите врача! Он забыл!

— Доктор Сегев ничего не забывает, — говорит сестра. — А вы одевайтесь, вот вам жена поможет. Сами знаете, какая там очередь ждет.

18

Одеться-то мне Татьяна помогла. Все они вошли в кабинет, и быстро меня одели, и из больницы вывели, и в машину посадили, и домой привезли. А вот кто мне поможет в моей беде?

Всю дорогу они меня успокаивали и объясняли, какие есть замечательные средства от боли без рецепта.

— На меня, например, очень хорошо действует алголизин, — сообщает Кармела.

— Адвиль в капсулах еще лучше, — это дочка.

И даже Азам вякает, а сам небось в жизни не болел:

— И акамол форте тоже совсем неплохо, и еще бывает жидкий опталгин, этот самый эффективный. Даже от зубов помогает.

— Да пошли вы все со своими акамолами! — говорю. Не говорю даже, а с визгом, они даже переглянулись, такого тона от меня никто, кроме Тани, не слышал. — Что я, не знаю, что мне нужно?

Но как раз Таня хуже всех. Включается, словно это не она ночевала черт-те где:

— Миша, перкосет тебе не нужен.

— Именно перкосет мне нужен!

— Ты знаешь, что это такое?

— Самое мягкое, самое спокойное средство, какое я в жизни пробовал! Слава Богу, опыт большой. Пойдешь на работу, непременно отыщи Сегева и возьми рецепт.

— Он не даст.

— Почему это он не даст?

— Да я и просить не стану.

Взял себя в руки, снизил тон и говорю:

— Танечка, это лекарство действует на меня очень хорошо и снимает все боли, в том числе старые. Наконец-то я нашел подходящее болеутоляющее! Ты же лучше всех знаешь, как это для меня важно. Пожалуйста, попроси.

— Нет, — говорит, — не стоит.

Выражения лица не вижу, она сидит сзади, но по голосу слышу, что в очередной раз наткнулся на неумолимый подводный камень. Это надо же, и по такому для нее неважному поводу.

Пробиться сквозь этот камень, я знаю, нельзя, значит, надо менять подход. Прежде всего, отставить панику. В самом деле, чего это я так? Лекарство добыть нужно? И добудем. Со временем, когда начну ходить получше, возьму рецепт в больничной кассе. А пока...

— Ладно, Танечка, — говорю совершенно спокойно, даже небрежно так, — не хочешь просить рецепт, и Бог с ним. А просто принеси мне десяток таблеток из больницы, у вас в отделении наверняка полно.

Молчит.

— Ты слышишь? Завтра же принеси, а то у меня всего три штуки осталось.

Кармела встревает:

— Мишен-ка, она принесет, принесет, успокойся.

— Нет, — говорит Татьяна, — не принесу.

223

Они, оказывается, там в больнице, как выдадут такую перкосетную таблетку, за каждую расписываются! Тоже мне, драгоценность. Ну и распишись, говорю.

— Нет, — говорит тихо, — и не распишусь, и не принесу.

— Да почему же, почему такое упрямство?

— Ты привыкнешь.

19

Привыкнешь!

Да я сразу привык, но что в этом плохого? Ничего плохого, кроме хорошего. Серьезное медикаментозное подспорье для больного.

Вот, как, например, сейчас. Столько важных разговоров предстоит, и если бы не принял одну, то при теперешних расстроенных чувствах вообще был бы не в состоянии. Лег отдохнуть, но вместо этого одно волнение и паника. А принял — и очень скоро почувствовал, что все не так ужасно, и могу провести беседу, как следует. Но надо экономить, всего две осталось.

Прежде всего, разобраться с Татьяной, а то опять убежит на работу, и все опять останется в неизвестности, а я без лекарства. А тут и Галка с Азамом подгоняют, Галка еще в машине начала:

— Ну, папаня, ты надумал? Пора решать, времени остается уже не так много!

Но стану я в машине, на ходу, обсуждать это дело. Да еще при Кармеле. И тем более, что еще не решил.

Действительно, пора. Вот сейчас, пока Татьяна готовит обед, а я в улучшенном настроении, и надо решить.

Идея интересная, но слишком много неясных пунктов, не говоря уж о моменте передачи.

Например, Галина с Азамом ведь даже не знают, что часть камней потеряна. Как там в этой страхкомпании отнесутся к тому, что не хватает пяти штук? Ведь это надо как-то объяснять, не скажешь же просто «потеряли» — кто поверит? Решат, что удержали, присвоили себе, может, и платить не захотят... И потом, это же «коллекция» — может, неполная уже не имеет той ценности? А если камушки страховались поштучно, то я ведь не знаю даже, какие именно пропали и какая была их страховая ценность. Может, именно самые ценные-то и выбросила Татьяна... и за остальные вообще какие-нибудь гроши заплатят, если заплатят... То есть не считая Красного. А Красный...

Да, вот Красный. Неужели и его отдать? Я к нему как-то очень привык... Не то чтобы он был такой уж полезный талисман, этого не скажешь, но я с ним уже столько раз расставался, как-то не хочется снова... С остальными я вроде как почти и незнаком, и мне все равно, даже лучше, чтоб их не было, но Красный... Он мне вроде как родной, и в руках его держать очень приятно, от него что-то идет. Потом, я ведь его Татьяне подарил, хоть она и не захотела. Но все равно подарок, может, потом захочет... Как же его отдать?

В конце концов, страховщики должны сказать спасибо, если хоть что-нибудь получат. Сами же пишут «не вопросы спрошены», то есть вопросов, надо понимать, задавать не будут. Двадцать семь прекрасных бриллиантов — это тебе не медведь пукнул, это же огромная ценность. Так что половину-то, по крайней мере, должны заплатить. Четверть миллиона, тоже совсем неплохо!

Тем более я решил, что себе ничего не возьму. Разве что ссуду за квартиру выплатить... А остальное пусть Галина с Алексеем поделят между собой. Ну, и Азаму за идею... Эх, и почему я от него сразу не откупился, когда он первый раз пришел и Галки еще не видал! Если б только знал тогда, с кем имею дело, малой кровью бы мог отделаться! А теперь они вместе будут денежки тратить, в Лондон переселяться...

Короче, решил. Пусть открывают счет на Кипре, это никому не повредит, а что поженятся, так это разве настоящая женитьба? От такой женитьбы, я уверен, развестись ничего не стоит. А дальнейшее, тут надо еще обсудить. Это уже когда они вернутся и свяжутся со страховщиками. Посмотрим еще, какая будет оттуда реакция. И про Красный пока говорить не буду, лишние споры мне ни к чему, да и вообще, это не их камни и не их дело.

Тут же сообщил им свое решение и чек на тысячу шекелей выписал, чтобы шли билеты покупать, только бы ушли поскорей.

20

Потому что Татьяна кончила стряпать, и боюсь, что опять убежит.

Я теперь даже расписания ее не знаю, в ночную ли она, или после обеда, или когда. Но наверняка не задержится, побежит либо на работу, либо к Алексею, либо на религиозные курсы, либо вообще к этому своему...

А мне поговорить с ней необходимо, важнее всяких камней, чтоб они провалились. Во-первых, ее поведение опять изменилось в худшую сторону, то она приходит, то не приходит, то опаздывает, так нельзя. Надо это ей объяснить. А главное, пробить это глупое упрямство, и чтобы принесла таблеток. Не пойму, чего она так уперлась. Честность, что ли, вдруг одолела, социалистическую собственность бережет?

Так и есть, идет ко мне в спальню и уже сумка в руках. Та самая красно-зеленая авоська, а в ней пластиковые коробки. Это она мне стряпала, а заодно, наверно, и Алексею что-то уделила. Или этому своему...

— Миша, — говорит, — обед на плите. Все горячее, можешь сейчас поесть. А хочешь, подожди Ирис, она и подаст, и посуду помоет, и что еще тебе надо.

— Таня, — говорю, — присядь на минутку.

— Мне пора, Миша.

— Посиди со мной немного. Я тебя практически не вижу.

Усмехнулась легонько своей новой усмешкой:

— Не видишь? А ты разве смотришь?

— Ну, что за шутки... — говорю.

И вдруг глянул на нее как следует.

Это моя Татьяна? Что с ней такое? Похудела, обтянулась вся, потемнела лицом, и от уголков носа вниз прорезались линии. Да у Татьяны отродясь морщин не было! Она всегда была налитая, гладкая такая и белая, всегда огорчалась в связи с полнотой. Стеснялась передо мной, а на самом деле была вовсе не полная, а плотная, налитая. И плечи всегда были широкие и круглые, а сейчас заострились, стоит, пригорбилась, как сиротка.

И так мне ее что-то жалко стало! Чего, казалось бы, мне ее жалеть — это уже не моя женщина, добилась, чего хотела, сошлась на склоне лет с добрым человеком, а меня, инвалида недоброго, бросила. Даже сейчас, травмированного, то и дело бросает на чужих людей... А вот жалко — не могу сказать как. Просто сообразил вдруг, сколько на ней всего. Кроме работы, каждый день и ко мне, и к младенчику, и к этому, и еще курсы идиотские через день... Правда, сама так хотела, сама и виновата. И все равно жалко до невозможности.

— Танюша, — говорю, — да ты чего? Ты посиди, передохни немного! Зачем ты еду тащишь, что они, без тебя не прокормятся?

И начинаю вылезать из постели. Она сумку положила, стала мне помогать и спрашивает:

— Ты куда?

— Я к тебе, — говорю и, вместо чтобы встать, потянул ее к себе, посадил рядом и держу обеими руками. И она, удивительное дело, даже не вырывается. — Ну, чего такая? Куда летишь? Смотри, даже не причесалась как следует.

— Ах, да что прическа... что прическа... — И губы дрожат.

— Ну что ж ты так убиваешься, — говорю и собираюсь напомнить, что сама себе так устроила. А она мне:

— А ты разве не убиваешься?

— Я? — И даже растерялся немного.

Неужели это она мне лазейку дает? Проверяет мои чувства, чтоб вернуться? Скорей использовать!

— Не знаю, как назвать, Танечка, но мне без тебя очень скучно.

— А... скучно...

— Да без тебя же, Танечка, без тебя мне скучно! — Не знаю, что и сказать убедительно. Какие-то слова особенные надо, а я их не знаю. — Просто плохо мне без тебя!

Она высвободилась из моих рук, но с кровати не встала, повернулась ко мне лицом. И говорит, словно не слышала моих слов, а брови опять свела домиком, тоже недавняя манера:

— Ты лучше скажи, что с дочерью делать! — И слезы прямо потекли по этим новым дорожкам от носа.

— Вон ты о чем! — Я в этой связи и сам очень переживаю, но стало немного досадно, я-то подумал, что она из-за меня в расстройстве. — Да что ж тут делать, ничего мы с тобой не сделаем, ты свою дочку знаешь. По крайней мере, парень вроде ничего.

— Да парень замечательный, но ведь араб! Миша, араб! Какая ей с ним будет жизнь?

— Здесь не будет, а в Лондон уедут, и будет.

— В Лондон... — И плачет еще пуще.

— Ну, ведь не на Марс! Пусть поживут, молодые за границей всегда как-то устраиваются, а там, глядишь, надоест, и вернется.

— Какое вернется, Миша, она же условие поставила, чтобы всем ехать. И Алексей загорелся...

— Как ты сама понимаешь, я никуда не поеду.

— А я, думаешь, могу ехать? И я не поеду, а она говорит, что без нас не двинется, и разобьем ей жизнь, до конца дней будет нас винить...

— Если любит своего араба, так и без нас поедет, а не поедет, и еще лучше. Значит, не так уж и любит, и ничего мы ей не разобьем.

— Ох, любит, Миша, любит до смерти.

— До смерти... какие ты слова говоришь. Это уж даже и слишком.

— А вот бывает, Миша, так любят...

— Бывает, да? Как ты меня любила?

Молчит и не смотрит. Чувствую, что порчу дело, но удержаться не могу.

— Видно, не до смерти любила, — говорю, — а только до определенного момента!

— Оставь, Миша, зачем...

— Затем, что вернись. Пора.

Встала, взяла авоську.

— Нет, правда, а? Или ты думаешь, я тебя теперь за это буду пилить? Совсем не буду, честное слово!

— Нет, теперь не будешь.

И ушла.

21

Вот и спрашивается, зачем испортил?

Сам сказал, что пилить не буду, и сам же с упреком. А так мы было уже хорошо начали беседовать, общая беда, вместе рассуждаем... И она была размягченная, от меня не вырывалась, локтем не загораживалась. И плакала, я уверен, не только из-за дочери, а переживает также из-за меня, совесть ее тревожит, и чувство, сама же говорила, не совсем пропало, недаром так осунулась. Может, постепенно и сумел бы подвести к нужному решению. Зачем поторопился?

И плюс к тому досада, про лекарство даже не упомянул, а оно мне теперь еще нужнее. Уже съел предпоследнюю. Правда, временное решение нашел. Пришла Ириска, у нее всегда с собой аптечка, дала мне три штуки и обещала завтра попросить у Сегева рецепт. Но вдруг и правда не даст? Что тогда? Как я буду без него?

22

Я себя евреем никогда особенно не ощущал.

Знал, конечно, что мать еврейка, но в России главное было, кто отец, и я по нему считался русский, это здесь оказалось, что мать главная, а я на ее основе оказался законный еврей Чериковер.

Но я только уже в возрасте узнал, что у меня материна фамилия. Отец в войну еврейский концлагерь освобождал, и сильно проникся, и после войны женился на еврейке, моей матери. И из идейных соображений взял себе ее фамилию, что даже и не удивительно, своя у него была, оказывается, Пыскин, кому понравится. Не могу представить, как бы это я Пыскиным ходил по свету! И даже потом, когда отец начал совсем сильно поддавать и они разошлись, он фамилию Чериковер себе оставил, я думаю, ему по работе не раз шутили из анекдота, что лучше бы уж нам дали настоящего Рабиновича.

Мать сама была совсем как нееврейка, никаких обычаев не соблюдала, говорить умела только по-русски, и родных у нас было совсем почти ничего, я только очень поздно узнал, куда они делись. Еврейскую тематику она со мной вообще не затрагивала, только еще в детстве сказала раз, совсем без всякого повода: никогда не стыдись своей матери. Я даже удивился, чего мне стыдиться, мать как мать, еще и получше некоторых. Серьезная только очень, и улыбки-то едва дождешься, не говоря чтоб пошутить или посмеяться.

И антисемитизмом мне никто никогда в нос не тыкал, в школе, например, ребятам даже в голову не приходило, что моя фамилия еврейская, а кликуха у меня была Чирик или еще Чира. Чирик, Чира, кому придет в голову еврей.

Я уже упоминал, что в классе считался из сильных, а сильного не трогают, еврей он или кто. Я вообще думаю, что весь антисемитизм развился в основном по поводу таких вот хлюпиков, вроде Юлика, что был у нас в классе и читал книжки. И еще мало, что хлюпик, вдобавок рыжий. Это сейчас рыжий модно, а тогда он, бедняга, только и слышал: папа рыжий, мама рыжий, рыжий я и сам, вся семья моя покрыта рыжим волосам.

На работе, конечно, антисемитизм иногда бывал, чаще всего в форме высказываний, но не в отношении меня. А уж когда я окончательно засел дома, там уж какой антисемитизм, хотя я против Татьяны иногда пользовался, но теперь должен признать, что совершенно несправедливо. Вот чего в ней нет, того нет.

Но в принципе это непонятное явление, антисемитизм. Тут я про него и тем более наслушался. И все так высказываются, как будто само собой известно, что это такое и откуда взялось. Я слушать слушаю, но свои взгляды стараюсь не выявлять, потому что понимаю недостаточно, хотя мысли есть.

Все эти рассуждения, что евреи Христа убили, и что у них религия диковинная и обычаи чудные, или что они торгаши, деньги особенно любят (как будто кто-то не любит), или что вообще все народы терпеть не могут чужаков, — это все верно, конечно. В каждом месте терпеть кого-нибудь не могут, как сегодня в России, например, кавказскую национальность. А в другой стране китайцев ненавидят или, скажем, черных, а сейчас во многих странах арабов. Это все нормально, каждому свое. Однако же у всякого народа есть другие народы, которые в целом относятся с симпатией или равнодушно. И только в отношении евреев везде полный интернационализм.

Взять, например, Индию. Чем им евреи не угодили? разве они там ихнего Будду убили или Шиву? А насчет торговли индийцы и сами большие не дураки, за что в Африке, говорят, их и ненавидят. И при всем том мой сосед снизу, индиец, рассказывал, какое в Индии отношение к евреям, как к низшему существу, и из-за этого его родители сюда переселились.

И так далее по всему миру. Людей много всяких, и все между собой взаимно дружат или ненавидят, и только в одном сходятся, и это насчет евреев. Тут полная дружба народов.

Спрашивается, почему?

Есть подозрение, что я и сам отчасти антисемит. Возможно, что это влияние с моей русской стороны, хотя я и чистых евреев с антисемитизмом встречал достаточно. Если бы сам не был половинкой, то, возможно, стал бы не отчасти, а полностью. Потому что надо признать, что в евреях есть что-то неприятное. Не знаю что, и, по-моему, никто толком не определил, но есть, и все это чувствуют, включая самих евреев. Наверняка и во мне самом есть, хотя сильно разбавлено.

Что-то не такое, как в других людях. И не любят их не так, как других людей. Других просто не любят, или боятся, или презирают, или еще что. А евреев как-то особенно противно не любят, но как именно, не скажу.

Есть, правда, и такие, которые евреев любят, но тоже как-то по-особому, лучше бы уж не любили. Типа, это специальная заслуга, любить евреев и считать их за людей. Как будто все люди отдельно, а евреи отдельно. Мне прямо иногда кажется, что весь мир так и делится, на людей и на евреев.

И тогда вопрос.

Как это получилось, что все люди — люди, а евреи — евреи?

У меня на этот счет есть теория. Не поручусь, то ли читал где-то, то ли сам сообразил.

Все очень просто. Когда-то на заре нашей истории где-то в далекой галактике были, а может, и до сих пор есть разумные существа под названием элохим. Питаются они не едой, как мы, а энергией, которая происходит, если в них верят и, главное, произносят в их честь молитвы. Долго молились друг на друга и так питались, но от этого перекрестного опыления начали вырождаться и истощаться и стали искать новые источники питания, заодно и кровь освежить.

И наткнулись на нашу планету.

Обрадовались, что так много сознательной живности, и принялись щупать разные народы, в кого они верят, кому молятся. Туда, сюда, все крепко верят, кто в солнце, кто в ветер, кто в тигров или медведей, кто в разных чудищ и идолов, настойчиво верят, и их не собьешь. Есть, например, книжка, что рассказывали древние греки про своих богов и героев, так у них этих богов и богинь было без счета, и все красавцы и красавицы, отказываться от них нет никакого резона.

Поэтому пришельцы ни древних греков, ни китайцев с Буддой, ни индийцев с Шивами трогать не стали, вообще никого с высокоразвитой религией, а отыскали ряд мелких народцев, которые верили и в то, и в се, во что придется, и стали с ними проводить эксперименты.

Насылали своих представителей, чтоб те скрещивались с местными и внушали им, кому надо молиться. В большинстве своем результаты были отрицательные, но с одним совсем небольшим народцем, не помню, не то арамейцы, не то аморейцы, стало получаться, им послали праотцев, и те привились, расплодили на месте целое большое племя, и постепенно удалось внушить им, кому надо молиться. И хотя слово «элохим» на иврите множественное число, но им внушили, что это не много, а один Бог. Иначе производимая энергия рассеивалась бы, а что дойдет, каждый из элохим ловил бы, сколько сумеет. Теперь же она пошла одним концентрированным потоком и распределялась на месте в организованном порядке.

Вот из этих гибридов и получились в конце концов евреи. Потому и избранный народ, что в нас течет кровь элохим. И в то же время похожи на людей, потому что и земная кровь подмешана, а с развитием истории все больше. Но понятно, остальные люди к нам нормально относиться не могут, потому что чувствуют.

Время от времени элохим мало становится получаемого питания, и они подсылают дополнительных представителей, как, например, Иисус Христос или Магомет. Те проводят свою агитацию и способствуют увеличению числа людей, молящихся тому же объединенному элохим, в результате увеличивается и масса вырабатываемой энергии. Все время ожидается еще один представитель, еврейский мессия, но это будет, когда им там понадобится.

В этих, сравнительно новых молящихся, как-то: христиане и мусульмане, элохимской крови нет, поэтому нет к ним и международного антисемитизма.

Между прочим, элохим пытались и славян подключить напрямую к производству энергии, то есть обратить в еврейство, но напрямую не вышло, пришлось подключать через вторые руки, то есть через христианство, что, конечно, менее продуктивно.

Кроме настоящих евреев, получилось только с еще одним народцем, под названием хазары. Это подтверждается еще и тем, что на иврите «хазар б'тшува» означает «вернулся к вере». Не совсем понятно, правда, как это они «вернулись», если раньше там не бывали, но спросить уже некого, потому что все хазары куда-то давно исчезли.

(Про хазар есть еще одна версия, которая может объяснить, куда они исчезли. «Хай-зар» на иврите означает «инопланетянин». Буква «и краткое» на протяжении веков могла и затеряться, а они пожили на Земле, на территории нынешней России, попытались привлечь к производству окружающие племена, увидели, что не пойдет, и улетели обратно к себе, так что и следов осталось мало. Но эта версия более сомнительная.)

Я Библию немного читал и вижу ясно, что ее написали элохим, их присутствие ощущается во многих моментах, где они вмешиваются, а часто текст идет прямо от имени единого объединенного элохим. И образцы высокопроизводительных молитв приведены в большом количестве. А что написано не всегда понятно, это объясняется их недостаточным знанием местного языка.

В целом сильных противоречий со своей теорией я не нашел. Понятное дело, концы с концами не везде сходятся, но это ведь так, научная фантастика.

23

Я этот разговор про еврейство к чему завел?

К тому, что такая смешная ситуация. В большинстве других стран наоборот, но в нашей стране лучше всего быть евреем. Прямо-таки жизненная необходимость. Могут, конечно, и неевреи тут жить, взять хоть мою Татьяну, объевреилась дальше некуда, и это многие русские жены так.

Но полезнее все же быть прирожденным евреем. Удобнее. Татьяна в этой связи никакого неудобства вроде и не чувствует, но деткам моим, я думаю, не так приятно. В России они были как бы русские, а здесь стали окончательно русские, но в то же время отец стал окончательно евреем, и мать туда же наладилась. И теперь наши дети сами не знают, кто они есть.

Но это со стороны душевных переживаний. А я имею в виду, с чисто практической точки зрения.

И особенно в отношении дочки. Вечером прискакала со своим Азамом, и оба в полном расстройстве.

Оказывается, заказали билеты и пошли в министерство внутренних дел брать ей справку, что незамужняя. Азам-то из своего какого-то религиозного совета взял, а ей не дают! Сынишка мой тоже на Кипре женился и тоже брал справку, и ему дали без особого труда. А ей не дают,

234

и без всякого объяснения, хотя понятно, потому что женский пол — будет, значит, мать нееврейских детей.

То есть добиться можно и в конце концов дадут, но моим-то некогда добиваться. Им загорелось немедленно, и тем более счет в банке надо открывать поскорей, осталось чуть больше трех недель!

Я им слегка вправил мозги. Напомнил, что женитьба отдельно, а камни совсем другой коленкор. Пусть съездят на пару дней на Кипр, раз уж настроились, и билеты заказаны, погуляют и откроют счет — и надо закончить дела с камнями. А там уж пусть спокойно добиваются своей бумажки. Про себя же подумал, что оно и к лучшему.

Огорченные такие оба, Галина даже по стене кулаком поколотила, чтобы пар выпустить, но Азам и тут не забывает приличий. И откуда такое воспитание? С одной стороны, успокаивает Галку, представляет ей, как они на Кипре хорошо проведут время, а вернутся — и сразу будут выбивать справку. А с другой, говорит мне:

— Михаэль, мы хотим, чтобы все было как надо.

— А как надо? — говорю.

— Мы хотим, чтобы наши родители познакомились. Моя мама собиралась позвать вас завтра на обед. Мы ведь думали, послезавтра улетим и тут же поженимся, так чтобы еще до того. Теперь можно отложить до нашего возвращения, но в принципе, как вы на это смотрите? Ваша жена уже приняла приглашение, и я вас отвез бы туда и обратно на такси. Познакомитесь со всей семьей.

Как я на это смотрю? Резко отрицательно! Чтобы я, да еще с больной ногой, ехал в Старый город, в какой-то арабский дом на обед?

Но какова Татьяна! Всякое соображение потеряла. Сама рыдает мне тут, что делать с дочерью, и сама же уже приняла приглашение, хочет знакомиться! Типичная она. Что она, не понимает, как все это становится серьезно? Начинает быть похоже на настоящую женитьбу!

Однако я тоже вежливость понимаю. Извинился, мол, рад бы, но не чувствую себя в силах.

Галка говорит:

— Тогда пригласим их сюда. Они все очень симпатичные!

Сама она, видно, со всеми уже познакомилась.

— Галина, — говорю со значением, — ты же знаешь...
мама не может...

— Я сама все приготовлю, — говорит.

— Галина!

Слава Богу, Азам вмешался.

— Нет, — говорит, — не беспокойтесь. Спасибо, но...
мои братья в эту часть города не ходят... да и мама...

Не ходят, значит. Еще бы. Четыре молодых арабских
лба, да еще в самый центр еврейского Иерусалима. Их тут
как начнут шмонать на каждом углу, никакого обеда не за-
хочешь! Обижаются небось. А кто их знает, может, и не без
причины боятся, откуда мы знаем, какой они деятельнос-
тью занимаются, эти братья.

Ну, Галина, во что ты нас втянула!

— А они что, — спрашиваю осторожно, — они у тебя
как...

Усмехнулся немного и говорит:

— Они у меня в школе учатся, в шестом, восьмом, де-
вятом и десятом классе.

Мало ли что в школе. Как раз самый подходящий возраст. Но не поворачивается язык прямо спросить — мол,
они у тебя, случайно, не террористы?

— Ладно, папаня, — Галина говорит. — Если ты не
сможешь, мы с мамой сами пойдем. Потом тебе все рас-
скажем.

24

До того все серьезно пошло, что одна надежда, что справки вообще не дадут.

Дурочка Галка, небось не сказала, что с арабом женится и будет плодить арабских младенцев, тогда бы скорей
дали, русская с арабом, это нашим религиозным, которые
сидят в министерстве, все равно. Не сообразила, а я дудки, подсказывать не намерен.

Да, очень хорошо, что не дают справки. И еще лучше,
что нету у нас в стране гражданского брака, а то ведь, как
пить дать, уже бы округлились. А так еще глядишь, в про-

цессе бюрократической волокиты все это между ними и расстроится.

Из нашей братии многие настаивают, что надо гражданский брак, и вообще отделить религию от государства. Да и не только наши, а многие местные, так называемые левые, тоже. А я считаю, ни в коем случае. Как это отделить, когда она у нас приросла — не оторвешь? С мясом рвать придется, и как бы кровью не изойти!

Вот если бы можно было веру от религии отделить, вот это было бы дело! Сам я не верю ни в Бога, ни в черта и в религию не верю, а в веру — верю. Вера — она горами двигает, а нам тут еще сколько гор своротить! Это дело настоящее, красивое и полезное. Правильно сказано, опиум для народа. А опиум, он для чего? Чтобы частично уменьшать боль и легче переносить существующую действительность, забывать ее хоть на время. Конечно, меру соблюдать, не передозировать, как, например, харедим, то есть ультраверующие. Но если этот опиум отобрать вообще, то у народа начнется такая ломка, такие муки, а зачем? Совсем людей безо всякой подпорки оставить? Это все равно что у меня сейчас мой ходунок отнять.

Считается, что у нас большая часть населения нерелигиозная. Но это неправда. Таких, как я, атеистов, тут отдельные единицы или десятки, ну, максимум, сотни. Про восточных вообще не говорю, эти все верующие, даже если совсем не соблюдают, а вот возьми таких, которые называются «светские», спроси его, верит он в Бога? Скажет, нет, не верю, но что-то все же где-то там есть. Что-то! Так ведь Бог, он и есть это самое «что-то».

И вера для государства дело самое полезное. Без какой-нибудь веры ни одно государство не проживет, у всякого какая-нибудь да есть, даже в Америке, там это называется свободное предпринимательство и права человека — тоже врут, конечно, насчет свободного и насчет прав, но вера есть. И если она исчезает, то начинается беспредел, как в России. Вот они там и пытаются теперь церковь обратно распространить.

А здесь, пока верили в сионизм, еще туда-сюда, можно было говорить об отделении. Но не успели, и слава Богу. А теперь осталась только одна старая вера, и чем она плоха? Худо-бедно, столько тысяч лет служила, послужит и еще, пока ничего нового не придумали.

Но это вера. А говорилось про религию, чтоб ее отделить. Религию отделить, а вера чтобы осталась? В том и штука, что веру от религии тоже не отодрать. Даже у нерелигиозных. Вера с религией так плотно срослись, что опять по живому рубить придется. Нет, отделять никак нельзя.

А что гражданского брака и развода нет и прочее — так нечего жаловаться, а помнить надо, в какую страну ехали.

Да чего там, я, честно сказать, даже иногда подумываю, не присоединиться ли и мне. Особенно в связи с Татьяной. Ну и что, что не верю? Это, они говорят, придет, а ты, главное, соблюдай заповеди и молись, молись (тут я сразу вспоминаю моих элохим).

Здесь любопытно отметить такой момент. Я в России про религию практически и не вспоминал никогда, другой раз слышишь, такой-то ходит в церковь, а этот крестился, но всегда считал, что ненужная трата времени. А здесь я как был неверующим, так и остался, и ничто меня не берет, даже если присоединюсь ради Татьяны, но при всем том религия занимает в моих мыслях большое место.

То есть не могу даже сказать, что меня этот вопрос интересует, или волнует, или что — но против воли сам навязывается, и начинаешь думать. В данном случае с чисто практической стороны, но часто и без повода. Если уж она даже мне, человеку равнодушному, так, то это лишнее доказательство, как она тут глубоко въелась и что отделять никак нельзя.

Нет, я на здешнюю религию совершенно не жалуюсь, а принимаю, что есть. Тем более спасибо, справки не дают.

25

Парочка моя благополучно отбыла и вернутся только через два дня. И можно было бы спокойно полежать и подумать.

Я и лежал, и размышлял про религию и еще про многое, и утром встал, и упражнения сделал, и сам позавтракал, и обратно лег, и все практически спокойно. Но только потому, что поджидаю Ириску с рецептом, сразу и сгоняю ее в аптеку, а может, сама догадалась и купила по дороге. Уже очень надо. А то ведь я вечером предпоследнюю проглотил, а сегодня ни одной, последнюю берегу.

Не исключено, конечно, что они там как-нибудь исхитрятся и поженятся без справки. Но уверен, что развестись при такой женитьбе — раз плюнуть, и рассчитываю, что так и будет. Тем более парень, надо признать, классный. И по внешности, и ласковый, и воспитанный, и о семье печется, и учиться хочет... Еврея такого еще хорошо поискать.

Лежу спокойно.

Вот наконец и Ириска. Веселая и хорошенькая, как всегда. Сияет своими зубками, ну, как мой больной? Вставал? завтракал? мыться будем?

Но что мне сейчас ее зубки и улыбки.

Катастрофа. Полный облом.

Не принесла!

Не принесла рецепт. Сегев категорически отказал, пусть, говорит, принимает акамол форте.

Акамол форте! Чтоб им всем провалиться, и с доктором Сегевом вместе. Ирис тоже хороша. Не сумела ему объяснить, какие у меня боли.

И что теперь? Ведь катастрофа! Прямо хоть вставай и беги в больничную кассу. Да и побежал бы, она у нас близко, с ходунком дополз бы, но я по лестнице сам не спущусь, а Ириска не поможет, рано тебе, говорит, по лестнице. Да она меня просто на смех подняла, что за истерика, говорит. А я и впрямь готов истерику закатить, даже слезы подступают. Так обидно, что никто не хочет понять, какие у меня боли и как мне нужно это лекарство.

— А ты вот возьми, — она говорит, — попробуй алголизин. Увидишь, поможет ничуть не хуже, — и протягивает мне коричневую таблетку. А мне даже вид ее коричневый противен, я свою хочу, беленькую. Готов вышибить у нее таблетку из пальцев, но сдержался и переменил тактику.

Взял, заглотал эту гадость, чуть не подавился, горькая, сволочь. Думаю, подожду немного и докажу тебе, чего твой алголизин стоит.

Стала она меня упражнять. Немного совсем позанимались, и чувствую, что делаю почти свободно, в бедре практически не тянет, шея и спина тоже расслабились. Все боли на уровне среднего моего обычного дня, то есть как я обычно это называю, что не болит.

Радоваться надо, да? А я не только не радуюсь, а, наоборот, раздражение ужасное, и чего-то сильно не хватает, словно есть хочу или курить. Но есть точно не хочу, а курить Ириска во время упражнений не позволяет. Говорю ей:

— Хватит, Ирис, я устал.

— А как боли?

— Как были, так и есть, — вру.

— Не может этого быть, — говорит, — сколько мы с тобой раньше занимались, ты так быстро не уставал и не жаловался.

— Потому и не жаловался, — говорю, — что перкосет хорошо облегчал.

— А алголизин не облегчает?

— Нисколько, — говорю, — наоборот, тошнит от него.

— Ладно, подберем тебе что-нибудь другое, чтоб не тошнило.

— Да чего подбирать? Подобрали уже, лучше не надо. А теперь не даете. У тебя с собой есть? Дай хоть парочку.

— Ладно, — говорит, — парочку дам, но больше не проси. У меня уже мало, другим надо. И в поликлинику ходить не пытайся, тоже не дадут.

Мыться я отказался, и обед, сказал, сам возьму. Она хотела прибрать, но я ей говорю:

— Все, ничего не надо, отваливай к своему Эйялю.

Она прямо оторопела. Я с ней так никогда не разговаривал.

— Ты чего? — говорит.

— А ничего. Ступай, ступай, я устал.

— Да брось, Михаэль. Ты полежи, отдохни, может, поспишь немного, а я пока приберусь, мешать тебе не буду.

— Ничего не надо. Уходи. Сказано тебе — устал.

— Отчего же ты так устал? Мы и занимались-то всего ничего.

— Ну, привязалась! От тебя я устал.

— От меня?

— От тебя!

— Устал от меня?

— А ты думала, от тебя устать нельзя?

— Вот как.

Быстро убрала щетку, ведро, тряпку, скинула свой синий халатик и заглядывает ко мне в спальню:

— Михаэль, я ключ отдам Татьяне. Скажу ей, что больше ходить к тебе не буду.

— А говори, что хочешь.

Хлопнула дверью и ушла.

26

Ни за что ни про что обидел и выгнал хорошую, ласковую девочку.

Головой ужасаюсь, какое я идиотство сделал, а параллельно душит досада, что не успел ей как следует наговорить. Проще сказать, обругать как следует. Мало того. Я женщину в жизни пальцем не тронул, а тут так и видится, как бы я ей врезал, если бы близко подошла. Не то чтобы просто ударить, а по заднице с размаху или за титьки схватить, главное, чтоб погрубее и пообиднее. Прямо руки чешутся, и жалею, что быстро ушла.

А за что? Почему?

Лежать нет мочи, встал.

Ползаю по квартире, не знаю, куда себя девать. Теперь уж не просто скука одолевает, а какая-то смесь тоски со злостью. Обедать давно пора, но есть по-прежнему не хочу. Выпил два стакана воды, чтобы алголизин вонючий скорей выгнать из организма.

Сходил в туалет, но жарко, и мало что выделилось. Так что алголизин во мне все еще сидит.

Знаю, что не стоит их смешивать, но не вытерпел и принял одну беленькую. То ли алголизин помешал, то ли вообще действие ослабело, как я замечал и раньше, но желаемого результата не получил. Пришлось принять еще одну, и опять осталась у меня одна-единственная.

А успокоиться все не могу. Что это со мной творится? И главное, что теперь делать?

27

У меня с Кармелой установились какие-то странные отношения.

Вроде бы она относится как всегда, и навещает, и стряпню носит, и пошучивает, и хохочет своим лошадиным хохотом, и обращается опять как обыкновенно с соседом, а не с мужиком, с которым переспала. Сперва я даже обрадовался, что все так мирно сошло на нет и мы опять добрые приятели, и все. Но потом начало становиться как-то не по себе. Так обращается, как будто я то ли молодой мальчик, то ли совсем старик, который не все правильно понимает и которому надо объяснять и потакать. А не то что мужчина в самой силе, хоть и поломанный.

Правильно говорят, что нет страшнее бабы, когда ее мужик не хочет. Она ведь чувствует, что у меня все начисто прошло. И не из-за перелома, а вообще. И она еще ничего, фасон держит очень прилично, другая, может, совсем бы общаться перестала. Неловко иногда перед ней, но ведь не стану я ей объяснять, что меня теперь только одна женщина интересует, а других как нету. Кто знает, может, потом, когда все уладится... Но это ей мало радости от такого объяснения.

Вообще, когда Татьяна сказала, может, у вас с ней что-нибудь получится, это она сказала глупость. Ничего у нас с ней получиться не могло, кроме случайного баловства. Наверно, ей просто хотелось трахнуться с русским мужиком, убедиться, что это такое и нет ли у него хвоста.

Для чего еще я ей нужен? Неужто считать, что она влюбилась, мечтает жизнь со мной связать? Надо смотреть реальности в глаза, ей это и в голову не придет. И не оттого, что у меня спина согнутая. Это мне с женщинами еще никогда не препятствовало, а с ней и подавно. Какая это одинокая баба за сорок станет смотреть на фигуру, если все другое в порядке? Я вообще не помню, чтоб мне женщина отказала, если настойчиво действовать. А просто у нас с ней совершенно разная ментальность и разный культурный фон. Нам с ней выше уровня перепихнуться никогда друг друга не понять. Это тебе не Танечка, которую я до сих пор всю навылет знал, и только теперь оказалось, что не совсем.

Кармела, я так понимаю, любит развлекаться, в ресторан там или в гости к родственникам, их у нее наверняка большая кодла, и все восточные всё время семейно тусуются. Небось постеснялась бы со мной показаться, да еще русский, они нас и за евреев-то не считают. А у меня, наоборот, насчет них большое сомнение, как-то не похоже, что в них элохимская кровь, хотя в мире к ним отношение правильное, антисемитское.

И потом, она женщина практичная и устроенная, вон какую квартирку отхватила. Зачем ей инвалид без гроша за душой, да еще ухаживать придется? Тут, опять же, Танечка в самый раз, а эта вряд ли. Правда, если бы знала про камни... Но вот уж кому не скажу. Мне купленных чувств не надо.

Короче говоря, не так приятно к ней обращаться, но больше не к кому. У нее полно знакомств, наверняка найдется и в аптеке кто-нибудь.

Едва дождался пяти часов, когда она с работы приходит, и позвонил. И тут же прибежала, даже еды никакой не принесла, так торопилась. Открыла своим ключом, ворвалась в спальню:

— Мишен-ка, что случилось?

— Почему случилось? Ничего особенного.

— У тебя такой голос по телефону...

— Да нет, просто я хотел попросить тебя о небольшой услуге...

Сразу успокоилась и переменила выражение:

— Почему небольшой? Проси уж сразу о большой, пока есть возможность.

Хм! Надо же, опять заигрывает. Опасно, но никуда не денешься, придется подыграть.

— Зачем же о большой?

— А чтоб за тобой должок был.

— Я с долгами всегда честно расплачиваюсь, — говорю, но не углубляюсь, какой монетой расплачиваться.

— Это мы поглядим, — говорит. — Ну, так чего тебе?

Я сказал, лекарство, мол, нужно, без рецепта.

— Это ты все со своим перкосетом? Что же Таня, так и не взяла рецепт?

— Да вот, все врача никак не застанет. В разные смены работают.

Вместо чтоб взять и сделать, все ей объясни да расскажи, и опять чувствую, что в нервах начинает возникать раздражение.

— И из отделения не принесла? Ишь ты, какая честная. Все берут, что им надо, а она не может.

Я молчу, не хочу обсуждать с ней мою Таню. Ну да, честная, кому-то и честным надо быть.

— Чего молчишь? Надо тебе перкосет?

— Надо.

— Тогда проси как следует. Может, и достану.

— Пожалуйста, будь добра.

— Нет, это мало. А ты вот что, я тебе перкосет, а ты мне расскажи, что у вас происходит с Таней.

Француженка называется! Марокканка, она и есть марокканка. Лезет в чужую душу, как к себе домой. Ей простое любопытство, а мне ножом по сердцу.

— Что происходит, — говорю, — ничего не происходит.

— Как будто я не вижу!

— Не знаю я, что ты там видишь.

— Все вижу. Она тебя бросает, что ли?

— С чего ты взяла?

— Бросает, бросает! Неужели из-за меня?

— Да ну, Кармела, при чем тут ты?

— А, ни при чем? Отлично! Такая освобожденная женщина. Бросает больного мужа, и даже не за измену. Ей это ничего не значит. А тебе?

Не знаю, что отвечать, поэтому переспрашиваю:

— Что — мне?

— Тебе это тоже ничего не значит?

244

— Кармела, — говорю, а сам зубы сжимаю, сдерживаюсь из последних сил, — прекратим этот разговор. Я тебя просил сделать простое дело, чего ты завела?

— А то я завела, что до сих пор жалела твою шейку бедра, но теперь уж извини. Сперва используешь женщину, а потом делаешь вид, что это ничего не значит.

Меня уже и раньше подмывало указать ей, чья была инициатива и кто кого использовал, и сейчас самый случай, но долго все это выговаривать, злость прямо душит. Взял и пхнул ее здоровой ногой в бок — и сразу мне легче. Не так уж и сильно пхнул, просто злобно, но она даже крякнула. Крякнула, вскочила с кровати, держится за бок и смотрит на меня. Молча! Посмотрела и тихим, не своим голосом говорит:

— Нет, ты действительно сумасшедший.

Стоит, смотрит и трет бок. А я уже немного разрядился и теперь в ужасе, что наделал, — ведь сейчас уйдет.

— Прости, — говорю, — Кармела, я нечаянно. Нога конвульсивно дернулась.

— Да, — говорит. — Теперь я понимаю Таню. Не был бы ты калека, на таких в полицию надо заявлять за агрессивные действия.

И пошла. У двери остановилась, обернулась, опять на меня посмотрела и бросила:

— Русим! — русские то есть.

Однако ты даешь, Михаэль.

Что не досталось бедной маленькой Ириске, досталось здоровой кобылке Кармеле. Но тоже бедной. Обидел Кармелу даже хуже, чем Ириску, потому что с той я не спал (что как раз очень жаль). И чем Кармела заслужила? Кроме хорошего, ничего плохого я от нее не видал. И еду носит, и на машине возит, и анкеты помогает заполнять. А если вдобавок хочет иметь со мной отношения, так я радоваться должен бы и гордиться, не надо врать, Миша, не так-то часто нынче на тебя падают такие цветущие экземпляры. Не хочется? Иной раз для пользы дела и через не хочу можно постараться. Сильно обидел, задел ее женское достоинство. И за что, почему? От какой-то дурацкой злобы и раздражения, так что пришлось принять последнюю беленькую, а то бы продолжал беситься и мечтать, что слабо пхнул.

Правда, она тоже: русим, говорит! Вот что я у восточных ненавижу, так это их расизм.

И главное, главное — лекарство окончательно пиши пропало, не пойдет она теперь для меня стараться!

28

Лежу и уже не злюсь, а просто в отчаянии. И тут звонит Татьяна.

Я думал, она заговорит про Ириску, и сам не знаю, что ей отвечу. Но она про Ириску ни слова, видно, еще не встречались, а вместо этого спрашивает меня, как я отношусь, чтоб спать эту ночь одному, поскольку ни она, ни Галина, ни сын сегодня не могут. Тебе ведь, говорит, не страшно побыть вечер и ночь. А я завтра вечерком заскочу, в крайнем случае, послезавтра.

Как я представил себе, что мне сутки, а может, и больше быть одному, и без перкосета, мне тоска подкатила прямо к горлу. Даже ответить не могу, так сдавило.

— Что же ты молчишь, Миша? — говорит. — Согласен? Одну только ночь тебе перебыть. Все у тебя есть. Утром придет Ирис, а заскучаешь сегодня вечером, пригласи Кармелу. Хорошо?

Да уж, вот именно. Хорошо она мне запланировала, да я-то еще лучше все себе устроил. Не придет ко мне утром Ирис, не придет вечером Кармела. И сама Татьяна Бог знает когда придет.

— Нет, Таня, не хорошо... — шепчу, и слезы подступают.

— Ты что там бормочешь, Миша? Я не разобрала.

— Танечка! — Я прямо в голос завыл. — Танечка! Не могу я!

— Миша, Миша! Ты что?

— Не могу! Просто подыхаю! Не могу я без тебя... и... и... — Не собирался я ей этого говорить, да и себе не собирался, само вырвалось: — И... без перкосета...

Теперь замолчала она. Молчит, даже не дышит в трубку. Потом вздохнула глубоко-глубоко и сказала усталым голосом:

— Хорошо. Я приду. Попозже вечером.

— И таблеток хоть сколько-нибудь принеси!

Но она уже положила трубку.

29

Всю свою взрослую жизнь я, понятное дело, немало общался с медициной. И сам, в основе своей, медицинский работник, хотя и бывший. И привык к тому, что врачи они и есть врачи и различаются только по специальности — хирург там, или ухо-горло-нос, или который рак лечит, то есть по онкологии. Но в целом все с дипломами и лечат по науке.

А последнее время появились врачи не врачи, не сказать даже, что такое, но очень модно. Раньше называлось народный фольклор, колдуны и шаманы, или проще шарлатаны. А теперь называется по-культурному аль-тер-на-тив-ная медицина, хотя диплом не обязательно.

Но лечат никакой не альтернативой, как вытекает из названия, а кто чем. Иголками колют, на точки жмут, кости выламывают, голодом морят, травами поят, чего только не делают. И многие даже анализов никаких не требуют, а угадывают все болезни сами с помощью космической энергетики. Эти называются экстрасенсы. У этих инструментов никаких нет, и процедур они с больным не проводят, а просто помахивают над ним руками и пускают на него свою полезную энергетику. А вредную энергетику, которая в больном сидит, вытягивают из него и потом стряхивают с рук, чтоб не пристало (стряхивают, между прочим, в наш общий воздух, получается все равно, что плюнуть в колодец или помочиться в бассейн). Вот этих развелось особенно много.

Я-то ни в какие эти фокусы не верю, но многим помогает, и экстрасенсы плодятся как кролики, очень уж заработок хорош. И особенно у тех, которые сумели организовать массовое исцеление, прямо целыми залами или даже стадионами. А есть еще интереснее, по радио! Или по телевизору. Или на расстоянии, глядя на фото. И ведь помогает кое-кому, вот что самое интересное.

Один раз, давно уже, приехал из России знаменитый экстрасенс, публика на его концерты тучами повалила, ну, думаю, надо пойти, проверить собственными глазами. Билеты дорогущие, купили только один, Татьяна мне предоставила, хотя она-то как раз верит. Я над ней посмеялся, какие у нее предрассудки, а самому, честно признаться, просто до ужаса хотелось, чтоб и правда. А вдруг и мне станет лучше?

Пока до исцеления дошло, я весь измучился, мне уже тогда на общественных стульях было неудобно сидеть. Но исцеление-то всего несколько минут, а надо занять публику и оправдать билет. Сперва он долго зачитывал письма от благодарных пациентов, со всеми деталями, что как болело и как теперь не болит. Такие восхваления, настоящий культ личности.

Потом он вывел на сцену какую-то убогенькую, не помню, то ли параличную, то ли немую, то ли экзема. В прошлом то есть. И ходила, и говорила, и чистую кожу показывала, а под конец поцеловала ему руку, и он отнесся, что так и надо. И принялся объяснять, какая это тяжелая работа, сколько у него энергетики уходит на каждый сеанс и как его это изматывает, недаром, мол, за билет платили.

Ну, дошло наконец и до исцеления.

Сядьте, говорит, поудобнее, положите руки на колени ладонями кверху и закройте глаза. Расслабьтесь, еще, еще, совсем расслабьтесь. Отключите свою волю и полностью доверьтесь мне (охо-хо, «поверь мне»!). Ощутите свое тело. Сосредоточьте все мысли на ногах. Ваши ноги тяжелеют, тяжелеют... Наливаются тяжестью... вот они уже как чугунные... такие тяжелые, что вы не можете оторвать их от пола... по ним пробегает как бы ток... Теперь руки... ваши руки тяжелеют, тяжелеют... Да козел тебя задери! У меня и так тяжесть во всем теле, так еще ты тут навеваешь! А ток даже и не думает пробегать, только спину мозжит от неподвижности.

И я открыл глаза. Интересно же! Открыл глаза, обернулся в кресле, насколько смог, и посмотрел назад в зал.

Бог ты мой, ну и картинка! Ряд за рядом, ряд за рядом, сидят все, как лялечки, с закрытыми глазами, ручки на коленки выложили и тяжелеют. Кто бы ожидал от евреев такой дисциплины, да еще от земляков моих! И тишина полная, только голос этого сенса сонно гудит в микрофон. Я думаю, многие просто убаюкались и позаснули после рабочего дня. И вдруг он как гаркнет:

— В четвертом ряду! Не оборачиваться! Закрыть глаза!

По залу аж стон прошел. Еще бы, посреди сладкого сна и вдруг такое. Я сперва не сообразил, смотрю на него, а он пальцем прямо на меня показывает и опять орет:

— Вы, вы, в четвертом ряду! Не сметь оборачиваться!

Это ты мне?

Ах ты... это ты мне — не сметь?! За мои же деньги?! Ну нет. Это ты, может, у себя в России царь и Бог, а здесь извини! Здесь ты тьфу и растереть! Встаю, выпрямляюсь, насколько могу, и рявкаю ему в ответ:

— Не сметь со мной по-хамски разговаривать!

Все на меня смотрят, кое-кто даже одобрительно, другие шикают на меня, одна дама даже в истерику впала, а он только рот раскрыл. Не привык к ослушанию! Большой человек.

Короче, я ушел, не дожидаясь конца представления. И никаких чудес так и не увидел. Может, и были. Может, он целое это стадо до того заморочил своим гипнозом вперебивку с руганью, что они со страху все и исцелились. Но я не верю. Не верю, когда мне незнакомый человек велит «доверьтесь мне», а сам при этом занимается хамством.

Но вопрос в другом. Почему всех этих альтернативных раньше не слышно, не видно было, а теперь они так широко расплодились? Это ведь не только у нас или в России такое явление, а по всему миру.

Я думаю, основных причин у этого две.

Во-первых, радиация. От всех этих атомных испытаний, подводных лодок, космических полетов, чернобылей, плюс несчетные баночки со спреем, в окружающей среде скопилось много радиации. Радиация стала воздействовать на психику, и люди начали обнаруживать в себе всякие альтернативные качества, как-то: экстрасенсность и китайская народная медицина.

Поначалу не очень знали, что с этим делать, так, колдовали понемножку над родными и знакомыми, вроде подлечивали их, но от этого, понятно, прибытку мало. И тут помог второй фактор.

А именно достижения современной медицины. Медицина до того развилась, что стала вроде бы обещать людям излечение от любой болезни. А люди и поверили. Однако же постепенно осознали, что это не полностью проводится в жизнь, но тем временем сильно избаловались. Раньше ведь как было? Заболеет человек, пойдет к врачу. Полечится-полечится, то попробует, это, видит, ситуация не идет на улучшение, а наоборот. Ну, говорит, Божья воля, и спокойно ложится помирать. А теперь он избаловался благодаря достижениям медицины и считает, что ему положено быть живым и здоровым. Божью волю игнорирует, предъявляет претензии и суетится, непременно хочет вылечиться. Но обыкновенная медицина все еще не в полной мере отвечает запросам, но он не может успокоиться, и тогда на сцену выступает альтернатива. И хотя она тоже далеко не полностью, а может, и совсем ничего не помогает, но спрос растет, а с ним и предложение.

А третий фактор, в частности в России, это то, что закончился коммунизм и не во что стало верить, так хоть в альтернативу. И в других странах, наверное, какие-нибудь ихние идеологии поотмирали, и то же самое.

Но при всем том лично мне на альтернативу жаловаться не приходится.

30

Часам к десяти дождался я наконец Татьяны.

И что ты скажешь? Притащила с собой этого своего, Йехезкеля!

Ну, думаю, Танечка, совсем стыд потеряла, приходит к больному мужу с хахалем! Ни на минуту расстаться не может, что ли? Или похвастаться привела, смотри, мол, какого я себе здорового и крепкого отхватила, не тебе чета? Совсем не ее стиль.

Но мне не до стиля, а погоню я его сейчас к едрене фене. Ирисочку выгнал, Кармелу выгнал, таких женщин, и совсем ни за что, а этого ее — буду терпеть? Я его про себя иначе как «этот ее» и не называю. И говорю:

— Ну, спасибо, Танечка, порадовала ты меня, слов нет. Красиво себя ведешь. А теперь — либо пусть проваливает отсюда сию минуту, либо убирайтесь оба. Мне ваши парные визиты не нужны.

Татьяна на мои грубые слова ничего не отвечает и выходит из спальни. А он стоял в дверях, теперь же, наоборот, входит и прямо ко мне. А я опять в невыгодном положении — лежу. Начал вставать, но он подошел совсем близко и рукой меня за плечо удерживает — лежи, мол. Я его руку отбил, рубанул ребром ладони неслабо, но он ничего. Руку убрал, отошел немного и говорит:

— Подождите, Михаэль, не вставайте, послушайте меня одну минуту.

— И секунды слушать не стану, уходите!

— Я не собираюсь говорить с вами о том, что есть между нами. Это совсем отдельный разговор.

— Никаких разговоров! — говорю. — Вон!

— Выслушайте меня, и я уйду. Я хочу вам помочь.

— Ах, — говорю, — как это любезно с вашей стороны! Но как-нибудь обойдусь. Татьяна! — кричу. — Покажи гостю, где у нас дверь!

И тут звонок в эту самую дверь. Одиннадцатый час, никто ко мне так поздно не ходит. А вдруг полиция опять?!

Не успел предупредить, Татьяна уже открывает, даже не спрашивает кто. Улегся в постели пониже, принял больной вид. Слышу, она говорит:

— Нет, простите, к нему сейчас нельзя. Он нездоров.

Сообразила, слава Богу. А что ей говорят, не слышу. Поговорили, наконец она, глупая женщина, отвечает:

— Ну, если так важно. Но пожалуйста, очень ненадолго.

И вводит прямо в спальню — деда окаянного! А этому своему говорит: выйди на минутку, у них дело.

— Нет! — я кричу. — Йехезкель пусть остается!

Татьяна чуть плечами пожала и вышла. А дед улыбается своей мерзкой улыбочкой и говорит:

— О, да у вас гости. Я думал, вы по вечерам один. И как вы себя чувствуете?

А сам уже даже без костыля, симулянт проклятый.

Хотел я его сразу гнать, именно с помощью того же Йехезкеля, но тут вспомнил все свои размышления на эту тему, что надо как-то его обезвредить, чтоб не приставал и не грозил. Но как? Я за всеми этими делами даже и подумать толком не успел, а он уже опять явился, не запылился.

И обращается к Йехезкелю:

— Не выйдете ли на минутку, нам надо побеседовать, кое-что обсудить.

Йехезкель ему:

— Я припоминаю по больнице, что больной не очень хотел с вами беседовать. Мне кажется, и сейчас тоже.

А я и забыл совсем, что Йехезкель этот присутствовал, когда дед пытался мой Адамант из-под подушки выкрасть, и вообще, что он, видно, полностью в курсе. Я даже Татьяне выговор не сделал, что разболтала, а надо было, надо!

— Нет, — говорю, — почему не побеседовать, побеседовать можно.

А Йехезкель мягко так, но настойчиво говорит:

— А может, не стоит, Михаэль? Говорить вам друг с другом не о чем. Камень этот красный («цирконий», дед вставляет), пусть цирконий или что угодно — не принадлежит никому из вас и должен вернуться к хозяину.

Деда аж перекосило:

— К какому еще хозяину? Чего вы встряли? Что вы об этом знаете?

— Лишнего ничего не знаю, только то, что надо.

— Да вам-то чего надо? Просили же вас выйти отсюда. Это дело между Михаэлем и мной.

— Это дело, — Йехезкель говорит тихо, — между Михаэлем и его совестью.

— Со-овестью? При чем тут совесть?

— Михаэль не захочет подойти к Судному дню с нечистой совестью.

Верно! Совсем скоро Йом-Кипур, Судный день! И в ту же секунду меня и осенило, как надо поступить. Вернее — что сказать. Да ведь проще простого!

И говорю скромно:

— Конечно, не захочу. Циркония у меня уже нет. Он уже ушел по назначению, так что советую вам, папаша, успокоиться. Вот и все, что я хотел вам сказать. И желаю вам гмар хатима това, иными словами, положительной характеристики от Господа.

Дедуля отвечает машинально:

— И вам тоже... гмар хатима... Как ушел?! — И смотрю, покачнулся слегка. Йехезкель его немного рукой направил, и он так и бухнулся на кровать у меня в ногах. — Куда ушел? Мы же с вами почти договорились! Я пришел, чтобы предложить вам настоящую цену! У меня тоже совесть есть! Десять тысяч новых шекелей! У меня даже деньги с собой. Вот, вот! — И вытаскивает из кармана толстенький пакетик. — Прямо сейчас можете получить!

— Да, — говорю с сожалением, — цена неплохая.

— Продали?! Неужели продали? Кому? За сколько?

— Ну, — говорю, — это уж секрет изобретателя.

— Но я первый был! Вы должны были торговаться со мной!

— Нет, — говорю, — торговаться тут не приходится. Не тот случай. Да что вы так волнуетесь? Из-за какого-то циркония, даже если красивый.

Дед как вскочит, как шмякнет своим пакетом о пол:

— Идиот! — Правда, пакет тут же поднял. — Идиот несчастный! Продал! Ну, теперь погоди. Теперь я тебя закопаю.

Йехезкель говорит:

— Что же вы такое хотите ему сделать? И за что?

— За что, он сам знает, а что — увидит. Я уж найду, куда пойти и что сделать, не беспокойтесь. Будет помнить Хоне-ювелира.

Говорит и все пошатывается, видно, ножка-то все-таки подводит. И красный весь, как бы кондрашка не хватила, хотя оно бы и неплохо.

Йехезкель говорит:

— Хоне, не надо грозить, грех. Пойдемте лучше в салон, попьем чего-нибудь, — и берет его под руку.

Тот руку вырывает, но Йехезкель на это не смотрит и ведет его прочь из спальни. И вовремя, потому что надоело мне с ним чикаться, а все больше волнует вопрос, принесла ли Татьяна лекарство. И если принесла — а ведь, кажется, ясно дал понять, что совсем не могу без него, — то почему не дала сразу, а прислала мне этого своего? И дед еще приперся, в самый подходящий момент. И теперь он совсем злющий, и черт его знает, что в самом деле сделает...

Нервы в таком состоянии, что если сейчас не приму, то не знаю, что со мной будет, лопну.

31

Йом-Кипур — это очень особенный день.

Некоторые ошибочно говорят про него «праздник», ну только это уж никак не праздник. Что он точно означает, я не так хорошо знаю, но день очень торжественный и, скажу даже, страшный. И даже дни перед ним так и называются «ямим нораим», то есть страшные дни.

Я, понятное дело, во все это не верю, и даже смешно бывает, когда религиозные берут несчастную курицу и вертят ее у себя над головой, надеются, что на нее вся их пакость перейдет и они в Судный день предстанут перед Богом чистенькие.

Чем бедная птица виновата, что они целый год ведут себя свободно, а на один день спохватываются и устраивают себе куриный душ, разом все на нее хотят скинуть. К тому же курица — существо небольшое, и хотя с нее даже перья облезают от всякой дряни, которую на нее валят, но всего она вместить не может, и однократной процедуры, по-моему, недостаточно, то есть курей на одного человека надо бы несколько. А значит, массу хорошей пищи зря переводить, потому что есть ее после этого нельзя, отравишься. И все это, по-моему, просто лицемерие и обманывать Бога, как будто он тогда не узнает, куда они девали свои грехи.

А с другой стороны, если подумать, то даже хорошо, что хоть на один день, хоть как-нибудь, люди хотят стать людьми, а то было бы совсем без перерыва.

В общем, довольно страшный день. Еще накануне, как сирена прогудит, все замирает, как в кино бывало, когда ленту останавливали. Я вначале, как приехал, даже на улицу в этот день не выходил, дрожь пробирала, хотя день обычно очень жаркий. Так и чудилось, что выйду вот, а там стоят люди, один ногу поднял шагнуть, другой за чем-нибудь нагнулся, третий, может, под мышкой полез почесать, да так и замерли на сутки.

Теперь, конечно, привык уже, но поститься, как положено, не научился — все равно ведь не верю. Не знаю, как теперь будет, когда Татьяна вернется. Может, и соглашусь ради нее — одни сутки поголодать не страшно, а разгрузочный день даже полезно для здоровья.

Верить не верю, но атмосферу чувствую. Атмосфера у нас в этот день — у, какая густая! У нас в Иерусалиме она вообще сгущенная. Религиозные считают, что это от святости, может, и так, а я думаю, просто тут столько веков столько народу интенсивно верило, хоть и в разных богов, что на этом месте образовался свой микроклимат, не знаю, святой или нет, но очень насыщенный. И даже в глубь земли проникло и оттуда исходит обратно и действует. Недаром тут хамсины так тяжело протекают, поскольку атмосферная энергия накладывается на молитвенную.

А сейчас как раз и хамсин на дворе, и Йом-Кипур вот-вот. Я думаю, именно этим и объясняется мое повышенное состояние нервов все последние дни.

Еще раз повторю, что ни в какие эти предрассудки я не верю, но все же неприятно, что именно в такое время я этого Йехезкеля вроде как обманул заодно со стариканом. Сказал, мол, камень ушел по назначению, то есть что вернул. С другой стороны, он меня обманул куда хуже, никакой курицы не хватит. И вообще, камни мои к нему никакого отношения не имеют, и не его это забота, как я со своей совестью буду разделываться. Тем более я же и без его подсказки собираюсь вернуть. Так что нечего.

32

Увел, значит, этот Йехезкель деда в салон, и слышу, бубнят там, дед повизгивает высоким голосом, а этот ему что-то тихо и убедительно отвечает. Дед постепенно снизил тон, а потом и вообще слышу только, как этот журчит.

А Татьяна все не идет. Хотел сам встать и пойти к ней на кухню, но передумал — опять с дедом сталкиваться. И терпеливо лежу и жду, даже глаза закрыл, хотя терпения никакого уже не осталось.

И вот с закрытыми глазами явственно вдруг вижу, что в моей коробке с лекарствами, на самом дне, валяется одна, нет, две или даже три беленьких. И даже как будто припоминаю, что у меня однажды, когда еще было много, несколько штук из упаковки вывалились, а я искать не стал, тогда вопрос не стоял так остро. Ей-богу, должны быть! Сел, вытащил из тумбочки коробку, руки дрожат, повынимал из нее все пачечки и пакетики, и — да, лежат на дне две белые таблетки. Белые-то белые, да вовсе не те. И размер не тот, и форма, сам не знаю, кто такие. Пошарил еще, но, конечно, ничего не нашел. И ведь знал же, что нету, а просто одно воображение.

Сложил все обратно, спрятал в тумбочку. Чуть не сорок минут уже прошло, а они там в салоне все бубнят, а Татьяна все на кухне возится. И чего ей там, сама же сказала, у тебя все есть. И вообще, спать пора, но мне ведь не заснуть. Не вытерпел и позвал:

— Таня! Поди сюда!

Пришла, и уже по лицу сразу вижу, что не принесла. Она вообще словами мало что говорит, а на лице все как есть отражается.

Собрал всю волю, не хочу скандалов при посторонних, и говорю более-менее нормальным тоном:

— Танечка. Ну как же так. Я ведь тебя серьезно просил. Это не шутки. Почему не хочешь мне помочь? А вместо этого привела сюда... этого своего...

Голову нагнула, на меня не смотрит и говорит:

— Хочу. Поэтому и привела. Он тебе поможет.

— Молитвами, что ли?

— И молитвы не повредят. Но не только. У него и другие способы есть. Он умеет.

— Альтернативой небось? Энергетикой? И не мечтай. Не допущу, чтоб всякие там надо мной руками водили и прочие глупости.

— Он не всякий там. Он Йехезкель.

— Ну и что? Что он, святой?

— Нет, совсем нет. Просто добрый человек.

— И прекрасно. Он добрый Йехезкель, а я недобрый Михаэль, и уводи его отсюда к такой матери. И настоятельно требую, достань мне лекарство.

Дверь у меня в спальню открыта, но, слышу, стучат. Поднимаю глаза — дедуля. Скромно стоит на пороге, просит позволения зайти. Что за черт?

— Ну, — говорю, — чего тебе еще?

— Я вам, — говорит, — не буду мешать. Я только хочу у тебя прощения попросить.

— Прощения?!

— Да, — говорит. — Золото у тебя брат, просто золото. А ты уж меня прости, и что я грозил тебе, не принимай к сердцу. Больше не буду тебе докучать. Теперь выздоравливай поскорее, и гмар хатима това вам всем.

— И ты... — говорю, — и тебе...

Растерялся я порядком. Хотел сказать, какой там брат, не брат он мне, но дед мне напоследок заявление сделал.

— Ты, — говорит, — хорошо поступил, что вернул, правильно, хоть это, разумеется, никакой не цирконий.

Повернулся и заковылял к двери.

Вот вам и Йехезкель. Прямо укротитель диких зверей! Такого деда в овечку превратил.

33

И как, спрашивается, я мог после этого ему хамить? Когда он мне такое одолжение сделал, отвел от меня опасность в лице деда?

И опять вошел в спальню и просит выслушать. Ладно, думаю, пусть читает свою мораль, пусть видит, что я тоже человек культурный и хамство позволяю себе только в крайних случаях.

Но он морали мне не читает, а заявляет с ходу:

— Михаэль, я хочу сказать вам про перкосет.

— Ну, — говорю.

— Это эффективное болеутоляющее с легким наркотическим действием. Большинство людей пользуются им некоторое время, скажем, после операции, а затем без всякого неудобства переходят на другие, более слабые средства. Но иногда, в редких случаях, это лекарство оказывает на человека более сильное наркотическое действие, ведущее к быстрому привыканию и зависимости. Судя по всему, именно это происходит в вашем случае. Вам грозит серьезная опасность. Очень скоро перкосет перестанет вас удовлетворять, и вы будете искать более сильных средств. И скорее всего, найдете их, у нас это несложно. Вам грозит опасность стать наркоманом.

Я чуть не рассмеялся от злости. И охота людям раздувать из мухи слона! Человеку нужно болеутоляющее, так им уже черт знает что чудится.

Я — наркоман?! Смешнее не бывает. Я ведь уже упоминал, кому нужны наркотики, разным шлимазлам и слабакам, у которых нет других радостей в жизни. Но я — и наркотики? Да ни за какие коврижки! Я себе не враг. А что у перкосета легкое наркотическое действие — так это же синтетика. К синтетике не привыкают. Даже настоящим наркоманам дают взамен синтетику. Да и не наркотическое оно, а просто приятное, в отличие от других лекарств. И почему считается, что чем лекарство противнее, тем лучше оно помогает? Мой опыт показывает ровно наоборот. А про марихуану так даже многие врачи говорят, что она помогает и неопасна. Йехезкель сказал, мол, эти вещи у нас найти нетрудно. Просто из теоретического интереса, сказал бы уж заодно где.

Пока я свое думаю и жду, чтоб скорей отвалил, он продолжает развивать, как он быстро и безболезненно снимет с меня эту зависимость, пока она в зародыше, и согласен ли я. Опять смеюсь про себя — конечно, быстро снимешь то, чего у меня и не было. А ведь он и сам наркоман, одурманенный опиумом для народа, но ему никто не предлагает *лечиться.*

Так или иначе, а благодарность надо соблюдать, и я говорю, ну, мол, делайте, только побыстрее, я спать хочу. Вот и хорошо, что хотите, говорит, организм расслаблен, без напряжения лучше и подействует. Заодно, говорит, и боли вам отчасти сниму. А я про себя думаю, все-то вам расслабленных подавай, попробуйте-ка с нерасслабленной чужой волей побороться.

Но ничего, я уж знаю, как расслабиться. Пусть только уйдет. Я человек мало пьющий, но в заначке всегда есть. Не понимаю, почему раньше в голову не пришло, нервы успокоить. Хоть засну нормально, а завтра буду думать. Может, попробую все-таки сходить в поликлинику.

И начал он действовать. Первым делом натыкал в меня иголок, да больно, черт! Хотя он каждый раз заботливо предупреждал и спрашивал. Вдобавок, как всадит иголку, так еще ею пошевелит, чтоб почувствовать как следует. Если б не видел, с кем имею дело, подумал бы, нарочно, чтоб помучить конкурента. Но я, разумеется, и не пикнул, к тому же мгновенно проходит, и такую ли я боль видал.

Насажавши иголок, он взялся за мои ноги. Я лежу распластанный, утыкан весь, как еж, даже в ушах торчит, а он там где-то внизу мнет мои ступни, то надавит, то ногтем проведет, то потрет, то погладит, а при этом покачивается, как они это любят, и шепчет что-то — то ли молитвы, то ли заклинания... И хотя мне больно иногда, но в то же время приятно, и даже глаза начали слипаться.

— Вы спите? — спрашивает.

— Нет, что вы, — бормочу.

— Это ничего, спите, если хочется. Только, пожалуйста, не употребляйте эти дни алкоголя. Он может замедлить выздоровление.

Ладно, думаю, ладно, ты только уйди, а там увидим.

Но ничего я не увидел и ухода его не дождался. Как лежал, так и ушел в сонное бесчувствие, причем не с тревогой и со страхом, как все предыдущие ночи, а с полным моим удовольствием.

Не слышал даже, как он иголки вынимал.

34

Завтра утром мои красавцы должны вернуться. Прямо к самому Йом-Кипуру. Интересно, как они там погуляли и, главное, не поженились ли ненароком.

Эй, Михаил, ты это кого называешь «мои красавцы»? С каких пор этот араб стал у тебя в «своих» ходить? Еще, чего доброго, привыкнешь и впрямь станешь считать его своим? Ну, нет, это уж извините, никогда не привыкну, да просто не успею, уверен, что все у них развалится. Даст Бог, может и вернутся уже охлажденные.

И еще интересно, открыли ли они счет в банке. И на чье имя. Он сказал, открою на ваше имя, но разве им можно доверять? Запросто может открыть на свое, и ничего я не смогу сделать. Правда, не производит такого впечатления. Да и Галка при нем, хотя ее обдурить ничего не стоит.

А впрочем, может, и лучше бы, если б открыл на свое. Ей-богу, лучше.

Во-первых, нехорошо, чтоб у меня в банке было столько денег, хоть и в иностранном. Кто их знает, как они там соблюдают банковскую тайну. А вдруг наш фининспектор какой-нибудь? Или, не дай Бог, полиция? Как я им тогда буду объяснять, откуда у меня?

И даже если не спросят откуда, пенсию инвалидскую могут отнять, скажут, ты состоятельный, тебе не положено. А я свою инвалидскую пенсию очень ценю, хоть и небольшая, зато постоянная, дает мне устойчивость и положение в обществе, не то что неизвестные какие-то миллионы.

И принципы? У меня ведь есть твердый принцип, что мне по исходной разнарядке не положено много денег. Но не это главное, потому что, скорей всего, никто и не узнает. А то, что денежки, у них такое свойство, что кто их заполучит, расставаться ему с ними очень не хочется. Взять хоть и меня, ведь сколько раз решал полностью отказаться, ну, и где это? Лежу и рассуждаю, обманет или не обманет, а должно бы быть все равно.

Парень вроде приличный, и, пока камни у меня, все в порядке. Но погляжу я, что он запоет, когда вернем их и придется делиться. Может так выйти, что и женитьбу всякую ему из башки вышибет, а просто схватит все со счета и умотает в свой Лондон, а там ищи-свищи. Но я и свистать не стану, а, наоборот, буду рад-радехонек, и Галке постараюсь внушить, что счастливо отделались.

Притом вынужден признать, что меня Йехезкель этот как-то смутил своими разговорами. Конечно, не его собачье дело, но факт, что камни ворованные и Йом-Кипур на носу. Чтобы этот ее считал меня вором, не доставлю я ему такого удовольствия. Тоже мне, высокоморальная личность, нотации мне читать.

Однако что правда, то правда, выручил он меня вчера здорово, с дедом-ювелиром. И даже более того.

А именно все эти мысли я думаю без всякого раздражения, проснувшись поутру.

Голова свежая, но вставать не тороплюсь, вообще никуда не тороплюсь. Тем более Татьяны в доме нет, и никого нет, и не известно, когда кто придет. Но тоски чрезмерной не испытываю, черт с ними, справлюсь как-нибудь и сам. В то же время понимаю, что с женщинами, с Ирис и с Кармелой, необходимо как-то помириться, потому что на более длительный период времени все-таки не справлюсь, да и просто нехорошо. Может быть, когда получим деньги, найму себе обыкновенную домрабу, попроще, чтоб безо всяких взаимоотношений, и ни от кого не буду зависеть. Пока Татьяна не вернется. А то даже и при ней. Чего? Пусть отдохнет немного, при деньгах можно.

И пусть мне этот ее не внушает, будто я такой-сякой и не по совести. Камни от воров — кто спас? И возвращать их кто собирается? Вот и именно. И имею полное право на вознаграждение.

Пощупал шов, он уже немного сглаживаться начал, не такой бугристый. Подвигал ногой, поделал упражнения в постели. И только когда заныло в бедре, вспомнил про перкосет.

Все утро прожил спокойно и даже не вспомнил!

А как вспомнил, тут же почувствовал, что необходимо принять. Но принять нечего. И что же? Отношусь к этому без паники, а говорю себе — сейчас позавтракаю,

261

позову Ицика, и сходим потихоньку в поликлинику. Там у меня с врачихой неплохие отношения, объясню ей как надо, и даст.

Начал вставать и на тумбочке у постели нашел два темных пузырька с пипетками, а рядом записочка на иврите. Однако разобрал: попеременно по три капли под язык каждые полчаса. Лекарства, значит, этот ее мне оставил. Взамен перкосета!

Сперва плюнул, еще чего, думаю, да каждые полчаса! Но потом переменил мнение. Не могу скрыть, этот Йехезкель, вместо раздражения и злости, действует на меня как-то успокоительно. Верить ему не могу после того, что он с моей жизнью сделал, но факт, что успокаивает. Поэтому ладно уж, капнул под язык.

И все это без всякой прежней паники — и зарядку, и опять капнул, и завтрак, и побрился, и подмышки сполоснул под краном, все-таки к врачу иду.

И перед уходом еще раз капнул, и взял с собой.

35

Я уже упоминал, что мы живем близко от рынка. Рынок, он же базар, или на иврите шук (а по-арабски сук, они у нас много слов переняли), занимает важную роль в нашей жизни. Во-первых, там все свежее и дешевле и положительно отражается на нашем бюджете. А во-вторых, просто люблю. Иногда, когда получше чувствую, даже хожу туда вместе с Татьяной. Я выбираю и плачу, а она несет за мной. Нас на рынке многие знают, и я со многими познакомился и даже приятельствую.

Наши в большинстве своем не любят шук. Грязно, мол, толкотня, крик — да, орать тут умеют, особенно к концу дня, когда сбавляют цену. Всего этого наши не любят и говорят — Восток. А они что думали, куда едут? В морозную Скандинавию, где все сплошь высокие блондины с голубыми глазами и чемпионы по лыжам и конькам? Ясное дело, Восток. Запад им, видите ли, подай. А мы откуда приехали, с Запада, что ли? Тот еще Запад.

И вообще, все это просто условные обозначения. В школе, помнится, учили про такого Меркатора, это он взял и распластал круглый земной шар на плоскую карту, а примерно в середину поставил Европу, потому что сам в ней жил и считал, что она главная. И налево от Европы, с нею включительно, шел запад, а направо восток. А если взять и распластать иначе, так, чтобы в середине Америка была, как ей теперь и положено, где тогда окажется ваша Европа? Не говоря уж про Россию. А настоящим западом станет тогда Япония, и Корея с Гонконгом, да и Китай отчасти. Одна только Африка как была, так Африкой и останется.

А я на базар ходить люблю, это для меня развлечение. Очень люблю, но сегодня, разумеется, и не собирался, а только в поликлинику, хотя они рядом.

Да. Не собирался, а пошел, но лучше бы не ходил.

36

Школа все еще бастует, и Ицик охотно пошел со мной, понес мой ходунок. По лестнице я кое-как сполз с палкой, а внизу мы поменялись, и я на ходу.

И как это ни одна из баб до сих пор не вывела меня погулять! Всего пару недель я на улице не был, а как чудесно! Не считая только балалайки, которая опять трендит.

Голова сильно закружилась, пошатывать меня начало, но постоял немного, и ничего.

Прошли мимо балалая, подошли близко, я между нами для безопасности Ицика пустил и, не останавливаясь, громко сказал:

— Я на тебя в суд подал, жди повестки.

Реакции с его стороны ждать не стал, но вперед могу сказать, что больше мы его там не слышали и не видели.

А в остальном — очень хорошо на улице! Полно молоденьких девочек с голыми пузиками. То есть с моральной точки зрения я эту моду осуждаю, потому что неприличие, и Галине всегда то же говорю, но как приятно иной раз посмотреть! Оно бы потрогать и еще лучше, но говорю же, рано я родился, в моем возрасте уже не дадут. А в мое время где на красивый женский живот удавалось поглядеть? И в постели-то не всегда, многие стеснялись, притом и живот не всегда сам выбираешь, а какой удастся. И обязательно на нем красные полосы вдавлены от резинки от трусов. А сейчас все наружу, причем выставлены самые отборные! Животики гладкие, беленькие либо темненькие, пупочки маленькие, кругленькие, и для красоты еще украшение внутрь вделано, шарик серебряный или колечко. И как только не боятся колечки вставлять? А ну, кто дернет — ведь вырвет полживота!

Вот бы в такой пупочек, да один из моих камушков...

Жаль только, что мода такая дурацкая вещь. Куда молоденькая тоненькая с гладким брюшком, туда же и толстомясая со своими телесами. Вывесит из-под куцей блузочки запасное колесо вокруг бедер и идет довольная. По телевизору это сегодня называется: женщины, любите свое тело. Она, значит, любит, а мне на это смотреть?

Но на этих можно и глаза закрыть, а в целом грех жаловаться, приятно. Теперь жду, когда жопки свои тугие начнут выставлять, непременно начнут, вот только не знаю, дождусь ли.

Беда в том, что из всей моей прогулки только это и было приятного.

Дура-врачиха рецепта на перкосет тоже не дала! Я, говорит, советую вам ограничиться вольтареном, который вы обычно принимаете. А если сильно разболится, возьмите... ну, ясное дело, акамол форте, вот вам рецепт. Да говна пирога, что вы мне все свой акамол суете? Перепроизводство его в стране, что ли?

И осталась мне последняя надежда.

Не хочется, но надо.

На рынке есть маленькая аптека, где я раньше часто отоваривался, а теперь никогда не заглядываю. И там работает аптекаршей одна моя прежняя приятельница, не та, что сейчас изредка позванивает, а до нее. Курчавая такая небольшого роста Инесса из Черновиц, правда, чуть старовата. Привязанность у нее возникла или замуж очень хотелось, не знаю, но настаивала, чтоб я ушел к ней. А я, в отличие от Татьяны, гулять гулял, но об развестись и в мыслях никогда не было. Ну, и расстались не совсем мирно, а я этого не люблю, предпочитаю всегда по-хорошему. Поэтому и не захожу, но, может, думаю, теперь ничего.

— Веди меня на рынок, — говорю парню.

37

Я на рынке со многими здороваюсь, но больше всего симпатизирую двоим.

Один Йихья, родом из Йемена, держит басту с сухофруктами, орехами и семечками. Серьезный такой, пожилой мужичок, аккуратный всегда, выбрит как на свадьбу, и вообще любит все красивое. Твоя жена, сказал раз, это украшение жизни мужчины. Настоящая царица Эстер. Какая, к черту, Эстер, смеюсь, когда она у меня даже не еврейка, а русская. Ну и что, говорит, русская не может быть царицей?

Водил меня к себе домой, там же, над рынком, все хотел меня научить произносить иврит по-ихнему. Всем бы ты, говорит, хорош был, но меня очень раздражает твой ашкеназит, ашкеназское произношение, значит.

Ничего из его обучения, ясное дело, не вышло, но квартира у него очень красивая. Полно красивых вещей, вазочек всяких, статуэток, вышивок, букетов с искусственными цветами, настольная лампа замечательная в форме трех голых женщин с факелами.

Я бы, конечно, таких вещей в доме держать не стал, но они с женой всю жизнь собирали, ему нравится — ну и на здоровье. Одна штука там даже мне по вкусу пришлась, такая банка с темно-красной тягучей жидкостью, а в ней медленно перетекают один в другой пузыри такой же жидкости, только разных цветов, и не смешиваются между собой, а только все время меняют форму. Можно долго стоять и смотреть! Он мне ее чуть не подарил, но я видел, что он сам очень это любит, и не взял. Наоборот, предложил ему коврик сплести в подарок, но он грустно так говорит: да нет, спасибо, с тех пор как жена Малка умерла, у меня всякий интерес к этому пропал.

Прохожу я мимо него, а он обеими руками мне машет, активно зазывает к себе и кричит: что это с тобой? Иди сюда! К тебе важный разговор! Но я торопился в аптеку и только махнул ему издали в ответ.

А второй мой приятель — Матитиягу. Один только я и зову его Матитиягу, так-то он просто Моти, но мне жалко портить такое шикарное имя.

У Матитиягу лавочка с дешевой одеждой, но когда он торгует — не известно. Потому что он большой читатель, и как к нему ни заглянешь, все сидит и читает, иногда книжку, а чаще газету. И когда я к нему захожу, сразу начинает обсуждать со мной про политику. И что удивительно, человек вполне восточный, из Ирака — базар вообще оккупирован восточными евреями, — а взгляды, по здешним понятиям, самые умеренные. Прямо левый, что здесь означает — он за арабов. Даже непонятно, как он держится тут на шуке, где все другие прямо наоборот. И всегда он выспрашивает меня про «русим», почему они то, да почему они так, и чего хотят, и зачем приехали, если они не сионисты и не верующие. И, тоже удивительно, без всякой враждебности спрашивает, а так, с юморком. Женщины русские, говорит, ему очень нравятся, но желательно, говорит, если уж русская, так чтоб русская русская, а не еврейка. Например, на Татьяну мою он определенно глаз положил, но я ему за зло не держу, пусть смотрит, не опасный.

А иногда про себя рассказывает, как они с родителями жили в Ираке, какой у них был особняк, и сколько слуг, и какой они держали шикарный модный магазин, и как их там все уважали и почитали, а здесь вот... — и показывает рукой на свою лавчонку. И чего, спрашивается тогда, им там не сиделось? Вижу, что все иммигранты в Израиле устроены одинаково, что старые, что новые, что восточные, что русские. Наш брат тоже, только успеет очухаться от тамошней жизни и тоже начинает петь: и квартира-то у него там была прекрасная, и сервизы чешские, и гарнитуры финские, и учился-то он в спецшколе, английской-французской-математической, и инженером-то он был, и начальником, и почет ему был ото всех и уважение... А здесь вот — и показывает подъезд, который моет. Про подъезд, положим, чистая правда.

И только мы с Танечкой жили в двухкомнатной коробочке в высотке на самой далекой окраине. Нормально жили, все необходимое было, но похвастать особо нечем. Правда, там в квартире прихожая была, а здесь нету, зато здесь пол плиточный очень красивый.

Но больше всего мой Матитиягу удивляется, что все русим такие правые, то есть категорически не хотят палестинского государства, а хотят Великий Израиль от моря и до моря (а какое там с другой стороны море, забыл), и многие даже настаивают, чтоб всех арабов просто от живота очередью. И Матитиягу все выспрашивает меня, почему мы такие.

Как-то раз надоело мне, и я ему объяснил.

Во-первых, говорю, мы в маленькой стране жить не привыкли, а привыкли петь «широка страна моя родная». И все мы империалисты, особенно которые постарше, потому что родились и выросли в империи, хоть ее уже и нет. А империалисты всегда хотят расширяться за счет угнетенных народностей, в данном случае арабских палестинцев.

Но это не единственная причина, потому что от империализма можно и отучиться, если мешает жить. Но нам не только не мешает, а наоборот, из этого и вытекает вторая причина.

И она вот какая. Когда империя начала разваливаться, многие запаниковали и поспешно переселились в Израиль, не успели даже подумать зачем. Я-то лично не паниковал, а только под действием Тани, но многие потом жалели, тем более со временем оказалось, что и в разваленной империи как-то жить можно.

Некоторые открыто жалеют, а другие не признаются даже себе, самолюбие не позволяет, и называют просто «ностальгия». А возвращаться, как правило, некуда, потому что квартиры свои они продали, причем дешево, тут на это и комнаты не купишь. И вообще все оказалось не так и не то. И тогда получается, что жизнь свою поковеркали зря, из знакомого говна переселились в незнакомое, к тому же полный Восток, не говоря уж об иврите.

Но советский человек так легко не сдается. Люди мы идейные, как бы там ни говорили, что, мол, совок теперь не прежний и что вообще время идей прошло. Никуда оно не прошло, и мы себе идею в утешение всегда найдем, только идея должна быть крупная и могучая, а не просто «быть как все нормальные народы» — тоже мне цель! Вот тут-то Великий Израиль как раз и годится, потому что другие все идеи действительно сдохли и больше уцепиться не за что. И когда про нашу алию говорят, что она колбасная, за колбаской сюда привалила, то это правда, но не вся. Мы колбаску кушать хотим и будем, но на заднем плане всегда светит великая идея, и тогда всему есть оправдание. Тогда и фалафель понравится, и хумус, и не жаль поковерканной жизни, и даже иврит кое-как можно изучить.

Я все это изложил Матитиягу и говорю:

— Теперь понятно?

— Понятно... — говорит. — Ты мне когда-нибудь еще раз объяснишь.

38

Но только сегодня Матитиягу и не думал даже ко мне с русской правизной приставать, а совсем с другим.

Между прочим, пока я гулял и на обнаженные части любовался (плечиков и спинок голых тоже полно), настоятельной потребности в перкосете не ощущал. Неужели эти капли таки действуют? Вспомнил и опять капнул. Но знаю, что перкосет понадобится, и иду в аптеку к Инессе. Увидит мой ходунок, не может быть, чтоб не смягчилась, тем более она, кажется, вышла замуж.

Пробиваемся мы с Ициком через толпу, народу полно. Канун Йом-Кипура, когда начинается пост, будет только через два дня, но люди начинают готовиться загодя, рыбу закупают для гефильте фиша, мясо, рис, приправы для национальных восточных кушаний, фрукты-овощи, вообще все, чтобы загрузиться как следует перед самым постом, а после поста и еще лучше. Закупаются, как к осаде готовятся, а и всего-то на пару дней, включая пост.

Хотя стараются ходунок мой не толкать, но страх меня берет жуткий, проклинаю себя, что с битым своим стеклянным скелетом полез в такое столпотворение. Чувствую, что необходимо передохнуть, а впереди как раз лавочка Матитиягу.

Оторвал я его от газетки, он обрадовался, поохал надо мной, как положено, порасспрашивал про ногу, но я вижу, что ему только воспитание не позволяет сразу заговорить про другое. Сперва налил мне кофе, Ицику в горсть насыпал какой-то картофельной гадости из пакетика и говорит:

— Ну, рассказывай.

— Да что рассказывать, — говорю, — чего я такого в больнице мог увидеть.

— А кроме больницы?

— Кроме больницы? Остальное ты все, — говорю, — в газете прочел. Теумим вот, близнецы американские...

— Да ладно тебе, теумим, — говорит, — ты про главное расскажи.

— Про главное? — Неужели он про Татьяну узнал? Нет, не может быть, откуда. — Какое еще главное?

Обиделся.

— Скрытные вы все, — говорит, — никогда ничего не расскажете.

— Да о чем ты? У меня вот сейчас главное — до аптеки дотащиться и лекарство купить.

— Уж наверно, — говорит и губы поджимает. — Весь шук об этом толкует, а ты не знаешь.

— Ей-богу, — говорю, — не знаю, о чем весь шук толкует. И какое это имеет ко мне отношение.

— А такое, что ты в этом доме живешь и все должен знать.

Я чуть с табуретки не свалился.

Неужели про камни? И все уже толкуют?!

Так и есть.

До шука, оказывается, дошло много разных слухов, но только вот именно слухов. Не то полиция клад у меня во дворе ищет, не то уже нашла, или нашла не полиция, а хозяин ресторана с официантом, или не нашли, а спрятали, или спрятал один, а другой нашел и украл, схватились между собой из-за этого и кокнули друг друга, и где теперь клад — не известно. Точно знают одно, а именно что кокнули, потому что про это даже в новостях по телевизору было, про взаимное убийство, но про причину было сказано — пока неясна, криминогенные, мол, разборки, и ведется расследование. А я и телевизора-то эти дни почти не смотрел.

Ицик стоит, уши развесил, даже картошку свою грызть перестал.

Вот такие пироги. Называется — никто никогда ничего не узнает!

39

Я там в лавочке у Матитиягу слегка того, свалился-таки с табуретки. От слабости, все же первый раз вышел, и от жары, но больше всего, наверное, от шока. Весь базар про мои камни болтает!

Не то чтобы стал совсем без сознания, но весь как ватный.

Ицик сбегал за Йихьей, они вместе с Матитиягу притащили меня домой. Про аптеку я начисто забыл, вспомнил только дома, и хрен с ней, думаю, а вместо этого покапал под язык из темной бутылочки.

И как только я чуть-чуть очухался и проводил приятелей, то сразу решил, что больше со всей этой историей с камнями дела иметь не хочу. Категорически и окончательно. И даже парочку мою дожидаться не буду, пусть до Йом-Кипура все из дому уйдет. Там в интернете, в этом красном «призыве», есть адрес этой страхкомпании, сейчас найду его, выну камни, запакую в картонку и пошлю посылочкой по обычной почте. Дойдет — их счастье, а не дойдет — мое дело маленькое, и плевать. Никакого номера счета писать не буду, да и не знаю я его. И обратного адреса не дам, а их адрес — вырежу буковки из газеты и приклею. Чтоб никаких следов.

Прошу Ицика купить мне англоговорящую газетку, английский язык, мол, изучаю, и жду с нетерпением, чтоб ушел. А он все не уходит и не уходит, крутится по квартире, чайник включил, предлагает кофе сделать.

— Не надо мне кофе, Ицик, иди домой, я хочу спокойно полежать. — И демонстративно капаю в рот лекарство.

А он мне:

— Вот, — говорит, — разбогатеет кто-то, кто этот клад найдет!

— Ох, — говорю, — Ицик, наслушался ты сегодня. И зачем только ты слушаешь эти базарные бредни?

— Нет, — говорит, — совсем не сегодня и совсем не бредни. Сам знаешь, что не бредни. Я уж больше недели, как услышал, и в интернете на полицейский сайт сходил, и все теперь знаю.

Ах ты, паршивец маленький, ах ты, вошка интернетная!

— Что ты знаешь? Какой еще полицейский сайт?

— А такой, что в нем все полицейские новости!

— Как раз, станет тебе полиция свои новости выкладывать.

— Ну-у... — говорит, — почему полиция... это не полиция... Но там все есть, и что убили друг друга, и про ресторан, и про наш двор...

— И из-за чего убили — есть?

— И из-за чего...

— Ну?

— Из-за бриллиантов краденых, вот из-за чего.

— Да что ты говоришь? Бриллиа-анты! Это надо же! И много?

— Очень много... Но где они теперь — про это ничего нет, не знают... и про тебя там тоже ничего нет...

— А я тут при чем?

— Да как же... Они ведь у тебя искали... и не нашли... Но про это, кроме меня, никто не знает.

Положим, полиция-то как раз знает, и крот их внутренний знает, только несколько иную версию. Ну и что? Приняли эту версию, меня не трогают, и ладно. Скорей, скорей развязаться!

— Ицик, — говорю, — и чего ты так волнуешься? Вор у вора украл, вор с вором расплевался, вор вора прикончил, туда им и дорога. Держись от всего этого подальше. Нам-то что?

— А нам, — он говорит, — то, что надо нам эти бриллианты поискать.

— Ах ты, Ицинька, — смеюсь ласково, а сам бы просто придавил его, — смешной ты ребенок. Воры не нашли, полиция не нашла, а мы с тобой найдем!

— Может, не найдем, а может, и найдем. Я думаю, они где-то здесь, в нашем доме или рядом.

— Ну, ищи, — смеюсь. — Найдешь — расскажешь.

Он вздыхает:

— Буду искать.

— Ищи, милый, а пока беги за газеткой. .

— А ты, значит, не хочешь?

— Чего не хочу?

— Искать эти бриллианты? Тебе деньги не нужны?

Тут уж я искренне рассмеялся:

— Деньги? Ты что, продавать их собрался? Ой, не могу, Ицик. Или в полицию отнесешь? А она тебе за это заплатит? Полиция тебе знак отличия даст, за честный гражданский поступок. Ступай, ступай, ищи!

Вот ведь шантажист несовершеннолетний. Чует, чует, что близко, но настоящих данных у него нет. Что он может сделать?

И все равно, скорей, скорей покончить.

— Нет, — он говорит, — полиция не заплатит, и не продавать, а немцы предлагают полмиллиона долларов награды.

40

Я уже упоминал как-то, что раньше слабо чувствовал себя евреем.

И что родственников со стороны матери у меня практически не было, то есть просто ни одного. Со стороны отца были, но я с ними мало общался — они мою мать терпеть не могли и винили, что отец спился. А со стороны матери никого. Дед с бабкой были когда-то, ясное дело, но я только и знал про них, что оба рано умерли.

А так — мне не особо и нужно было, на что они, родственники? Лишняя головная боль. Я и не спрашивал, от чего, например, дед с бабкой умерли и где другие, а мать у меня была не слишком разговорчивая, особенно на эти темы. Теперь-то я понимаю, что это она меня оберегала, по принципу: меньше знаешь дальше будешь.

Вот я и оказался далеко, то есть здесь. А здесь страна очень семейная, семейно все живут, и праздники все семейные, и вообще. И хотя я ностальгией не занимаюсь, но открылась вроде как нехватка, вот захотелось мне вдруг родственников, хоть каких-нибудь, кроме тех, которые из меня самого вышли, а, наоборот, таких, из которых я вышел. Это, говорят, приходит с годами, и здесь это называется «искать свои корни», но мне не корней каких-то там надо, а живых родственников. Пару лет назад дело было, и именно тоже на Йом-Кипур — как-то этот день на человека действует. Но хоти не хоти, а нету.

Тогда я решил хотя бы узнать, где они и кто были. Написал матери.

Давно я, она мне отвечает, давно я ждала, когда ты спросишь. Жаль, что так поздно и на расстоянии, но хорошо хоть, пока я жива.

И настрочила мне письмо на девяти страницах, а там!

Я вот позавидовал здешним, особенно восточным, как они на праздники собираются, и братья, и сестры, и племянники с племянницами, и дядья и тетки с детьми и внуками... А оказалось, что и я мог быть не беднее их, еще, может, и побогаче. Трудно сказать, так ли бы я этому радовался на практике. Если бы вдруг привалила куча житомирской родни. Вряд ли, но теперь уж не проверить, никогда не привалит, теперь уж даже и матери нет.

Что мать перед войной приехала учиться из Житомира, я смутно знал. Но что мне был этот Житомир, темная провинция, я человек столичный, какой мне был интерес в тамошней родне. А когда возник интерес, оказалось, что можно не беспокоиться, интересоваться уж полвека некем, ни в Житомире и нигде.

Всех мне их мать описала, по именам и фамилиям, и кто что делал, и сколько им было лет, и как выглядели, красивые, пишет, были, вся наша семья была красивая, на центральной улице в фотографии всегда чей-нибудь из наших портрет висел, ты в них пошел, и всех их немцы подмели в войну. Пришла фашистская зондеркоманда, согнали их всех, и привет из пулемета. Всех в яму. И дальних, и ближних, и деда с бабкой, и всех теток и дядьев, и их жен-мужей, и их детей, моих то есть двоюродных, и мало того. Оказалось, что и сестричка у меня была, Марусенька, и муж у матери до моего отца был. Он-то на фронте погиб, а вот сестричка Марусенька... Тут мать ничего не описывала, а коротко так упомянула, и все.

И со всем этим она столько лет жила! И молчала. Все время помнила, что жива потому только, что бросила их, учиться захотела, квалификацию повысить, и бросила — думала, на одно лето. А оказалось, навсегда. Как война началась, она рванула было домой в Житомир, но туда очень скоро подошел фронт, и ее завернули назад.

А если б не завернули, то и ее бы вместе с ними не стало. Может, и лучше бы так. Не мучилась бы все эти годы.

Но тогда и меня бы на свете не было...

То-то она такая малоразговорчивая была. Теперь понятно, отчего отец так сильно запил, почему ушел. Кто это может выдержать?

Вот тут-то я и почувствовал себя евреем.

Когда отец фамилию матери брал, он ей сказал: я себя считаю евреем по духу (много это радости ему принесло). А я себя именно по духу евреем не чувствовал.

А вот тут-то и почувствовал.

Тут я много чего почувствовал.

Например, про День Катастрофы.

Я, конечно, этот день всегда уважал и вместе со всеми отмечал, как положено, то есть стоял минуту молчания во время сирены, если на улице застанет. И считал, что это важный исторический день и надо помнить — как-никак шесть миллионов душ ни за что ни про что испарились. И в Музее Катастрофы побывал, нас еще от ульпана возили, хотя мне не очень понравилось.

Важный исторический день, но из года в год, из года в год. И по радио, и по телевизору, и в школах, и в армии, и во всех газетах. Все те же шесть миллионов. Война была полвека назад, скоро уж и людей, которые ее делали, никого не останется, сколько можно жить в трауре, правда, один только день в году. И Германия теперь положительно изменилась в лучшую сторону и первый друг евреев и кое-кому выплачивает за Катастрофу хорошие деньги, правда, таких уже мало.

И в мире даже есть люди, которые утверждают, что Катастрофы не было вообще, а просто выдумка евреев для собственных целей. Это, конечно, злостная клевета, и отрицать Катастрофу нельзя, поскольку имеется достаточно документов и фильмов. Но я про себя иногда думал, что они отрицают потому, что им просто надоело. Все время претензии со стороны евреев, как будто у людей своих забот нету. Я даже сказал это раз Татьяне, но она рассердилась и сказала, что я антисемит.

А в общем и в целом, конечно, очень жалко и трагично, и забывать ни в коем случае нельзя, но история есть история, и так и надо рассматривать, как исторический факт.

Это я так думал до материна письма и к себе никак не относил.

Да, к себе не относил и считал за исторический факт.

Но какой же исторический факт, если из-за проклятых немецко-фашистов меня могло вообще на свете не быть, а сестрички Марусеньки и в самом деле не стало?

41

Почему я эту тему сейчас затронул? Вроде она не имеет отношения?

Оказалось, имеет, самое прямое.

Сел я искать в интернете адрес страхкомпании. Смотрю тупо на экран, пока синяя полоска внизу заполняется, а в голове крутятся Ицикины слова: немцы предлагают полмиллиона... немцы предлагают пол... И споткнулся. Немцы?

Какие еще немцы? При чем тут немцы?!

Выскакивает этот красный «Последний Призыв», прокручиваю скорей в конец, смотрю на адрес — факт, немцы!

Бонн, какое-то там штрассе, и Дойчланд ихний убирались, и имена все вроде немецкие... Немецкая компания страховала голландские камни! Ферзихерунг якобы какой-то! Совсем они там в Европе с ума посходили, все национальные экономики свалили в одну кучу и друг друга, гады, подстраховывают.

Как же я сразу не заметил? И ведь немецкий учил когда-то в школе... Видел адрес, но прочесть не удосужился, вроде ни к чему. Все мозги мне ихние полмиллиона заблокировали...

Даже сердце забилось. Перкосетину бы проглотить, но по-прежнему нету. Покапал из пузырька — по правде сказать, уже запутался, какой сперва, какой потом, но все равно действует.

Так.

Значит, эту услугу я буду оказывать немцам.

Возвращать им бриллианты, чтобы, не дай Бог, эти фрицы не потерпели убытков. И даже награду не потребую. Чтобы совсем на халяву отделались.

Сами уберечь не сумели, прошляпили камушки, но есть на свете российский уроженец, еврей по матери, Марусенькин брат, израильский гражданин Михаэль Чериковер, он позаботится о немецких страховых интересах, он не допустит, чтобы гансы пострадали!

Он эти камушки с опасностью для жизни от воров вызволит и дрожать из-за них будет, терять и находить, нервы трепать каждый день, беречь как зеницу ока, прятать будет и перепрятывать, дочь за араба через них выдаст, на Кипр за свои кровные гроши пошлет, жену уходящую без внимания оставит — что угодно, только чтоб фашистам не было такого неудобства, что они потеряют немного от своих немереных денег.

Чтобы я — немцам?

Да ферзихерунг вам в рот.

Ферзихер!

Хер!

Не будет этого, и не будет ни за какие коврижки. Ничего никуда не пошлю.

42

Позвонил заказчик серого панно, ругается, что не готово.

Не делать — это прекрасный и благородный принцип моей жизни. Но если уж взялся, то надо выполнять. До того я губу раскатал на бриллиантовые деньги, что будто бы и зарабатывать уже не надо.

Это меня поганые немцы так заморочили со своим вознаграждением. Или это перкосет меня довел? Так или иначе, но пора приходить в себя и вернуться к существующей действительности.

Заказчик — молодой парень, который богатым людям, которые сами не разбираются, делает домашнюю обстановку, так называемый внутренний интерьер, чтоб было красиво и стильно. Для этого и панно, хотя мне и не нравится, но это его первый серьезный заказ, и я его подвожу. В самом деле, виноват, я ему даже про сломанную шейку бедра вовремя не сообщил. И теперь он грозится вообще не заплатить. Я обещал, что сразу после Йом-Кипура сдам, и тут же взялся за работу.

Работа неинтересная, и отвык я, и бедро тянет, да и старые боли все при мне, а главное, существующая действительность очень неутешительная, и украсить ее нечем, поскольку всякое возбуждение спало и перкосета нет.

И никто, кроме разве Ицика с газеткой, не заглянет. А мне и газетка эта уже ни к чему.

И впереди целых пустых полдня и вечер. Да и далее ничего особенного уже не ожидается. То есть все, как прежде, только без Татьяны.

То сижу, то стою, и так больно, и так. Смотрю в узор, что он мне дал, совсем неинтересный, но менять нельзя, плету, как указано, скучища. Глянул со скуки в окно, снаружи все как всегда, только дверь ресторана приоткрыта и объявления о сдаче на двери нет. Вот только этого мне и не хватало, а впрочем, не все ли равно.

Татьяна даже не позвонила.

Позвонил зато Йехезкель, спросил, как себя чувствую после вчерашних иголок. Сказал ему — ничего, получше. Он обрадовался и говорит: тогда повторим сегодня перед сном? Хотел сказать: нет, спасибо, не надо, а вместо этого слышу, что говорю: да, спасибо, это бы хорошо...

Положил трубку, и мне стало страшно. Не скучно и не грустно, а страшно.

Это я, значит, рад даже этому ее Йехезкелю?

Это что же, значит, теперь вот так всю жизнь? И не придет Татьяна, и не позвонит, разве что в чрезвычайном положении? И я буду сидеть один как сыч, плести свои дурацкие панно и радоваться любому посетителю? И даже без перкосета?

Но это же просто не я. Я же всегда любил сам с собой наедине находиться и никого не поджидал, никого мне было не надо?

Никого не надо было, Миша, пока было в наличии. Неужели Галина правильно сказала и я профуфукал жену?

Вот теперь и находись сам с собой, сколько угодно. Поджидать некого. Никто не помешает.

И справляйся сам, как хочешь.

Хотя Татьяна наверняка тетку какую-нибудь пришлет, вместо Ирис. Пока не надоест платить.

43

Кармела меня простила.

Не выдержал я дома один сидеть, натянул кое-как чистые боксеры, взобрался наверх. Искренне попросил прощения, про Татьяну ей немного объяснил, имеет право знать, почему я такой не в себе. Посидели, поговорили, как взрослые люди, поели вместе.

И все у нас было, хотя все-таки без настоящего интереса с моей стороны. Одно только радует, что до сих пор могу по заказу. Правда, был напряженный момент, я даже встревожился. Но обошлось, Кармела и не заметила, а, наоборот, сказала: Татьяна просто не понимает, что она теряет. Это, говорит, редко у нынешних мужчин, чтобы и сила, и терпение, и внимание к потребностям партнера. Не знает она, что у меня это вовсе не внимание к потребностям, а просто, если она достигает, то мне гораздо при-

278

ятнее на нее в этот момент смотреть. А она и сама вела себя довольно деликатно, приспосабливалась, учитывала мою шейку бедра.

Неплохая все-таки тетка, несмотря на голос. В прежнем моем семейном положении я бы охотно имел с ней дело на этой почве. Теперь же она явно на что-то рассчитывает, а я предпочел бы чисто по-соседски. Но все равно, хорошо, что мы помирились, на случай безвыходного положения, и опять же Йом-Кипур. Теперь бы еще с Ирис. Ладно, когда-нибудь при случае.

Я вдруг очень устал. И не от работы, и не от Кармелы, а вот просто вдруг устал. Так устал, как будто вынули из меня что-то, что всегда во мне было и вдруг пропало.

И иголки меня на этот раз не усыпили, и пяточный массаж не помог, хотя Йехезкель очень старался. Лежу теперь, а отдохнуть не могу. Вспомнил про перкосет, как он меня всегда приводил в хорошее состояние, но нет, не перкосет мне теперь нужен, а что-то другое.

44

Так я и знал.

Поженились. Ухитрились-таки!

Галка прямо из аэропорта позвонила, не терпелось сообщить радостную новость.

Я было по привычке пасть разинул обругать ее, вдруг опять усталость накатила, и не то чтобы мне все равно, а простая мысль — ну, чего тебе? Дело сделано, что дальше произойдет — не в твоей власти. Зачем портить девке радостный момент, кто знает, много ли их у нее таких будет. У нее голос такой счастливый!

И не обругал, а вместо этого говорю: приезжайте ко мне, я вас поздравлю как следует.

Они рады? Счастливы? Любят друг друга? Жить друг без друга не могут? И слава Тебе Господи! Молодые, здоровые, красивые и счастливые — что может быть лучше?

Глупости эти насчет нашего общего переезда выбью им из головы, и пусть едут вдвоем в Лондон, пусть радуются друг на друга, хоть что-нибудь да урвут от жизни, даже если это ненадолго. Пусть хоть кому-то будет хорошо. Денег им как-нибудь наскребу, заказов возьму побольше, вот отдохну только. Татьяна наверняка поможет, пусть даст им из того, что на меня копила, на операцию.

Когда они пришли, даже предложил им пожить пока у меня, им ведь жить негде. Предложил и тут же спохватился, это же столько хлопот, и потом, Азаму здесь наверняка нельзя. Хотел было как-нибудь осторожно переиграть, но Галка говорит:

— Спасибо, папа, я у них поночую, — кивает на Азама, — а сегодня особенно, надо помочь его маме к завтрашнему приему. И, папа, — говорит, — я тебя очень, очень прошу, чтоб и ты завтра пришел и познакомился.

— Как это, — говорю, — почему завтра? С ума сошла? Завтра канун Судного дня!

— Днем, папа, днем, в двенадцать!

Азам виновато улыбается и говорит:

— Простите, Михаэль, это не она. Нехорошо получилось, но отложить никак нельзя.

— Почему это нельзя? Все равно женатые уже, днем раньше, днем позже, не имеет значения, когда знакомиться.

Галка рвется объяснять:

— Папа, у него из Рамаллы...

Азам взял ее за руку, замолчала.

— Дело в том, — говорит, — что мы с Галиной и так все делаем не по правилам, не так, как велит обычай. Но хотя бы для этой встречи родителей жениха и невесты в доме должен быть мужчина постарше. И поскольку мы живем без отца, моя мама вызвала своего брата из Рамаллы. Он приехал как раз перед нашим отъездом на Кипр, мы ведь хотели все устраивать тогда... А теперь больше откладывать нельзя, он завтра должен уехать, у него кончается пропуск.

— А, — говорю, — пропуск...

Как будто это я виноват, что нам приходится защищаться от террористов, которые просачиваются из всех городов так называемой арабской автономии, и, в частности, из Рамаллы.

— Вы ведь знаете, — и он тоже, вроде как оправдывается, — если его застукают без пропуска... а перед Йом-Кипуром с этим особенно строго...

Вот такая наша повседневная действительность в условиях израильско-палестинского территориального конфликта.

— Поэтому, — говорит, — мы очень просим вас прийти к нам завтра в гости. Мать зовет к двенадцати, на обед, а в три дядя уезжает, и вы вполне успеете вернуться до наступления Йом-Кипура.

Такие счастливые, что про камни даже не вспомнили. А я напоминать, понятно, не стал.

45

Помню, когда я женился и Танины родители пришли знакомиться, мать тоже очень огорчалась, что в доме на этот случай нет мужчины. Но позвать ей было некого, и обошлось так.

Дядя из Рамаллы. Хм. Тоже еще не известно, что за дядя. Впрочем, пропуск ему дали, может, и ничего.

Но я все равно пошел бы, познакомился, и утром даже начал было собираться, но увидел, что просто нет никаких сил. Болит все, и слабость, короче, называется регрессия.

И вот звонит Галка, что они сейчас с Азамом едут за мной. Знаю, что огорчится, но что же делать. В каком виде я сейчас, мне даже людям показаться неприятно, решат, что настоящий инвалид.

Дружелюбно все ей объяснил, она поняла, что я не то что бы, а в самом деле не могу. Поэтому согласилась, что поедут Татьяна с Алексеем, а я уж потом, когда буду покрепче. И говорит мне:

— А оттуда я провожу маму прямо к тебе. Если ты не против.

Я так обрадовался, что даже испугался.

— Да она же не успеет вернуться к этому своему?

— Нет, — говорит, — она на Йом-Кипур с ним не будет. Как я ни радовался, а удержаться не смог:

— Ну конечно, — говорю, — на каждый день гойка ему годится, а как Йом-Кипур, так пошла вон.

— Нет, — говорит, — это она сама так решила. Пока, сказала, полный гиюр не приняла, не буду ему в этот день мешать. Он молиться будет, в синагогу пойдет, и поститься вместе с сыном.

— А она, — спрашиваю, — разве не будет?

— Не знаю, — говорит, — сам увидишь. Но ты не волнуйся, тебе мы еды много принесем, возьмем для тебя у арабов сухим пайком. Так согласен? А нет, Алексей ее к себе заберет.

— Нет, — говорю, — чего же. Пусть приходит.

46

Какой бонус мне на Йом-Кипур!

Кто-нибудь скажет — вот так баба, идет от любовника к брошенному мужу пересидеть Судный день. Просто использует его хату в случае необходимости.

А я так совсем иначе думаю и очень счастлив. Что именно в этот день она не куда-нибудь хочет идти, а именно ко мне. Чувствует подспудно, что ее дом здесь, вот и идет.

Целые сутки пробудет, даже больше, и никуда не побежит. И делать ничего нельзя, только молиться, элохимов кормить, а сама наверняка будет поститься. Ну и что, может, и я с ней заодно. Ей это будет приятно, а пищу палестинскую и послезавтра можно съесть, в холодильнике не испортится.

А за сутки много чего может произойти в наших отношениях!

Покапал очередной раз в рот из пузырька и радостно принялся за панно, даже боли сразу уменьшились, а сил прибавилось.

Единственно только, что курить в Йом-Кипур тоже нельзя. И даже, кажется, воду пить нельзя. Но это, пожалуй, уж слишком, для первого раза. И потом, больному разрешается.

То постою, то посижу, но работаю прилежно, даже узор не так уж плохо выглядит. Немножко нарушаю там и сям, исправляю дефекты заказчика, но он и не заметит.

Хамсин здоровенный, а мне хоть бы что. Так настроение поднялось, что почище всякого перкосета. И нетерпения никакого не чувствую, а только одно радостное ожидание. Лучше нет этого чувства, когда чего-то хорошего ждешь.

Позвонила Кармела, спрашивает, не хочу ли я вместе с ней есть сеуда мафсекет, то есть последнюю трапезу перед постом. Изложил ей ситуацию, в самых общих чертах. Огорчилась, понятно, но я с ней поговорил так ласково, душенькой ее назвал (на иврите, понятно, другое слово, не такое нежное, но она лучшего не знает), что не рассердилась.

Новости, что ли, последний раз послушать? А то ведь на сутки все замолчит, и радио, и телевизор, и там хоть очередные близнецы, ничего не узнаем. Включил — полная тишина. Значит, уже после двух. Ну и черт с ними, с новостями, без них лучше.

А за окном становится все тише, тише, нигде никакой музыки, людей мало, машина уже редко-редко какая проедет, и воздух постепенно сгущается. В ресторанном помещении дверь закрыта, но объявление как исчезло, так и нет.

Ну и пусть, пусть снова ресторан откроют, и пляшут, и поют хоть до утра, я согласен. И даже балалайка с флейтой пусть приходят и трендят. Пусть все опять станет, как было. Но только чтоб, подчеркиваю, все.

Воздух все густеет и густеет, обычно мне в эти часы как-то не по себе, страшновато становится. А сейчас совсем не страшно, а, наоборот, весело, я Танечку жду.

Общий шум города исчез, он всегда над тобой висит как одеяло, и его вообще не замечаешь, а тут вдруг слышишь, что нету. Точно как холодильник, который гудит, гудит, и вдруг щелк! — и затих. Только тогда и осознаешь, что гудел. Изредка в тишине слышу, одинокая машина проносится, спешит.

Вот и автобус проехал, скорее всего, последний.

Скоро вообще всякое движение полностью закроется, значит, они вот-вот прибудут. Галке обратно в Старый город придется уже пешком топать.

Опять стал плести и даже увлекся. Свободнее начал вносить исправления в узор, и панно постепенно приобретает человеческий вид.

Оторвался и глянул на часы. Скоро четыре. Люди садятся есть, но я уж дождусь Татьяны.

Дядюшка уже укатил в свою Рамаллу, где же они? Неужели пешком идут? Можно ведь еще пока взять такси. Пока сирена не прогудит, можно.

47

За окном уже полная тишина.

Людей вообще не видно. Они теперь после трапезы и после сирены появятся, когда верующие пойдут в синагогу.

Между прочим, там в этот вечер очень красиво поют, я раз был в синагоге на службе в Судный день, пришли в ульпан религиозные и пригласили. Правда, потом оказалось, что религиозные были какие-то не такие и синагога тоже не вполне, но мне очень понравилось.

Да, но теперь им уже совсем пора. Наверное, Татьяну там заговорили новые родственники, и она стесняется уйти. Но ведь Галка при ней, эта не станет разводить церемонии.

А что, если... если Татьяна вдруг передумала и ушла к сыну?

Звоню Алексею, он берет трубку и с ходу начинает мне со смехом:

— Эх, папаня, жаль, тебя там не было...

Но мне не до смеха, перебиваю его:

— Мать у тебя?

— Мать? Она же к тебе собиралась. Я раньше ушел, ее Галка с Азамом обещали отвезти.

— Когда это было?

— Да уж часа, наверно, полтора. Что, до сих пор нету?

— Нету.

— Ну, — смеется, — видно, она решила Йом-Кипур с арабами отмечать.

Вспомнил еще возможность. Могла пойти к Стене плача, это там рядом.

Подождал еще немного, работа уже не идет. Начало смеркаться.

Нашел листок, который мне Азам дал перед уходом, сказал: на всякий случай мои телефоны. Развернул. Сверху два телефонных номера, простой и мобильный.

А внизу — еще номер, обведен рамочкой, и печатными латинскими буквами: банк такой-то, улица такая-то, Никосия, Кипр, и моя фамилия, тоже по-латински. Да плевать мне на этот Кипр вместе с его банком!

В домашнем телефоне ответчик по-арабски, мобильный вообще не отвечает.

Ну, хорошо, положим, Татьяна с Галкой сходили к Стене и теперь идут пешком, но арабы-то чего не отвечают? Куда они делись? Тоже к Стене пошли, Судный день праздновать? Хотя там и мечеть ихняя, может, туда...

Звоню Кармеле. Не знаю, чем она может помочь, но с кем-то поговорить надо. А она мне:

— Хочешь знать мое мнение? По-моему, она просто пошла обратно к своему Йехезкелю.

— Вряд ли, — говорю и описываю ей, что Галина сказала.

— М-мм... — говорит. — Не хочет ему мешать... Ну, если так беспокоишься, позвони ему и проверь. Только скорей звони, а то отключит телефон. А еще лучше, брось эти глупости и приходи ко мне. Я уже поела, но для тебя найдется. И будем... поститься вместе.

Я уж и сам подумывал позвонить этому ее, но не хотелось как-то.

Все же взял и позвонил. Но у него только длинные гудки. Он уже отключился и не включится до самого конца Йом-Кипура. Там Татьяна или не там, а связи никакой нет, и остался я на бобах. А так радовался, дур-рак!

И тут завыла сирена.

Встать! Суд идет.

Религиозный квартал от меня близко, и сирена звучит во всю силу, мертвого подымет. А мне так скверно, что слышать я ее не хочу, даже уши зажал.

Но даже сквозь зажатые уши и сквозь сирену слышу, трезвонит телефон.

Уже не надеюсь, что это Таня, скорее, Галка решила сообщить, чтоб не беспокоился.

Сил у меня опять никаких не стало, едва трубку снял.

Официальный женский голос:

— Вам звонят из такой-то больницы. Господин Чериковер? Михаэль?

— Я...

— Одну минуту, с вами хотят поговорить.

А сирена все воет, воет, суд начался вовсю.

— Михаэль? — Нежный Ирискин голосок дрожит трубке. — Михаэль, ты только не беспокойся... все будет хорошо, они живы, ты только не беспокойся...

Сирена наконец-то замолчала.

Часть четвертая
ЧЕРТ РАСПУТАЛ

1

Человеку, едва только его на небесах запланируют, тут же и навешивают два приговора.

Первый приговор приводится в исполнение через девять месяцев, и отбывать срок, если только мать аборт не сделает, теоретически положено сто двадцать лет, а на практике исключительно редко, хотя по нынешним временам до ста иной раз дотягивают. Это жизненный приговор.

А второй, смертный, откладывается. Не отменяется никогда, абортов в данном контексте не бывает, но откладывается — вот именно на эти сто двадцать теоретических лет. То есть в этих пределах, а сколько конкретно выйдет — это как кому повезет. Причем ни за хорошее поведение не накинут сроку, ни за плохое не скостят.

Когда первый приговор отбудешь — неизбежно тогда и приводится в исполнение второй. Говорят, будто бы и это там наверху запланировано, то есть конкретный срок каждому, но я думаю вряд ли, установлен только общий максимум, а в каждом отдельном случае это скорее условия отбывания срока и генетический код.

Оба приговора ни обжалованию, ни отмене не подлежат (аборты, судя по всему, тоже скоро везде прикроют), конкретные сроки не известны, поэтому я всегда считал, что всякие там размышления на тему о смерти — пустое дело. Смерть, она ведь что такое? Совершенно незначительный отрезок времени, неизмеримо малая величина между тем моментом, когда ты еще ты, и тем, когда вместо тебя хороший кусок удобрения. И что об этом размышлять? Ничего интересного не вымыслишь.

Живи пока живется, и все тут. Как гласила присказка на прежней родине, мы пить будем и гулять будем, а смерть придет, помирать будем.

И сюда же относится так называемый страх смерти. К себе лично я пока эту тему не применяю, считаю, что рано. Вот умирание — это другое дело, особенно если длинное, тут будет о чем подумать и как с ним справиться. Но к смерти оно отношения не имеет, а исключительно все к той же жизни, его ведь тоже надо пережить. Его я, конечно, боюсь и пока стараюсь не думать. Когда подойдет время, буду, конечно, мучиться и не хотеть, и как поведу себя, не известно. Наверное, как подавляющее большинство, то есть не слишком красиво.

Что же касается смерти окружающих, то в детстве, например, я ужасно боялся, чтоб мать не умерла. Мне казалось, что если вдруг умрет, то это будет просто конец всему. Мать — это единственное, что всегда было при мне и всегда должно быть. Как это — жить, если ее вдруг не станет?

Она всегда очень тихо спала, и я даже по ночам вставал иногда, проверял, дышит ли. Она раз увидела и очень растроганно восприняла, думала, бедная, это я от большой любви к ней (так-то я ей особой любви не показывал, у нас это вообще было не в ходу). Прижимала меня и целовала, что тоже была редкость. Обещала, что не умрет, но я все равно боялся и проверял иногда. И что же? Подошло время, и уехал от нее спокойно, хотя знал, что старая и что, скорее всего, умрет в моем отсутствии. Вот уж два года, как ее нет, а я даже и вспоминаю редко. Нарочно стараюсь вспоминать пореже, берегу себя, и вполне успешно. Конца света не произошло.

Таково естественное развитие жизни, и что мы думаем любовь, это чаще всего зависимость и забота о собственном эгоизме.

Поэтому за детей, например, я уже так сильно не беспокоился, что умрут. В чем дело, уход за ними всегда был прекрасный, питание нормальное, болезней особых они не проявляли. Конечно, приходится принимать в расчет теракты и несчастные случаи, но от этого не убережешься.

А уж за Татьяну я в этом отношении вообще всегда был спокоен. Даже мысли такой не приходило. Возрастом она даже моложе меня, хотя и ненамного, здоровья там — мешками таскай, характер не нервный, работа неопасная. Был спокоен, что еще меня переживет, но это тоже когда еще, и относился по-философски.

А тут стало мне совсем не до философии.

2

Когда Ирис из больницы позвонила, то первая моя мысль была... никакой вообще мысли не было. Один только жуткий холод в животе и в груди.

А вторая — как же я туда доеду? Ведь нигде ничего, ни автобуса, ни такси не вызвать, ни попутки не поймать, ничего.

Может, Кармела? Может, не побоится?

Звоню — не отвечает. Почему, почему? Она же не отключается на Йом-Кипур! И выйти ей сегодня некуда. Позвонил еще раз — не отвечает. И вспомнил, что она обычно в этот вечер засветло ложится спать для провождения пустого и голодного судного времени. И спать она сильна, затыкает уши затычками, надевает маску на глаза, и ничто ее до утра не разбудит.

Значит, идти пешком?

А что еще придумаешь. И некогда думать.

И пойду. Ходунок по лестнице мне не снести, а без ходунка вряд ли далеко уйду, свалюсь где-нибудь — и хорошо, может, все же подберут и свезут на «скорой».

В груди и животе по-прежнему глыба льда. Ничего не чувствую, только сердце посреди этого льда колотится. И мозги тоже как замороженные, и мысль в них одна: все это из-за тебя, сволочи, из-за твоих проклятых камней. Из-за них Азам появился, а из-за него они туда пошли... Судный день.

И Азам... нет, об этом сейчас не хочу...

А ведь сколько ты раз отделаться собирался! И сам знал, что надо, и разумный человек Йехезкель тебе говорил, что не будет от этого добра. И Танечка... как она подарка твоего брать не хотела, как она тебе ясно сказала — выкинь... но нет, все выжидал чего-то, никак не мог расстаться со своей жадностью. Вон они у тебя до сих пор в стенке сидят, излучают свое зловредное влияние на всю твою жизнь. Ну, и дождался.

Лучше поздно, чем слишком поздно. Отпихнул этажерку, отодрал ногтями крышечку, вытащил и сунул в карман. Сейчас же выкину.

Только бы все обошлось, только бы обошлось!

Клянусь, что выкину! Только бы, только...

По лестнице спустился — ничего, уже легче, чем в прошлый раз. Но идти без ходунка, с одной только палкой, совсем проблема. Сгоряча прошел шагов, наверное, сто и чувствую — нет, даже меньше пройду, чем думал. Ну и ладно. Пока могу, буду идти, а там... Остановился передохнуть и тут только вспомнил, надо же Алексею сообщить. Спасибо, мобильник у меня всегда при себе. Дозвонился, сообщил. Надеялся, может, он что придумает.

Но где там! Я всегда знал, что сын у меня слабак, хоть и славный малый. Ох, папа, ох, папа, какой ужас... что же делать, что делать... как добираться... Да еще в самой дальней больнице...

И хорошо, что в самой дальней и самой главной, она лучше оборудована, и больше специалистов. Вон как меня там починили!

Хотя какие сегодня специалисты... небось никого нет, один дежурный врач на целое отделение... неужели в реанимации тоже... да нет, там наверняка есть полный персонал...

Мне надо туда! Скорей! Добиться, чтоб вызвали, кого надо, чтоб сделали все, что можно!

И я пошел, пошел дальше, заковылял чуть не бегом, но что толку, вот уже минут десять иду и едва прошел нашу улицу, а до больницы этих улиц еще... И если свалюсь, так и помочь будет некому, на улице практически ни души. Скоро уже из синагоги обратно пойдут... может, тогда... Хотя улица в этом месте и всегда нелюдная, сейчас и подавно. И синагог поблизости вроде нет...

Решил экономить силы, снизил темп и упорно иду.

Воздух густой-густой, небо душное, низкое, темножелтого цвета, ни облачка, ни звездочки, и видимость как в тумане, ближние высокие здания видны только до половины, а отдаленные вообще едва намечаются. Но это не туман, а мелкая желтая пыль, говорят, это из Египта несет к нам их плодородную почву, или, как говорится в шутке, земля в обмен на мир...

Про боли я сначала совсем забыл, но в процессе ходьбы сперва нога заявила о себе, а там и все прочие накинулись, как звери. Так и гнет меня к земле, а я даже ни единой таблетки с собой не взял. Даже воды не сообразил захватить, даже не напился перед уходом. А без воды в такую погоду и вовсе не много пройдешь.

Ладно тебе, думаю, Михаил, это тебе только кажется, что не пройдешь. Ириска правильно говорила, избалованный ты. Вспомни, говорю себе, что дети про армию рассказывали, как там солдатики на учениях по шестьдесят километров по дневной жаре бегают. С полной боевой выкладкой. Правда, воду с собой им велено брать, но они все равно незаметно высыхают, и некоторые не выдерживают. А ты чего несешь? Себя да мобильничек. Авось так быстро не высохнешь, иди, иди давай. Передышку небольшую сделай и ползи дальше.

А уже совсем темно стало. Вокруг фонарей мутные желтые шары света, а в промежутках темные провалы. Но ничего, иду.

Вдруг началось полное безобразие под ногами. Асфальт расковырян, новые тротуары из булыжничков маленьких мостят, выбоины, барьеры, кучки засохшего цемента на каждом шагу, видимость плохая, я начал спотыкаться. Жутко в спину отдает, и боюсь упасть.

Зря я этой дорогой пошел, можно было иначе, но кто же знал. И зря Ицика с собой не позвал — хотя вряд ли бы его родители отпустили.

Сошел на мостовую, там вроде поровнее. И сперва было ничего, гладко, а дальше все хуже и хуже. Везде все раскопано, трубы, что ли, новые прокладывают. Шел, шел, сейчас, думаю, это кончится, а вместо того забрел я в какой-то загон, слева большой темный механизм, справа загородка, а впереди яма, в последний момент заметил. Стоп. Придется выбираться назад, на тротуар. Столько зря прошел.

Повернулся спиной к свету и совсем ничего не вижу под ногами. Шагнул раз — канавка, другой бы перепрыгнул с легкостью, но не я. Хотел обойти — толстые железные прутья из земли торчат. Шагнул в другую сторону — гора асфальта, даже мягкий еще. Как в ловушку попал.

Сел на штабель чего-то, и хоть плачь.

Ладно, говорю себе, нечего. Плакать будешь в других обстоятельствах. Посиди немного, отдохни и выберешься.

Тут мой телефончик запищал. Алексей.

— Папа, папа, где ты, тебя нет дома!

— Факт, что нету.

— Где ты, папа?

— По пути в больницу. А ты где?

— Я тоже по пути. Иду пешком. А ты как?

— И я пешком.

— Ты с ума сошел! Тебе же нельзя!

— Я твоего позволения не спрашивал. В больницу звонил? У меня с собой номера нет.

— Папа, не ходи! Возвращайся обратно! Я минут через сорок там буду, все тебе сообщу! Не ходи!

— Ты в больницу звонил или нет?

— Звонил, сказали, они по-прежнему в реанимации, состояние стабильное.

— Хирургов вызвали? Оперировать будут?

— Я не спросил... сказали, состояние стабильное...

— Эх ты... а туда же, «папа, папа, не ходи»...

— Папа...

— Пока, там встретимся.

И я закрыл телефончик. На него только батарейку зря переводить.

По-прежнему в реанимации... Значит, еще не оперировали? Почему тянут? Скорей надо, скорей туда...

3

Встретимся мы там с Алексеем или нет, это еще большой вопрос.

Не надо было мне садиться. И сидел-то всего несколько минут, но нога затекла так, что держать не хочет. И рука, которая с палкой, набрякла и болит до самого плеча. Про шею и говорить нечего. Едва встал, а уж идти...

Куда ни ткнусь, везде либо канава, либо барьер, либо механизм. Как же я сюда забрался? Значит, должен быть проход, но где он?

И ведь не то чтобы я куда-то далеко ушел, в незнакомые дебри. Все та же улица, вон там где-то то место, где я с тротуара сошел, метров всего сто, не больше, но вот, как-то я незаметно сюда залез, а обратно — сплошные препятствия. И время уходит...

Слава Богу, по тротуару идут люди. Разглядеть их толком в хамсине не могу, но слышу голоса.

— Алё! — кричу.

Отвечают весело и с типичным русским произношением:

— Алё-алё!

— Помогите мне пожалуйста отсюда выбраться!

— Откуда? — Не видят меня, улица в этом месте широкая, в середине совсем темно.

— Здесь я, на мостовой.

Слышу, смеются и переговариваются между собой:

— Псих какой-то... Не, верно пьяный... Или удолбанный...

— Не пьяный я! И не у... У меня нога больная!

Хохочут, гады.

— Йом-Кипур сегодня, дядя! Какого же ты хера шляешься ночью с больной ногой?

— Да я...

— Ничего, как забрался, так и выберешься.

Плечо той руки, где палка, прямо отрывается. Попробовал взять в другую, шагнул, нарушил равновесие и чуть не упал. Лед в груди и в голове весь растаял, осталось одно головокружение.

Может, и лучше бы упасть. Не упасть, конечно, а осторожно так опуститься наземь, и все. Нога никак не отходит, подламывается, дрожит крупной дрожью. И четко дает мне понять, зря надрываешься. Ты знаешь, сколько еще идти? Ты и десятой части не прошел. И не дойдешь никогда. Туда на автобусе чуть не час ехать, а ты на палке своей с четырьмя лапками думал доскакать... Послушай лучше, чего хочет весь организм. Приляг. Прямо вот тут, вон между кучами ровное месточко, песочком присыпано, мягко. Никто сюда не придет, никто тебя не тронет...

А что, в самом деле.

Почему бы и не прилечь.

Я ведь больной. И слабый еще. Какой с меня спрос? Разве кто-нибудь требует, чтобы я шел в больницу? Кто-нибудь ожидает этого от меня? Да смешно даже подумать. И чего я туда поперся? Чего мне там нужно в этот судный вечер? Это ведь я инвалид, это за мной надо ухаживать, меня надо навещать в больнице... Хотя нет... Меня уже выписали, и я успешно выздоравливаю, в больнице мне делать совершенно нечего. Значит, и не надо никуда идти. Дома мне надо находиться, лежать в чистой постели и капать капельки под язык, а не крутиться ночью среди ям и труб...

И Татьяна будет сердиться, что я один ушел... нет, не сердиться, моя Танечка на меня никогда не сердится, а беспокоиться будет. Она вообще теперь боится, чтоб я по вечерам один выходил, да я и сам не стремлюсь... Предпочитаю дома сидеть, плести свои коврики и ее поджидать. Мне и дома хорошо, куда я пойду, да еще один, да ночью... Надо бы ей позвонить, чтоб не беспокоилась. Сейчас позвоню. Вот он, телефончик, в кармане под боком, почему он так давит на больное бедро? Шевелиться только неохота, а надо бы вытащить и позвонить...

4

Ну, не дурья ли голова?

Потому и давит, идиот, что ты на нем лежишь! Разлегся посреди улицы и мечтаешь, будто тебе и спешить некуда!

Надо вставать. Попробовал — жуткая боль в бедре. А уж спина... Эх, Ириску бы сюда, она бы меня с минимумом боли подняла! Но про Ириску можешь вообще забыть, а тут тем более. Хотя... вот позвонила же... Ну, чрезвычайное положение, вот и позвонила.

Не думать, не думать ни о чем, полностью сконцентрироваться на вставании. Повернулся на другой бок, снова попытался. Еще больнее, и никак.

Без паники. Рассмотрим создавшееся положение спокойно. Срочно нужно добраться до больницы, а ты упал и лежишь посреди раскопанной мостовой, и людей вокруг почти нет. Вполне можно пролежать до утра, ничего не случится, а утром кто-нибудь поможет. К тому времени, возможно, и в больницу незачем будет идти. И живи после этого.

Надо встать.

Не можешь? Не могу.

Больно? Трудно?

Очень больно и трудно.

И что? А сила воли человеку зачем дана? Затем и дана, чтобы преодолевать трудности и действовать через не могу. Напряги ее и вставай.

Опять слышу, где-то близко проходят люди. Но звать никого не буду, позориться только.

Вот рядом какая-то нетолстая труба торчит из земли, а из нее висят провода. Взялся за нее обеими руками, избегая проводов. Стал подтягиваться, постепенно подтянулся до сидячего положения. Переждал основную боль, подтянулся еще немного и встал на здоровое колено. Больная нога орет: больно, больно! — и отказывается сгибаться. Напряг усилие воли и согнул. Одновременно слежу, чтобы самому не кричать. Вместо этого произвожу гудение в груди, как тогда в приемном покое. Немного помогает.

Стою на коленях, держусь за трубу. Теперь вопрос, какую ногу выдвинуть вперед и встать. Если попробовать на больную, она меня не подымет. А если на здоровую, то, пока начну подыматься, вся тяжесть на колено больной, может не выдержать.

Сел на пятки, подтянулся немного на трубе и перешел в позицию на корточках. А как же палка? Руки заняты, палка останется на земле, мне потом не поднять?

А на то у нее четыре лапки. Отпустил одну руку, поднял ее и поставил стоймя — стоит как миленькая.

Набрал в грудь воздуху, запер дыхание и пустил в ход силу воли. Перебрал руками по трубе и подтянулся сколько мог. Приготовиться к боли, раз, два!

М-ма-ам-м!

И встал.

Постоял, переждал, пока боль слегка уляжется, взял палку и сделал шаг. И еще один.

Ну, больно, подумаешь, новость.

И еще шаг, и еще, а дальше уже полегче. И почти сразу нашел тропинку, по которой сюда забрел, и постепенно вышел на тротуар. На тротуаре плохо, но с мостовой не сравнить. И света больше.

Видишь, Михаил, человек всегда может больше, чем думает.

5

Иду, тороплюсь, дыхания тоже начинает не хватать. Сколько времени зря потерял!

А в больнице кто их знает, вызвали они кого надо или вообще не шевелятся. Судный день, Судный день.

Что же это Алексей не звонит? Неужели еще не дошел? Молодой, здоровый, и так медленно. А я вообще хорошо, если к утру дойду... На Алексея вообще надежда плоха. Самому надо, самому. Уж я бы добился, чтобы вызвали доктора Сегева.

А может, он и дежурит? Сразу бы легче на душе...

И почему я, идиот, не записал в мобильник номера больницы! Поискал — нет, нету.

Но зато Сегев есть!

— Доктор, вас беспокоит Чериковер Михаэль.

— Кто-кто?

Нет, не на дежурстве он. Голос хриплый, сердитый. Наверно, и он пораньше спать залег, врачи ведь всегда недоспанные ходят...

— Михаэль! Спондилайтис! Шейка бедра!

— А, герой... как дела...

— Я вас разбудил, простите...

— Не совестно тебе в такой вечер звонить? Не мог сутки подождать?

— Не мог, доктор! Вас, значит, в больницу не вызывали?

— И не вызовут, слава Богу. Сегодня не я на подхвате. Да ты чего так сипишь?

— Нет, это я просто дышу так.

— Плохо дышишь. Простудился, что ли?

— Не простудился, а иду в больницу.

— Как это — идешь?

— Вот так, ногами.

— Сдурел, спондилайтис? Всю мою работу хочешь испортить? Чего тебе там понадобилось в такое время? Что с тобой стряслось?

— Не со мной.

Кое-как объяснил ему.

— Так вы приедете, доктор? Там же сегодня никого нет!

Слышу, зевает. Длинный-длинный зевок, из самого нутра.

— Там есть врачи... — бормочет. — И мы не знаем характера травм... может, не по моей части...

— Доктор! — кричу. — Умоляю! Это их кто попало будет резать! Студенты какие-нибудь! А вы все умеете, я знаю!

— Ладно, — опять зевает. — Сейчас позвоню в реанимацию.

— И приедете?

— Увидим. Пока.

Только я закрыл телефончик, только начал отчаиваться, что не приедет, — звонок. Сегев обратно звонит:

— Эй! Да ты где находишься?

— Вот сейчас подхожу к центральной автостанции.

— Ничего себе! Как есть герой. Как же ты дошел?

— Потихоньку...

— Ты вот что. Стой где стоишь, никуда больше не ходи. Я тебя подберу.

6

— А-зам... А-а-зам...

Это Галина. Вчера она весь день почти проспала, скажет только: «Азам... Азам...» — ей сразу укол, успокоится и опять закрывает глаза.

И Таня по большей части спала. Доктор Сегев оперировал ее полночи, потом сказал мне — теперь молись. Ну, я и молился весь день, как мог, да просто говорил ей все время: Таня, живи, Таня, живи. Танечка, я здесь, не уходи, Таня. Так и пропостился возле нее весь Йом-Кипур, воду, правда, пил.

А теперь Йом-Кипур, слава Тебе Господи, позади, и доктор Сегев сказал, обе будут жить. Выздоравливать будут долго и трудно, но самая страшная опасность миновала.

Как хорошо, что я его вызвал. А он другого самого лучшего хирурга привлек, и оба всю ночь трудились, и им это будет записано там наверху, я уверен!

Изругал он меня последними словами, не мог, говорит, идиот, прямо из дому мне позвонить, не представляю себе, как ты сумел столько пройти, теперь тебя самого надо сюда класть. Подумать даже, говорит, страшно, что ты себе там этой ходьбой натворил, иди делай рентген. А мне его ругань слаще всякой музыки.

И я ничуть не жалею, что пошел. Если б не тащился бы я по городу со своей недозажившей шейкой бедра, он, может, и не поехал бы никуда, а спал бы дальше, поскольку не его очередь. И рентген я сделаю, но не сейчас.

Около Тани теперь полно народу, с утра пораньше Кармела прикатила, потом позвонил Йехезкель, почему Танин мобильник не отвечает, где она. Не мог не сказать ему, и он тут же примчался и очень робко просил позволить ему побыть. Мне не до него, сказал ему, пусть делает, что хочет, и теперь он сидит около нее и молится по-настоящему.

То и дело заходит Ирис, целует мою Танечку, а то просто стоит и смотрит на нее с тревожным лицом. Потом спохватится и начинает проверять приборы. Со мной поздоровалась и даже вопросы какие-то задала, но как с незнакомым человеком. Надо же, какая чувствительная оказалась.

А мы с Алексеем сидим между их двумя кроватями, и я то к одной, то к другой, а от Алексея толку мало, потому что каждый раз, когда Галка начинает: «А-зам! Аа-зам!» — он зажимает уши, кривит губы, как маленький, и убегает из палаты.

Утром приходили двое из полиции. Ни с Таней, ни с Галкой поговорить им не удалось и удастся не раньше вечера, а скорее завтра, если все пойдет нормально. Дежурный врач очень строго попросил их из палаты, и они послушно ушли, а с ними и я вышел на минутку и тогда только узнал в общих чертах, как это произошло.

7

Более подробно мне Танечка потом рассказала.

У арабов, говорит, было очень симпатично. Никаких разговоров про взаимный конфликт и теракты и в помине не было, зато началось с того, что мои трое делали все не так, как принято у арабов в таких случаях, и братья Азама очень деликатно им шепотом подсказывали. Галка этой деликатности, конечно, долго не выдержала и начала смеяться, мальчишки за ней, ее вообще подростки раннего возраста любят, и эти тоже сразу расположились.

Дядя из Рамаллы был не очень-то доволен, улыбался вежливо, но заметно было, что от всей этой ситуации совсем не в восторге. Еще бы ему быть в восторге, какие у нас основания считать его дураком, если мы с Татьяной сами с ума сходили.

Зато мать приняла их с распростертыми объятиями. И мать, Таня говорит, у них очень красивая, и даже с голубыми глазами, Азам был весь в нее, кроме глаз. Я Тане объяснил, что глаза — это от крестоносцев. И одета, говорит, совсем не по-арабски, а нормально, потому что преподает географию в школе. Ишь ты, учительница, надо же! А уж еда, Татьяна говорит, была такая, пальчики облизать, самая твоя любимая, с массой приправ. Только сладости, говорит, есть невозможно, сплошной сахар, жир и мука. Но мы ели, даже Алексей, хотя он сахара в рот не берет, но Галка цыкнула, и ел. И мы, говорит, тебе всего взяли, она нам еще больше хотела дать, но мы и так едва унесли. Но видишь, не донесли...

Поговорили немного про Лондон, дядя всецело за и даже сказал, что готов выделить кое-какие средства, а Галка сказала, не нужно, мы отлично справимся сами. Алексей говорит ей тихо — ты чего? А она ему — сиди, потом скажу. Алексей ведь про камни ничего не знает.

И про тебя, говорит Татьяна, они внимательно расспрашивали и сочувствовали, очень жалели, что ты не пришел. И я обещала, что в ближайшее же время, как только поправишься.

Потом Алексей ушел, чтоб успеть пока транспорт ходит, а мальчишки стали демонстрировать, как они знают английский язык, и снова было много смеху.

То есть общий настрой там был положительный и всецело за переселение.

А потом, говорит, дядя уехал в свою Рамаллу, и я тоже стала прощаться.

И пошла, и Галина с Азамом пошли меня провожать. Азам мне говорит: я так рад, что вы познакомились, и вы моей матери очень понравились, и даже дяде... Я ему говорю: и мне твоя мать очень понравилась, и братишки... они оба даже засмеялись от радости. Галка мне говорит: вот придем домой, какой я вам с отцом секрет преподнесу... И опять оба смеются. Все время они держались за руки и смеялись, ни от чего, просто им весело было, и я даже подумала, а может, и ничего...

А дальше она начала плакать, и рассказывать ей было трудно, но я и не требовал, потому что уже знал от полицейских, да и по телевизору было в новостях.

В канун Судного дня в Старом городе Иерусалима очередью из автомата был убит местный житель Азам такой-то. В происшествии пострадали также находившиеся поблизости две гражданки Израиля, мать и дочь. В критическом состоянии обе были доставлены в больницу. По сведениям полиции, причина убийства — подозрение в сотрудничестве с израильскими властями. Погибший часто и много находился в еврейской части города, тесно общался с израильтянами и высказывался за мирный процесс. На данный момент преступник или преступники не обнаружены, ни одна из известных палестинских террористических организаций до сих пор не взяла на себя ответственности за преступный акт. Ведется расследование.

8

Татьяна, едва немного пришла в себя, стала спрашивать про дочь.

Галка лежит рядом, но Танечка даже головы повернуть не может. У нее ранение в шею и в грудь. Кто стрелял, даже и целиться особо не стал, а просто прошелся по всем по ним тремя очередями, выше, ниже и еще ниже. Азаму, самому высокому, досталось от всех трех, в том числе прямо в лоб. Галина ростом чуть меньше и получила в грудь и в живот, а Татьяна еще поменьше, вот и вышло такое распределение.

А Галку колоть стали реже, но полностью проснуться не дают. Вот она шевельнулась и открыла запухшие глаза. Я к ней наклонился, но она меня не видит и шепчет что-то. Еще ниже наклонился и слышу опять:

— А-зам...

— Галочка, — говорю, — доченька...

— А-зам... Ааа-з-з-зам...

И как я ей скажу? Она же и так едва дышит. Смазал ей губы влажной ваткой на палочке, она закусила ватку зубами, и сквозь ватку слышу — з-з-з...

Алексей, конечно, тут же удалился в коридор.

Татьяна с соседней койки стонет:

— Галочка... детонька моя... как ты...

— Все будет нормально, — говорю, — лежи, Танюша, спокойно.

— Аа-зза...

Кармела тоже исчезла куда-то, я и не видел когда. Может, на работу ушла. А Йехезкель сидит у стенки и не вмешивается, тихо-тихо читает по книжке свои псалмы.

— Галочка...

— Здесь она, Танюша, здесь.

Таня шевельнула рукой на одеяле и пальцем мне показывает, чтобы я наклонился.

— Как она? — шепчет.

— Доктор Сегев сказал, операция прошла успешно, — шепчу ей. — И у тебя тоже.

— Куда ей... попало...

— В грудь, как у тебя. И в живот...

— И в живот... — Лицо у Тани сморщилось, хочет плакать, но не может, боль, и дыхания не хватает с простреленным легким. — А... Азам...

— Танечка, — шепчу, — тебе нельзя разговаривать.

— Где... он...

— Ш-шш, — говорю, — ни о чем не думай.

— Его... нету...

— Мм-м...

— Она... знает...

— Нет еще...

— Не говори... не... говори...

— Не скажу, Танечка, не скажу, — заверяю ее, а с соседней кровати опять:

— А... зам... Л-а...

Вернулась Кармела, привезла всякие женские принадлежности — ну, им еще нескоро понадобится. А также соки, минеральную воду, из еды кое-что. И главное — вот молодец баба! — мой ходунок. Я даже попросить не сообразил, сама догадалась. Очень кстати я с ней помирился!

Девочки мои вроде бы спят, обе дышат тяжело, с помощью приборов. Мы с Алексеем поели немного, и я даже сходил на лестницу покурить.

Пришел доктор Сегев, быстро посмотрел на графики, что у них в ногах висят, проверил капельницы, заглянул каждой в лицо, а так осматривать не стал. Я испугался, неужели дело так плохо, что даже и осматривать не стоит? Успокойся, говорит, все идет, как должно, а осматривать их нечего, я и так знаю, что с ними происходит. Конечно, пока что плохо, а ты чего ждал? Еще долго будет плохо. Теперь только время и время. Ты скажи лучше, что с тобой происходит, рентген почему не сделал? Сделаю, говорю, доктор, сделаю. А он мне:

— Болит сильно?

— Не знаю, доктор, — говорю.

— Ясно. Вот тебе рецепт на перкосет, пусть кто-нибудь потом сходит, а пока возьми парочку у сестры, я ей скажу. И делать тебе тут сейчас нечего. Вот эти двое, — кивает на сына и на Йехезкеля, — посидят, а ты марш домой. Отдохни, прими душ, поспи, а то сам свалишься, тебе это надо?

Я сказал: ладно. Но сперва решил, что никуда не пойду, поспать и здесь в кресле можно, а уж душ — это лишняя роскошь, тем более я сейчас и не управлюсь один.

А потом передумал и решил попросить Кармелу, чтобы отвезла меня все-таки домой. И правильно, она говорит, отдохни немного, а я съезжу на работу и потом тебя обратно привезу.

9

Дело в том, что денег теперь понадобится много.

И не для глупостей каких-нибудь вроде переселения в Лондон — это полностью сходит с повестки дня. Нет, надо будет лечить, кормить, ухаживать и выхаживать, и кто знает, до какой степени удастся вылечить и выходить, да вдруг осложнения, при таких-то травмах... а что, если инвалидами останутся? Мало нам одного инвалида в семье... Что, если работать не смогут? О Господи, только бы выжили, остальное не важно... только бы оправились... Танечка моя... Галка, девчонка неразумная, бедный мой ребенок...

И однако. Расходов тут не оберешься. Кто-то должен думать о практической стороне создавшейся ситуации, и кроме меня некому. Совсем это не в моем стиле, нести такую ответственность — ну, а все прочее происходящее в моем стиле?

Что-то, вероятно, даст государство, посочувствует — в конце концов, они же пострадали от теракта. Но ведь бюрократия посильнее будет всякого сочувствия, как начнут

303

выяснять все обстоятельства, как начнут тянуть, а в конце могут и ничего не дать. Или гроши какие-нибудь.

Йехезкель, возможно, захочет помочь. Или вообще заберет Татьяну к себе... нет, в этом направлении сейчас нельзя даже думать. Это меня размагничивает.

Короче, подавляющее большинство проблем падает на меня.

А я, как известно, принял во внимание только свои собственные чувства, что очень уж немцев терпеть не переношу и денег их за возврат камней не желаю как гордый еврей. А также поддался невежественному предрассудку, будто эти неживые блестящие побрякушки могут оказывать отрицательное влияние на мою жизнь. Оказать-то они оказали, но это не они, а через мои действия. Но кто же мог знать.

На самом же деле вижу теперь, что начхать мне на немцев, а надо было содрать с них все, что только можно, и как можно быстрее. А теперь времени осталось сколько? Что там в объявлении было сказано, когда этот ихний «период грации выдыхает»? Меньше двух недель.

И все равно вполне можно было бы успеть.

Дело не в этом.

А в том, что я ведь клятву свою исполнил.

Лежал я тогда ночью на мостовой, встать никак не мог, и все думал, как же это я дошел до жизни такой.

Я, Михаэль Чериковер, человек с собственным достоинством, инвалид к тому же, валяюсь, как придавленный таракан, посреди темной раскопанной улицы в канун Судного дня и едва лапками шевелю, а жена моя и дочь, может быть, кончаются там в больнице.

Как это могло случиться, причем со мной, с кем такие ситуации вообще никак происходить не должны, в полном противоречии со всеми моими установками и предшествующим жизненным опытом.

И вспомнил, что вся причина у меня в кармане. Вспомнил, что поклялся выкинуть, лишь бы они жили.

И тут же я тогда клятву свою исполнил. Вытащил пакетик, положил его рядом собой прямо на камень в раскопанной земле и слегка песочком присыпал. После Йом-Кипура начнут опять работать и, скорее всего, заасфальтируют проклятые стекляшки намертво, а если когда опять разворотят, подумают — и впрямь клад нашли. И флаг им в руки. В любом случае — все, с рук долой из сердца вон.

И тут же забыл про них, потому что главное было встать на ноги и идти.

Но теперь немного пришел в себя и вижу, что камни ни в чем не виноваты, а женщины будут жить, и деньги очень нужны.

10

Кармела начала было спорить, когда я велел ехать по этому именно маршруту, а не по другому. Тут, говорит, все раскопано и сплошные пробки, а там гораздо быстрее. Но я настоял, и она даже ругаться не стала, не та ситуация.

В целом нужный участок мостовой я опознал легко, тем более ехали мы черепашьим шагом, там для движения остался только узкий проезд, и мы больше в пробках стояли, чем ехали. Кармела скрипела зубами, но молчала.

Но конкретно тот загон, где я лежал, выделить труднее. Людей там не видно, но по всему участку ездит мощный каток, верно, тот самый, возле которого я лежал. Важнейший опознавательный ориентир сошел с места. И где та яма, где тот штабель, те трубы и тот барьер — поди угадай. Много их там. И днем все выглядит иначе.

Самое правильное будет вылезть из машины, перебраться на другую сторону, найти то место, где я с тротуара сошел, его-то я помню, и оттуда искать. Говорю Кармеле:

— Останови на минутку.

Она мрачно ухмыляется:

— Да мы и так стоим. Чего тебе?

И в самом деле.

Ничего не отвечаю, хватаю свою палку и открываю дверцу. Она цап меня за шкирку:

— Куда, куда! Думаешь, доползешь скорее?

И трогается с места, я едва успел захлопнуть дверцу.

— Кармела, — говорю жестко, — как только опять остановимся, выпустишь меня из машины, а затем остановишься, где сможешь, и будешь меня ждать. Я скоро приду.

Она глянула на меня с каким-то даже страхом, отпустила мой ворот и говорит:

— Мишен-ка, не переживай так, все будет хорошо, я уверена.

И вдруг издали еще вижу горку асфальта! Ту самую! Вон и труба с проводами, моя спасительница, торчит рядом из земли. Загона там теперь никакого нет, загородку убрали, но место абсолютно то!

И как раз она начала опять тормозить.

— Я тебе все потом объясню! — говорю и выкарабкался из машины.

И тут же ей пришлось опять тронуться, поскольку сзади напирают и сигналят как сумасшедшие.

А я сделал два шага и стою у барьера, который отделяет проезжую часть от разрытой. С одной стороны от меня стадо автомобилей рычит, едва ползет, с другой большое разрытое пространство, по нему грохочет каток, а я торчу посередине, как пугало огородное.

На мое счастье, барьер состоит из секций, а секции красного пластика объемные, но легкие. Двинул одну прямо животом и протиснулся в просвет. И стал пробираться между препятствиями. Днем, конечно, гораздо легче, но все равно тут же облился потом, хотя хамсин разбился, то есть кончился.

Ножки совсем отказывают, перкосета я у сестры так и не взял. Надо же, так стремился к нему, так мучился, а теперь пожалуйста, сколько угодно, и даже не вспомнил.

Ох, боюсь, опять брякнусь. Вот сейчас будет уж совсем некстати, хотя знаю, что сразу найдется кто-нибудь, выскочит из машины и будет меня спасать — здешний народ это любит.

Уже совсем близко, по прямой всего шагов пять, но передо мной на земле очередная толстенная труба, пока обойду.

Тем временем вижу, с катка водитель машет мне яростно из своего окошка, убирайся, мол. Не обращаю внимания и двигаюсь.

А каток двигается прямо на меня.

Ничего, авось остановится, не будет же он трубу давить.

Не останавливается! Орет мне что-то, ясно, что ругается.

Я остановился, но назад не пошел. И он остановился, у самой трубы. Соскочил вниз и гонит меня руками и криком, я даже разобрать не могу что. Надвинулся на меня, но не прикасается, боится тронуть инвалида. Поднимаю руку и тихо-тихо говорю:

— Прости, пожалуйста, мне необходимо найти... Я здесь потерял...

— Чего?! — Каток свой он не выключил, и тот грохочет и дрожит весь, рвется продолжать трудовую вахту.

Я приклонился совсем близко и говорю:

— Я здесь потерял... Пусти меня вон туда...

— Мозги свои ты потерял! — орет и слегка начинает меня поталкивать. Дело плохо.

Но я недооценил Кармелу. Откуда ни возьмись, налетела как орлица, отпихнула его от меня и орет — куда ему:

— Не смей его трогать! Отвали!

Он сразу успокоился и спрашивает мирно:

— Это твой? Он что, из Эзрат-Нашим сбежал? — из здешней психушки то есть.

— Не твое дело! Пойдем отсюда, Мишен-ка. — И берет меня за руку.

— Погоди, — говорю, — Кармела. Мне здесь надо найти...

— Что тебе надо? Я машину посреди дороги бросила!

— Я здесь потерял... позавчера ночью... — Что бы такое существенное? А, вот: — Я здесь свое удостоверение личности выронил.

— Позавчера ночью? В Эрев Йом-Кипур? Здесь?

Парень начал смеяться, и даже Кармела улыбнулась. Пришлось сказать им, как шел и зачем, в самых общих чертах, конечно. Упал, мол, стал телефончик из кармана вынимать и, верно, заодно выронил. Парень проникся моей ситуацией, выключил мотор и говорит, ладно, пойдем поищем. Но мне их помощь совсем некстати. Говорю им:

— Тут пространство большое, я точно не помню, давайте, ты, Кармела, иди вправо, а ты влево, а я тут посерединке поищу.

Кармела еще вякнула типа того, что, мол, брось, новый документ сделаем, но я подтолкнул ее вправо, а парень уже пошел, ну, и она тоже. Отошли они, бродят, под ноги смотрят, а я трубу обошел и прямым ходом к своей кучке асфальта.

11

Иду по ровному, каток здесь хорошо прошелся.

И вижу, что и ложбинку эту, где я лежал, он тоже прокатал и ее больше нету, все гладко. Однако труба с проводами торчит. Где-то здесь был тот камень, на который я пакетик свой положил, но и камня этого не видно. Топчусь на месте, ковыряю палкой песок, везде гладко, но мягко.

Наконец натыкаюсь палкой на твердое. Каток этот камень просто в землю вдавил и песком завалил. Ковыряюсь быстро, а то увидят, что стою и делаю что-то, и прибегут помогать.

Есть! Ура! Вижу краешек пластикового мешочка, синий с зеленой надписью, в который было завернуто.

Стал скрести, чтобы сверток наружу выковырнуть, резко задел его своей четырехлапой палкой, а он весь и раскрылся передо мной, как цветок.

Кармела кричит:

— Михаэль! Нашел? Что у тебя там?

— Да нет, — отвечаю, — так... показалось.

— Брось ты это, ей-богу! Не стоит оно того, пошли!

— Ищи, ищи! — кричу.

А оно и впрямь того не стоит.

Лежит в рваном сине-зеленом пластике кучка крупитчатого белого вещества, блестит на солнце, цветными искрами поигрывает. Вроде толченого сахара-рафинада, только еще белее и ярче... Красиво...

Ну и вот тебе.

Черт попутал — черт и распутал... Проехался катком многотонным, точно как камешки эти легкие проехались по твоей жизни... Были — и нету, один порошок... Успели, однако, и тебя, Мишенька, прокатать, была у тебя простая, удовлетворительная жизнь рядового инвалида, а что стало... Не камней жалко, а что не может черт теперешнюю твою ситуацию так же легко распутать, не может он вернуть все, как было, пусть даже и с рестораном...

Стоп.

Рассуждать и себя жалеть некогда, потому что порошок весь ярко-белый. Весь порошок белого цвета!

А должен быть с примесью красного! Красного должно быть порядочно, а нету. Где же оно?

Скорее разметал палкой сахарный песок — нету! Весь насквозь белый!

А как же Красный Адамант? Где из него порошок? Нигде нет!

Это может означать только одно: Красный мой Адамант выжил. Уцелел! И должен быть где-то тут. Завалился в какую-нибудь ямку и спасся!

Тыкаю палкой, щупаю, ищу везде — и не нахожу. Но ведь не может быть далеко, только тут же, рядом с бывшим свертком, да где же он? Руками надо бы пощупать, тогда и видно лучше, но нагнуться я не могу.

Нагнуться не могу, но могу упасть. Теперь будет кому поднять.

Правда, в теперешнем сознательном состоянии прямо взять и упасть тоже не смогу, это ночью тогда я свалился и даже не заметил, а теперь тело не позволит, знает, какая будет боль и какая опасность.

Но рядом твердо торчит кверху моя родимая труба с проводами. Как я с ее помощью тогда поднялся, так же теперь и опущусь.

Только не торопиться, хотя надо торопиться, сейчас они меня увидят и прибегут. Не касаться проводов, черт ведь их знает. Бросил палку, уцепился за трубу обеими руками, подержал тело на весу. Перехватил руками вниз по трубе, подогнул здоровую ногу, больную выпрямил и положил наземь плашмя — и сел. Ух, больно!

Больно, больно — только от тебя и слышно. Придумай что-нибудь поинтереснее.

Завалился на бок, носом прямо в сахар, и стал ощупывать вокруг подряд каждый сантиметр.

А Кармела уже увидела и бежит. Точное повторение, как тогда у нее в туалете! И даже кричит то же самое: ой, Мишен-ка, ты упал! Только теперь никакой сантехник не поможет.

Если сию секунду не найду, то все.

Кармела подбежала и хватает меня под мышки поднимать, параллельно костерит меня на чем свет стоит. А я издаю беспомощные стоны и скребу ногтями песок.

— Подожди минутку... сейчас... больно, не тяни...

Тут и парень с катка подошел, тоже стал помогать. И подняли. И держат под руки с обеих сторон. А я повис у них на руках, как кукла, никаких сил нет, только и хватает на то, чтобы кулак покрепче сжимать. Потому что выскреб-таки я его из песка, выскреб в последнее мгновение.

Удостоверения личности мы, ясное дело, не нашли.

12

— А... зам... А-а...
— Галочка!
— Папа... это ты? Ты здесь...
— Здесь я, здесь. Как ты себя чувствуешь?
— О-о... Где Азам?
— Нехорошо тебе? Ты чего-нибудь хочешь?
— Пить...
— Нет, пить нельзя. Вот. — Выдавил ей на губы несколько капель из ватки.
— Где Азам...
— Он не здесь.
— Где он...
— В другой палате.
— Что с ним... Ты его видел...
— Тихо, девочка, не разговаривай, тебе нельзя.
— Ты его видел...

— Нет еще...

— Почему... Сходи, папа... сходи... сейчас... Или Алексей... пусть сходит...

— Он в реанимации... нас не пустят.

— До сих пор в реа... почему...

— Не знаю, Галочка.

— А что... врачи.. спроси... ему операцию...

— У вас у обеих успешно прошло, и твоя, и мамина, все будет в порядке.

— Мама...

— Мама отдыхает, и ты отдыхай... теперь нужно тихонько лежать и выздоравливать.

— Не... хочу я...

И закрыла глаза.

И поди знай, чего именно она не хочет.

Третий день после операции пошел, она уже совсем проснулась, но лежит с закрытыми глазами. И каждый раз, как откроет — Азам. А мы до сих пор ей не сказали, Таня все просит: не говорите, не говорите, пусть немного окрепнет.

А я думаю, она знает. И с самого начала знала, как тут не догадаться. Но не верит, не хочет, все еще надеется.

Доктор Сегев говорит, надо сказать. А если сами не решаетесь, я пошлю психолога, он подготовит и скажет. Тогда, говорит, она сможет начать горевать по нем настоящим большим горем. А так не может себе позволить и еще больше мучается, от неизвестности, хотя и знает. Пока хоть тень надежды остается, не может она по-настоящему с ним расстаться, и не может начаться процесс заживления этой раны.

— И, — говорит, — все-таки очень хорошо и для нее большое утешение, что плод удалось сохранить. Очень ранний, недели две всего, но в полном порядке.

Плод! Вот он, секрет, который она нам хотела сообщить! Значит, успели все-таки, в последний момент. Радоваться? Или проклинать и девку, и все на свете? Раньше я бы сказал проклинать, а теперь думаю, какое счастье.

— Доктор, — говорю, — какое счастье! Это они буквально в последний момент успели. Да, но как же она про это ни разу даже не спросила? Только про Азама.

— Ну, — говорит — полость живота у неё была разворочена порядочно, и именно в районе матки. Тут уж она, видно, так боялась, так отчаивалась, что просто стерла это из сознания. Но стенку матки только слегка задело, а девочка у тебя очень крепкая. А может, даже и не знала?

— Знала, знала! — говорю. — Давайте, доктор, присылайте своего психолога.

13

Днем я при них находился неотлучно, только покурить, в туалет и один раз на рентген, а ночевать мне доктор Сегев не позволил. Просто велел сестрам гнать меня из больницы. Посмотрел на мой рентген и говорит:

— Если так и дальше пойдет, тебе, спондилайтис, придется опять на стол ложиться. Но только знай, я тобой больше заниматься не буду, пусть режет тебя, кто хочет. Очень уж ты безответственный оказался.

Так мне обидно было это слышать, что он мой характер так неправильно оценил. Я вот именно что всю жизнь никакой ответственности на себя не брал, потому что какая ответственность у инвалида. А теперь я еще больше инвалид, и вон какую ответственность на себе несу, и не отказываюсь. А он — безответственный... Я от него ожидал лучшего понимания.

С другой стороны, я к своему здоровью всегда относился внимательно, а теперь надо вдвойне. Поэтому не спорю, и на ночь Кармела отвозит меня домой. Собственно, им теперь ночное дежурство уже и не нужно.

Алексей быстро отпал и убежал к своей жене с младенчиком. Но Йехезкель до сих пор сидел при них каждую ночь, но сегодня скажу ему спасибо, больше не надо, и пусть больше не приходит. А то он ведет себя просто как настоящий родственник, так что со стороны неясно, кто здесь глава семьи. Халат Тане новый купил, когда она вставать начала, еду ей привозит — Галку до сих пор кормят и поят через трубочку, но сказали, что завтра начнут давать жидкости, и если благополучно пройдет, то и жидкую пищу. И как только наладится пищеварение и стул, то их обеих и выпишут, продолжать болеть в домашних условиях. И я не хочу, чтобы он в это время был тут.

Таню уже могли бы и выписать, но держат ради Галки, для моральной поддержки. И я просто дрожу, что будет, куда они обе пойдут, неужели к нему, но поговорить с Таней не решаюсь, слишком она слабая и грустная. Смотрит на меня часто и думает что-то все время, но не говорит о чем. Мы вообще мало все это время разговаривали, и все больше о дочери. Девочка замкнулась в себе, лежит и молчит, послушно делает, что врачи велят, отвечает на вопросы, а так все молчит. С одним только гинекологом разговаривает охотно. Плохо, что плакать не может. И что мы будем с ней делать? Или она отгорюет и со временем это постепенно пройдет само. Такого типа разговоры. Один раз только Танечка улыбнулась, говорит, будет у нас еще один внучонок.

— Арабчонок, — говорю.

— Арабчонок-еврейчонок-русачок.

— Да, — говорю, — а может быть, внучка.

Смотрит на меня недоверчиво:

— И ты ничего?

— Я? Я ничего, — говорю. — Пусть.

14

Вхожу в палату с твердым намерением сказать Йехезкелю спасибо и всего хорошего целиком и полностью.

Надо только сделать так, чтобы Таня не слышала. В палате просто поздороваюсь, а когда соберется уходить, выйду провожать и скажу.

Занавески вокруг обеих моих больных задернуты. Хороший знак, значит, за ночь ничего плохого не случилось. Сначала, когда обе были очень плохие, велено было держать всегда отдернутыми, чтобы сестры, проходя мимо, сразу видели. И состояние было такое, что им было все равно. А как стало немного получше, начали просить задернуть, особенно Галка, и разрешили. Теперь у них есть некоторый пратиют, что в больнице особенно ценно.

А за занавеской у Таниной кровати разговаривают.

Обычно я еще с порога говорю им всем здравствуйте, как тут мои дамы, а в этот раз, сам не знаю почему, вошел тихо. И остановился.

Голос у Йехезкеля негромкий, разобрал только конец:

— ...больше меня не хочешь?

А Танин чуть погромче, но такой больной, такой печальный, что у меня руки похолодели:

— Ангел мой небесный, Хези... я лучше тебя человека не знаю... И большего счастья представить себе не могу... Почему мы не встретились раньше, давно-давно...

— О-о, Таня...

И молчат. И я замер. Горько мне прямо до слез, что она так с ним говорит, однако разговор, кажется, в мою пользу!

— ...но только не могу я с двоими быть... никак это нельзя...

— Нельзя...

— Должна с одним...

— Вот и будь со мной...

— Он мне муж, Хези... всю жизнь прожили...

— Да...

— А у тебя есть жена... нехорошо это...

— Ты же знаешь, Таня, кто у меня есть. Она бы простила...

Я тогда еще не знал, что жена у него навек не человек, и подумал: ну и ну, еще и женатый, вот так верующий!

— Она бы простила, Бог не простит... ты видишь, как всё... это всё из-за нас...

— Нет! Нет! Не думай так!

Я тоже считаю, что так думать нельзя. Разговор определенно в мою пользу, но мне нужна моя Таня, а не такая, которая будет вечно оглядываться на Бога и замаливать свои грехи. Не говоря уж о том, что не из-за них всё это, я-то лучше всех понимаю из-за чего. И в нужный момент я ей это разъясню, сниму с нее вину.

Слышу, плачет. Или, может, это он, трудно разобрать. Осталось только мне зареветь...

А она дальше:

— И ты сильный, Хези... тебе не будет плохо...

314

— Таня... Таня...

— Ты и без меня не пропадешь, а он... ему...

— Мам... а мам...

Это Галка. Неужели и она все это слушает? А впрочем, пусть, может, это ее от своей беды отвлечет.

Тихонечко вышел из палаты, подождал минуту и вошел нормально, с громким приветствием. Разговор их все равно прервался, а я и так понял главное: Таня вернется ко мне!

Хотя странно, конечно, как она сказала: ты сильный, а он... Я думаю, это чтоб Йехезкелю было не так обидно.

15

Мы теперь в моей двухкомнатной квартирке живем впятером.

В спальне на нашей с Таней кровати лежат Таня и Галка. В салоне на тахте лежу я. А по вечерам Йехезкель раскладывает в салоне у другой стены раскладушку, и на ней спит его сын-аутист. А самому Йехезкелю Алексей дал спальный мешок, и он спит в кухне на полу.

Доктор Сегев был прав, и меня-таки подкосило. В день, когда их выписывали, я почувствовал не какую-нибудь, а настоящую боль в бедре. Мне даже показалось, что там хрустнуло что-то. Ничего там не хрустнуло, сказал мой врачишка, но хватит фокусов. Либо ты с сегодняшнего дня и на ближайшие две недели соблюдаешь полупостельный режим в сочетании с легкой гимнастикой и короткими прогулками по квартире, либо твой костный мозоль нарастет не так, как надо, и ходить как следует ты никогда сможешь.

Постельный режим! Когда на мне теперь две больные женщины, одна из них в трауре, да и вторая с душевной травмой, и все хозяйство!

Нам, правда, дали на месяц няньку, на два с половиной часа в день, кроме субботы, любимый мой Битуах Леуми подарил, но это же капля в море. А кто будет... а кто... и как...

Вот тут-то натура Йехезкеля и проявилась во всю свою ширь. Правильно Таня сказала, ангел небесный, и нет ему другого названия.

Домой нас отвезли в такси-микроавтобусе — Йехезкель заказал. Женщины полулежали на передних сиденьях, Алексей рядом с водителем, а мы с Йехезкелем сзади. И по дороге он мне говорит, причем так, как будто это он меня о чем-то просит, а не наоборот:

— Позволь мне побыть немного с вами у вас дома. Вам всем необходим постоянный уход и лечение.

Вот это да. Сразу решились бы все проблемы. И ухаживать бы стал, и иголками, я думаю, колоть, и капельки давать. Я ведь в это теперь отчасти даже верю.

Но просто не знаю, как и отвечать. Надо же помнить, кто он такой и чем для меня является. Гордо отказаться, проявить свое мужское достоинство, спасибо, мол, без тебя обойдемся? Наверное, здоровый именно бы так и поступил. Но девочки мои такие слабенькие, недолеченные совсем... И от меня толку сейчас мало... А человек искренне предлагает, я это слышу, и обижать его — хорошо ли?

Но... он — и Таня?

А он это понимает и говорит:

— Я говорил с Татьяной, она сказала — как ты скажешь.

Все равно, дико это как-то, чтобы он и за ней, и за мной ухаживал, да еще у нас дома...

— Ничего плохого не будет, — говорит. — Мы с Таней расстались навсегда.

— Ничего себе расстались, — говорю. — В одной квартире жить.

Молчит.

Я знаю, что он говорит чистую правду, и мне на самом-то деле очень хочется, чтобы он с нами побыл, но что же это за ситуация? Совсем не по-людски...

— Ты бы, — говорю, — хоть прощения у меня попросил, что ли.

— Прощения? — говорит и смотрит на меня. — За что?

— Здравствуйте, — говорю. — Ты жену у меня уводил, забыл?

— Нет, прощения я у тебя просить не буду. Это не я ее увел, а ты ее отпустил. А прощения нам обоим у Тани надо просить. Но она этого не захочет и не примет, а простить... может, и простит когда-нибудь.

Ну, это уж он, по-моему, слишком. В конце концов, не надо забывать, кто здесь оскорбленная сторона. Но я согласен простить и не вспоминать. Погуляла с ним, вернулась ко мне, он согласен, я согласен, все более-менее уладилось. Таня не против, чтобы он за нами поухаживал, короче, я принял его предложение.

16

Да, таким вот странным образом все проблемы вроде как разрешились.

И ко мне возвращается чувство, что я опять хозяин своей жизни, и можно подбить кое-какие итоги.

Итак:

1. Таня вернулась ко мне.

2. Женщины мои хотя и медленно, но выздоравливают.

3. Арабский вопрос в личном нашем семейном плане сошел с повестки дня.

4. Я приобрел друга, какого у меня никогда не было.

5. Мне предстоит снова стать дедушкой (тут, видимо, арабский вопрос снова встанет, поскольку бабка с той стороны, не говоря о четверке дядьев, но это еще нескоро, к тому времени решим как-нибудь).

6. Кармела, кажется, переключила свое внимание с меня на Йехезкеля.

7. Текущие дела (помириться с Ирис, связаться с заказчиком насчет панно, а там и докончить его, сделать коврик доктору Сегеву, повседневные хлопоты и т.п.).

8. О камнях в большей их части можно не беспокоиться.

9. Теперь остается только одно. Расстаться с Красненьким?

Постепенно опять образуется порядок и намечается план жизни.

17

Разумеется, когда все упорядочишь, оно выглядит гораздо лучше и проще справиться. Легче вроде бы разобраться, а разобраться необходимо. Но когда начнешь разбираться...

Например, интересная ситуация с Кармелой.

Она и в больнице много помогала, и сейчас продолжает, но с тех пор, как мы помирились перед Йом-Кипуром, больше ничего у нас с ней ни разу не было. Сколько она меня по вечерам домой возила и ни разу даже не намекнула, а я инициативы, понятно, не проявлял.

По-моему, она просто перекинулась на Хези.

Она еще раньше, когда увидела его в первый раз, сказала мне: у твоей Тани губа не дура, ну, прямо твой брат. Брат, брат, немного надоели они мне с этим братом. А потом говорит, как похожи, и какая разница. И что, спрашиваю смехом, кто лучше? Нет, говорит, не скажу лучше или хуже, но разница огромная.

Подход у нее к нему совсем другой, не хохочет и не шутит и напрямую не заигрывает, а негромко задает серьезные вопросы по жизни и просит советов. А он слушает ее охотно, он всех слушает охотно, советов не дает, так, размышляет о ее проблемах вслух и ее вызывает на то же. Но только если она что-нибудь имеет в виду, то, по-моему, зря старается. Вот уж кто ему никак не подходит!

Я на ее старания смотрю и только посмеиваюсь про себя. Хотя не могу сказать, чтобы мне это было особенно приятно. Не то чтобы чувство у меня или что, но все-таки... казалось, что у нее что-то есть, а она с такой легкостью... и я ее как бы имел в виду на всякий пожарный случай, а теперь вряд ли.

Но мне на самом деле ничуть и не нужно. Я теперь скажу Таниными словами: буду рад, если у них что-нибудь получится.

Потому что главное для меня, конечно, это итог номер первый. Таня ко мне вернулась.

Она ко мне вернулась и будет со мной, и я очень сильно радуюсь.

Вернулась ко мне, лежит на нашей кровати и выздоравливает, и со временем все теперь уладится и наша жизнь вернется на прежние свои гладкие рельсы.

И я радуюсь, я просто счастлив, но...

Нет, действительно счастлив. Хотя я всегда надеялся, а все-таки полной уверенности не было, и вот она опять со мной. Но...

Как-то не полностью она ко мне вернулась. Не совсем такая это Таня, не та. Ведет себя со мной вроде как обычно, а мне все кажется, что не совсем.

Какая-то она не совсем моя.

Может ли такое быть, что она и впрямь не моя стала, а его, Хези? Вернулась вроде ко мне, но частично осталась с ним?

Нет, это просто мое воображение. Ничто на это не указывает, просто подозрительность с моей стороны. У них все полностью кончено.

Я сначала за ними очень внимательно наблюдал, как они общаются. Заходил в спальню, когда он женщинам свои процедуры делал, так, вроде бы взять что-то надо или спросить. И убедился окончательно. Ни малейшего даже следа каких-то нежелательных чувств и отношений ни разу не заметил. Разговаривают мало, но нормально и только по делу. И даже смотреть друг на друга практически не смотрят. Нет, я уж теперь знаю Танины решения, она решает редко, но если решит, то исполняет полностью.

И все же что-то такое он с ней за это время сделал, не пойму что. Честно признаю, плохого от него ожидать трудно. Но мне никаких изменений не надо, ни плохих, ни хороших, а прежнюю мою Татьяну.

Или она всегда такая была, а я не замечал?

Или действительно еще мне не простила, как Хези говорит? Но чего не простила, за что? В чем я перед ней провинился? Придет время, я у нее это непременно выясню. И если увижу, что есть основания, попрошу прощения. И даже если нет, все равно, пожалуй, попрошу. Если ей это будет приятно.

А может, наоборот, она боится, что это я не простил?

Но ведь я сколько раз говорил ей, что словечком не упрекну, не вспомню даже! И не упрекну, буду держаться.

Скорее всего, это у нее из-за самочувствия. Мне ли не знать, какое огромное место играет физическое самочувствие в жизни человека и как оно все меняет. А у нее был такой сильнейший стресс всего организма, и самочувствие у нее все еще очень ненадежное.

Ну, и народу кругом много, это тоже не способствует. И Хези в том числе, и ей, наверно, перед ним неудобно. Но ничего, это ведь ненадолго. Вот останемся одни, и все будет иначе.

Все это говорит лишь об одном.

Что задача номер один в моем плане на дальнейшую жизнь — это восстановить отношения с Таней. И нисколько не сомневаюсь, что мне это удастся, потому что я многому за это время научился и учел прежние ошибки, больше не повторю.

Попросту и честно говоря, я убедился, что Таня — это большая любовь всей моей жизни, и я должен дать ей это понять. Приложу все усилия и добьюсь, потому что чувство настоящее и сильное. А настоящее чувство побеждает все.

18

Галину мою бедную жалко ужасно.

Хотя, как я уже упоминал, сама на себя навлекла. Но такие мучения, это уж слишком. И выздоравливать гораздо труднее при таком тяжелом душевном состоянии.

Правда, с тех пор, как дома, начала плакать. Ночью как-то слышу, из спальни какие-то звуки, и ночник зажгли. Йехезкель далеко и не слышит, а им, думаю, может, что-то надо. Пришлось встать.

Заглянул тихонько, а это Галка, лежит головой у матери на больной груди и плачет-разрывается. А Таня держит ее обеими руками и не пошевельнется, не поморщится даже, только зубы сжала. Хотел я зайти, подвинуть хотя бы Галкину голову, чтобы Тане не так больно, но она мне глазами и всем лицом показала: уходи, уходи. И я ушел, но знаю, что она с тех пор как минимум еще раз плакала, и это хорошо.

Разговаривает, правда, по-прежнему очень мало и только с матерью, но стала чаще вставать и ходить по квартире. И тут нашла себе еще товарища по разговору, Авнера, Йехезкелева сына-аутиста.

Сначала, когда мы домой вернулись, она вообще ничего не видела и никого не замечала. Лежала лицом к стене и молчала, вставала только в туалет. А аутист целый день сидит в салоне в кресле и тоже молчит, если отец к нему не подойдет, а отцу по большей части некогда. Взрослый и довольно толстый парень в кипе. Я с ним пробовал поговорить, хотел даже его ковриками развлечь, поучить, чтоб занимался, дал ему лоскут и показал, как завязывать. Завязывай, говорю — он посидел, долго думал, но завязал. Теперь бери второй, говорю — он взял. И завязывай — не шевелится, так и сидит с ним в руке. И все, ни в какую. Сидит, руку с лоскутом свесил и смотрит в пол. Я побился-побился и отступил, терпения не хватило.

А Галка вышла раз из туалета и вдруг обратила на него внимание — словно первый раз увидела. Подошла к нему и говорит:

— Ты кто?

Он, понятно, даже не смотрит на нее.

— Почему не отвечаешь? Как тебя зовут?

Сидит и молчит.

— Сидишь в моем доме и даже не здороваешься, важный какой!

И пошла.

И тут он ей вслед, словно дверь несмазанная открылась:

— Я Авнер.

Она к нему обратно:

— А я Галина.

Молчит.

— Ну, чего молчишь?

— Я... знаю.

— А знаешь, скажи здравствуй.

— Я... больной.

— Какой еще больной?

— Мне на все плевать.

— Большое дело. Мне тоже на все плевать. Но у меня причина есть, а ты чего?

— Я... аутист.

— Ну, аутист, и что дальше? Поговорить не можешь?

Он молчал-молчал, я думал, Галка плюнет и уйдет, но она стоит и дожидается. И дождалась.

— Могу, — скрипит.

Она села с ним рядом и стала говорить, но мне уже не слышно, а его скрипучий голос слышу, значит, отвечает иногда.

И с тех пор она каждый день с ним беседует, пока сил хватает сидеть. Иной раз уйдет, полежит, отдохнет, и обратно к нему, все что-то тихо ему рассказывает, и он вроде слушает. Нашла себе дружка! Но и слава Богу, хоть какое-то отвлечение.

А со мной на разговор не поддается, хотя я пробовал. Я думаю, потому, что помнит, как я ее за этот роман осуждал и не хотел — хотя ведь и мать точно так же. Но матери за зло не держит, а со мной сложнее. Оберегает свое горе, думает, я не понимаю, боится, что затрону грубо. Но это она зря. Просто она плохо меня знает.

Я, конечно, так по Азаму не страдаю, как Галочка моя глупая, а все-таки жалко.

Понятное дело, что он сам виноват, нечего было ему к евреям лезть, лунгистики никому не нужные изучать и заводить шашни с израильтянкой. Кто знает, может, даже и сотрудничал. А сидел бы тихо среди своей арабской публики, работал бы себе где-нибудь по уборке, женился бы на своей арабке — был бы жив и здоров.

И все-таки, как вспомню, поневоле становится жаль. Какой он был красивый и воспитанный, и в одежде отличный вкус, и какие у него руки были сильные и мягкие, когда он меня при травме раздевал-одевал. Такой прекрасный экземпляр пропал ни за что.

Не пришлось ему на мою Галочку порадоваться, не пришлось в Лондоне пожить и изучить до конца свой лунгистик. Может, из него бы вышел выдающийся ученый, у арабов ведь тоже бывают. Может, стал бы известный и состоятельный, и мы бы и впрямь переехали все в Лондон и жили бы там нормальной жизнью без национальных конфликтов, без терактов и без курса доллара на каждый день... В Лондоне ведь так живут, верно? Или это на другой планете? Ах, Лондон, Лондон, и где он только есть, этот Лондон...

19

И еще важный итог — моя дружба с Хези.

Скажут, человек себя не уважает, мало что принимает услуги от бывшего хахаля жены, еще и другом его называет. Но это скажут люди узкого кругозора, связанные по рукам и ногам мещанскими предрассудками. А я считаю себя выше этих предрассудков, и потом, они не знают Хези. Да и меня.

Поскольку он мне теперь твердо не конкурент, мы с ним часто беседуем. Он что-нибудь стряпает в кухне, а я к нему захожу, и беседуем. И в одной беседе я ему все подробно рассказал про камни. То есть не совсем все, а как они ко мне попали.

Таня ведь меня в свое время слушать не хотела и никаких подробностей толком не знает. И ему сказала лишь что вот, попали к Михаэлю случайно эти чужие камни, какой ужас и что теперь делать.

Он никогда ничего меня не спрашивал, с советами не лез, один раз только, когда было с Хоне-ювелиром, дал понять, что думает. И мне с тех пор уже хотелось ему все рассказать, чтобы понял, но не такие у нас были с ним отношения. А теперь рассказал и говорю:

— Ты, Хези, наверно, слушаешь и только удивляешься, как нормальный разумный человек мог ввязаться в такую историю. Я и сам удивляюсь.

А он мне:

— Нет, я не удивляюсь.

— Ну, — говорю, — во всяком случае, осуждаешь.

— И осуждать, — говорит, — никак не могу. Человек слаб. Кто знает, как бы я себя повел, если бы мне выпало вдруг такое искушение.

— Ты, Хези? Нет, ты бы не поддался, я уверен.

— Напрасно ты так уверен. Вот ты расскажи мне, например, что ты думал в этот момент, когда решил взять бриллианты?

Мне даже стало смешно:

— Думал? Решил? Да ничего я не думал и не решал, просто увидел и схватил. Полное затмение. Думать начал потом, когда уже поздно было.

— То есть сделал инстинктивно. Почему же ты считаешь, что у меня сработал бы какой-то иной механизм? Не было бы затмения?

— Потому, Хези, что у тебя совесть сильно развита.

— А у тебя нет?

— У меня? — Тут пришлось задуматься. Развита у меня совесть или нет? Вот уж не знаю. Я и ему-то это сказал автоматически, потому что так говорится.

Странное дело. Столько я различных тем в своей жизни обдумал, сколько выводов сделал, и, по-моему, правильных, а вот насчет совести как-то не пришлось. Сам не знаю почему. Как-то нужды не было.

И трудно сказать, что это такое, совесть. И это при том, что в России был великий классик Лев Толстой, и еще один писатель в наше время, еще не классик но тоже знаменитый, его даже за границу выгоняли, и он тоже, как Лев Толстой, все время пишет наставления про совесть и чтобы жить не по злу. Но что это такое, совесть, кажется, нигде толком не объяснили, а я предпочитаю, чтобы было отчетливо.

Так вроде я жил не против совести, вреда без причины никому не делал, разве что там и сям, но несерьезно, тем более при моей инвалидной жизни и случая не было сильный вред кому-нибудь нанести. И со злым умыслом вроде никого не обманывал, не считая, конечно, Тани в отношении дамского пола, но тут не совесть, это совсем по другой линии. Да мне, по-моему, и развивать эту совесть было не нужно — сколько требовалось, было в меня заложено, а слишком много, это, по-моему, только себе вредить. В целом я этот вопрос когда-нибудь еще обдумаю, а сейчас не до того, и отвечаю ему честно:

— Не знаю, Хези.

— Нет, — говорит, — Михаэль. Тут, по-моему, не совесть. Вот я тебе приведу пример. Ты в детстве воровал? Украл что-нибудь?

— Ты знаешь, — говорю, — как-то не пришлось. Папиросы у матери таскал иногда, а по-настоящему нет.

— А она тебя поймала? Стыдила?

— Нет. Она очень боялась, что я под ее влиянием закурю, и ничего не говорила, думала, пока она как бы не знает, я серьезно, то есть открыто, курить не решусь. А может, даже и не замечала, я по одной брал и редко.

— Вот и очень жаль. А мне повезло. Дело в том, что я в детстве часто подворовывал.

— Ты, Хези? Ни за что не поверю.

— Да почему же. Семья была бедная, а нас, детей, было много, покупали нам что-нибудь редко, а хотелось и того, и сего, я и навострился таскать. Даже с прилавка в игрушечном магазине. И главное, мне долго не везло — не попадался, таскал всегда безнаказанно.

— Это называется не везло?

— И вот однажды пришла к нам в гости моя тетка, недавняя вдова. И я, главное, ее даже очень любил, больше всех других теть и дядь, добрая была и тихая. Пришла, оставила в комнате свою сумку и пошла в кухню к матери. Сумка большая, в ней много всего, стал я в ней копаться. Денег там было очень мало, и я ничего не взял. И попалась мне на самом дне маленькая записная книжечка в костяной обложке, старая и затертая, даже страницы пожелтели, но совершенно пустая, ни одной пометки, только на первой странице стоит: «Моей единственной от Йоава». Я и думаю, забыла тетка, что у нее в сумке столько лет эта книжечка валяется без дела. Она и не заметит. А мне она очень понравилась, особенно костяная обложка. И взял. Взял, поиграл немного, написал там какой-то вздор, а потом сунул к себе под матрас и забыл.

Тут Хези замолчал, смотрит в пол.

— Ну, и что дальше? — говорю.

— А дальше вызывает меня к себе отец. Он с нами разговаривал редко, все сидел за книгами, и если вызывал, значит, что-то важное. И говорит мне: ты замечаешь, какая тетя Нехама последнее время грустная? Нет, папа, отвечаю ему, разве? Но она теперь всегда грустная. А почему, отец спрашивает, она всегда грустная? Потому что, говорю, ей жалко дядю Йоава, что он умер. Да, говорит отец, это так. Но сейчас особенно, потому что дядя Йоав подарил ей когда-то маленькую записную книжку, и она ее очень берегла и всегда носила с собой, и вдруг эта книжечка исчезла. Потерять ее она не могла, потому что никогда не вынимала, а только засовывала руку в сумку и трогала, и ей становилось немного легче. И вот с неделю назад она побывала у нас, вышла на улицу и хотела потрогать свою книжечку, а ее нет. И она ужасно огорчается.

Я сижу, уши горят, лицо горит, стыдно до смерти и страшно, что отец теперь со мной сделает. Но он только сказал: я думаю, ты эту книжечку непременно где-нибудь найдешь, знай, что это ее, и отдай.

— Ну, и ты отдал?

— Отдал... Как было не отдать, я знал, что отец меня в покое не оставит. Отца очень боялся, вот и отдал. Но столько намучился, пока решился, такого стыда натерпелся, когда она плакать стала и книжечку эту целовать, а потом меня... Нет, решил я тогда же, не стоит оно того, вечно бояться, что застукают, и тогда такой стыд. Так что я думаю, что не совесть у меня сильнее развита, а только страх и стыд. А у тебя, Михаэль, такого опыта не было, поэтому ты не побоялся и взял.

Ах ты, мой опытный, думаю.

— Получается, — говорю, — что никакой совести нет, а только страх и стыд?

— Это уже немало, — говорит.

— Типа, не важно, что я не верю в Бога, лишь бы молился? По тому же принципу?

— В Бога ты веришь, не верить — это не в природе человека, и если станешь когда-нибудь молиться, то и сам увидишь.

Насчет молиться, то есть элохимов подпитывать, это я не знаю, разве что ради Тани, но до чего же мне душевно на него смотреть, что он такой серьезный и так моими проблемами проникся.

— Вот скажи мне, Хези, если бы ты шел по пустой улице и нашел кошелек, а в нем десять тысяч и кругом никого, ты бы взял?

— Я бы взял.

— А дальше?

— Дальше? — Задумался, даже брови свел, и говорит осторожно: — Такая находка — всегда чье-то несчастье. Поэтому я хочу думать, что дальше я бы написал объявление и развесил в том районе, где нашел. И отдал бы тому, кто потерял.

— Хочешь думать или точно бы так сделал?

— Нет, только хочу думать. А точно знать не могу. И дай Бог, чтобы никакого кошелька мне никогда не находить.

— Вот, — говорю, — это у тебя совесть. Бояться-то тебе и стыдиться некого, никто не видел.

— Да как же некого? — говорит. — Всегда есть кого...

Это он опять про Бога. Но от него это ничуть не раздражает.

Ну, не ангел? Я уверен, что он и написал бы, и развесил, и вернул бы деньги, а говорит так для моего спокойствия, чтобы мне не показалось, что я хуже его.

И на другие темы мы тоже беседуем, и всегда мне от этого хорошо. Так откровенно, что когда-нибудь я его, возможно, даже про Таню спрошу.

Вот, думаю, я о докторе Сегеве мечтал, чтобы иметь с ним задушевную беседу, а вместо того у меня кто? Хези. Йехезкель, бывший хахаль моей жены. И это не только не хуже, а наоборот, потому что доктор Сегев мне все «герой, герой» — типа свысока. Все-таки он не лично ко мне относился, а сугубо специализированно.

Как всегда, не знаешь, где найдешь где потеряешь.

20

Когда я Хези все рассказывал, то дошел только до того места, где я камушки заплел в рамку-макраме и портрет взял с собой в больницу.

Все эти перипетии, как я потом их терял и находил и где прятал, это уже несущественно, а вот как я сказал Хоне-ювелиру, что камни ушли по назначению, это Хези и сам слышал.

И в разговоре нашем теперешнем про совесть он сказал мне: это тебе было искушение, и ты хоть и не устоял, но все же спохватился. И не важно, по какой причине ты себя ведешь, а важно, что правильно. Вернув камни, ты поступил правильно, а почему, это другой вопрос. Доверчиво так говорит, нисколько не сомневается, что я вернул. Всегда-то он предпочитает думать хорошо, а не плохо.

Я чуть не поперхнулся, однако проглотил. Но факт, что я его обманул.

Обманул, никуда эти камни тогда не уходили, кроме пяти бомбошек, которые Татьяна выбросила, а куда потом ушли двадцать семь прочих штук, ему и знать незачем. И никто никогда не узнает.

Тот парень с катка, который по ним тогда проехался, он как стал с Кармелой меня поднимать, то заметил рядом кучку белого порошка. Заметил и смеется, ты что, говорит, пикник тут ночью устраивал, кофе с сахаром пил?

И растер эту кучку ногой.

Теперь остается последнее.

Расстаться с Красненьким.

Вернуть его по назначению.

И вовсе не совесть меня одолевает, и не страх, и не стыд. Хези все равно никогда бы не узнал, а больше мне стесняться некого.

И во вредное излучение я не верю, не может из моего Красного исходить вредное излучение. Его всегда приятно было держать в руках. Но расстаться надо...

Расстаться необходимо, потому что — пока он у меня, вопрос остается открытым.

Как сказал доктор Сегев, не может начаться процесс заживления. А рана у нас проходит через всю нашу жизнь насквозь, и процесс надо начинать как можно скорей, а то станет все время гноиться и нарывать и отравлять всю систему. Пока он у меня, покоя мне не будет, а вместе со мной и всем остальным. И не известно, что еще может случиться.

Но как жалко!

Как жалко его отпускать! Отдавать мой чистый, блестящий, прекрасный Адамант в чужие руки, скорее всего грязные, особенно если он достанется тому русскому деятелю, который собирался его купить.

Правильно сказал ювелир Хоне, у королевы английской такого нет. А место ему, между прочим, именно там, в королевской короне. Вот если бы королеве его отдать, я бы так не переживал. Тем более английской. В Лондоне.

Вот он лежит передо мной, угрелся у меня в горсти и смотрит на меня своим круглым сверкающим глазом. Смотрит доверчиво, не ждет ничего плохого. Ему не было у меня плохо. Я о нем заботился, любовался на него, прятал, и хоть и терял, но всегда находил обратно. И он мне тоже ничего плохого не сделал, то есть лично он. Он ни в чем не виноват, и вся мерзопакость, которая вокруг него до меня была и после меня наверняка будет, к нему не пристала и не пристанет. Он всегда будет чистый и блестящий.

А впрочем, чего это ты, Михаил, такие сантименты тут развел.

Разнюнился над блестящей побрякушкой как девчонка. «Мой камень, мой Адамант, мой красавец...» Камню этому абсолютно все равно, кому принадлежать, кто его в руки возьмет, хоть чистые, хоть грязные. Ты думаешь, он на тебя как-то особенно смотрит? Полюбил тебя? Да он, кто его ни возьми, на всех будет смотреть своим блестящим чистым глазом и не моргнет даже. А если через него людям беды получатся, смерти и слезы — это его абсолютно не колышет. Это их, людей, беды, их смерти и слезы, им и страдать, а сам он ничего не хочет, никого не любит и ничего не боится. Разве что катка многотонного, но это редчайшее стечение обстоятельств. Да он и это, надо полагать, примет без стона.

Ну и давай, кончай, чем быстрее, тем легче.

Азам собирался как-то связываться со страховщиками по электронной почте, вступать в переговоры, требовать больше... Но это все законченный период нашей жизни и ушло в прошлое вместе с Азамом. Ничего этого делать не буду, расстанусь красиво. Чисто.

Взял два пакета ваты, которые мне Хези купил по моей просьбе, вынул их из целлофана.

Он и коробку мне на центральной почте специальную посылочную купил, довольно большую — с очень маленькой даже он мог бы догадаться, а мне все-таки перед ним как-то того... Коробок таких на почте каждый день продают десятки, а Хези человек с виду невыдающийся, никто его не запомнит.

Уложил один пакет ваты в коробку толстым ровным слоем и сунул в середку камень. На вату положил какие были елочные игрушки, еще из России привезли — все равно не понадобятся. Таня моя, как будущая еврейка, не захочет теперь больше елку справлять, тут, оказывается, это считают, христианский праздник, а я всегда думал, просто всеобщий Новый год. Вот и положил, в вате должно же что-нибудь быть, если вдруг на почте захотят проверить. Посылаю друзьям в Германии русские елочные игрушки. И сверху закрыл вторым слоем ваты.

Английская газетка у меня еще с каких пор валяется, под названием «Джерузалем пост». Но я тогда недостаточно хорошо соображал. Вырезанные буквы — это годится для письма, его в ящик бросил, и никто не знает. А на посылке приемщица может обратить внимание и запомнить. Лучше всего напечатать просто на компьютере, он следов не оставляет.

Принтера у меня нет, но я все заранее приготовил. Написал адрес на компьютере, название компании ставить не стал, а просто адрес и первое имя с фамилией, какое было внизу ихнего объявления. Как бы личная посылочка, и пусть догадаются сами, страховщики эти должны быть смышленый народ, хоть и немчура. Обратный адрес придумал воображаемый, посмотрел по карте города коротенькую уличку, домов в десять, и поставил номер дома восемьдесят пять. И имя-фамилию отправителя тоже сочинил.

Сделал дискетку и попросил Хези сходить, рядом у нас есть контора, «Инстипринт» называется, как мне Алексей посоветовал. Алексей сперва говорит: да зачем тебе, дай, я у себя отпечатаю, но я сказал, это личное письмо и показывать не хочу. Посмеялся и отстал. А Хези все мои просьбы выполняет беспрекословно и вопросов лишних не задает. Не исключено, что все-таки догадывается. Попросил отпечатать у них с дискетки и дискетку непременно забрать обратно.

Во гады, за один-единственный листок, а на нем четыре строчки, пятерку содрали! А чтоб совсем и принтер выследить было никак нельзя, велел Хези сделать с листка ксерокс, это еще полшекеля практически ни за что. И еще посылка сколько будет стоить, но мне этих расходов не жалко, поскольку сознаю, что необходимо.

Принтерный листок порвал и спустил в уборную, а из ксерокса вырезал адрес и аккуратно налепил на коробку. Все готово. Теперь только закрыть коробку и заклеить скотчем.

И закрыл уже, и скотча нужную длину отрезал... Ленту эту липкую надо ведь сразу и накладывать, а я замешкался, и она у меня в пальцах сразу завилась кудрей и сама к себе прилепилась. А чего мешкать? Ведь попрощался уже, расстался навек... Тогда чего?

Листок с номерами телефона Азама так и лежит у меня с тех пор в записной книжке. Хотел было выбросить, потом подумал — отдам когда-нибудь Галке, может, она захочет сохранить памятку с его почерком.

А внизу на этом листке, в аккуратной рамочке — адрес кипрского банка с номером счета и моей фамилией по-английски. Галке этот номер совершенно ни к чему, а я его тогда же переписал к себе.

Отлепил я от пальцев скотчевую ленту и рамочку эту с номером быстро отрезал. И совершенно ничего при этом не думал, что я делаю, зачем — так, инстинктивный механизм сработал, как Хези говорит. Открыл коробку, сунул отрезанное в вату поглубже, рядом с Адамантом, и заклеил коробку.

Хези ее взял и пошел на почту.

Все. Лети, Красный мой Адамант!

Лети и не возвращайся.

Забастовка учителей кончилась, и Ицик теперь занят, ходит в школу.

Однако все же пришел навестить больных. Вежливо всех поспрашивал про самочувствие и присел на мою тахту.

— Ты знаешь, — говорит, — я уже везде искал и никак не найду.

— Кого искал? — говорю, как бы забыл совсем.

— Ну, как кого, а камни!

— И не найдешь, — говорю, — зря время тратишь.

— Наверное, ты прав. У меня все время было чувство, что они где-то здесь, близко, а теперь я начинаю думать, что ты прав и их здесь нет.

— Ни близко их нет, ни далеко и нигде.

— Как это, нигде?

— А вот так. Нету их, и все тут. Нет, и не было.

— Не было? Что значит, не было?

— Да то и значит. Не было никаких камней. Откуда ты взял, что были?

— Ну как же...

— Ты их видел?

— Я не видел, но в интернете... и на базаре...

— Во-во, на базаре, слушай их больше. И интернет твой тот же базар.

— А полиция? Полиция зачем приходила?

— Это ты полицию и спроси.

— А Коби с хозяином ресторана? Они же их в твоих тряпках искали?

— А ты так точно знаешь, что именно они искали?

— И даже убили друг друга...

— А ты так точно знаешь, из-за чего убили?

Растерялся и не знает, что сказать. Но до чего настырный малый!

Обиделся. Губы надул и говорит:

— А ты зато все знаешь и скрываешь.

— Нет, — говорю, — и я не знаю и знать не хочу.

— Знаешь, знаешь, я вижу.

— Брось, Ицик, не приставай, мне сейчас не до того.

— Не приставай... Ладно. Тогда я им так и скажу — мой сосед Михаэль все знает, но мне говорить не хочет. Может, им скажешь.

— Им? Кому это им?

— Ну, этим... К тебе разве не заходили?

— Кто не заходил?

— Журналисты, один с фотоаппаратом, а другой так. Они репортаж делают для своей газеты. Сказали, еще зайдут.

Журналисты...

Журналисты? Или еще какие-нибудь?

Еще зайдут...

Господи, неужели не конец?

КОНЕЦ

СОДЕРЖАНИЕ

Винер, Ю.

З-81   Красный Адамант : роман / Юлия Винер. — М.: Текст, 2006. — 334, [2] с.

ISBN 5-7516-0517-9

Все развлечения инвалида Михаила Чериковера заключались в созерцании иерусалимской улицы из окна своей квартиры, пока в его руки при невероятном стечении обстоятельств не попали краденые бриллианты, в том числе знаменитый Красный Адамант. Это происшествие перевернуло всю его жизнь и потянуло за собой цепь разнообразных событий, в которые вовлечены и дочь Чериковера с женихом-арабом, и его русская жена с любовником — ортодоксальным евреем, и его смуглокожая любовница, приехавшая в Израиль из Марокко, и многие, многие другие.

УДК 821.161.1
ББК 84(5Изр)

серия
ЕВРЕЙСКАЯ КНИГА

Юлия Винер
КРАСНЫЙ АДАМАНТ
РОМАН

Редактор В. В. Петров
Художественный редактор Т. О. Семенова
Оформление серии П. В. Любаровой

Лицензия ИД № 03308 от 20.11.2000

Подписано в печать 05.10.05. Формат 84×108$^1/_{32}$.
Усл. печ. л. 17,64. Уч.-изд. л. 18,38.
Тираж 3000 экз. Изд. № 603.
Заказ № 8005.

Издательство «Текст»
127299, Москва, ул. Космонавта Волкова, д. 7/1.
Тел./факс: (095) 150-04-82
E-mail: textpubl@yandex.ru
http://www.mtu-net.ru/textpubl

Книга издана при техническом содействии
ООО «Издательство АСТ»

Отпечатано с готовых диапозитивов
на ФГУПП ордена Трудового Красного Знамени
«Детская книга» МПТР РФ.
127018, Москва, Сущевский вал, 49.